1000
SUEÑOS

DAVID FONTANA

1000
SUEÑOS

GUÍA ILUSTRADA PARA
COMPRENDER SU SIGNIFICADO

LIBROS CÚPULA

Publicado originalmente en inglés por Duncan Baird Publishers,
con el título: 1000 dreams

© de la traducción: Albert Agut Iglesias, 2011
© de las ilustraciones: véase página 464

Esta edición de Bookspan por convenio con Duncan Baird Publishers.

Primera edición: setiembre de 2011

© Scyla Editores, S. A., 2011
Av. Diagonal, 662-664, 08034 Barcelona (España)
Libros Cúpula es marca registrada por Scyla Editores, S. A.
Editado por Timun Mas
Este libro se comercializa bajo el sello Libros Cúpula

ISBN: 978-1-61129-533-7

Fotocomposición: BDThink!
Impreso en Tailandia – Printed in Thailand

«Aquellos que han comparado nuestra
vida con los sueños están en lo cierto…
Dormimos despiertos y despertamos dormidos.»

Michel de Montaigne, *Ensayos* (1580)

Sumario

Introducción

«¿Qué pasaría si durmieras? ¿Y qué pasaría si, al dormir, soñaras?

¿Y si, en tu sueño, fueras al cielo y recogieras una flor extraña y hermosa?

¿Y si, al despertar, tuvieras esa flor en la mano? Eh, entonces, ¿qué?»

SAMUEL TAYLOR COLERIDGE (1772-1834)

No recuerdo ninguna época de mi vida en que no me hayan interesado los sueños. De niño eran una puerta hacia un mundo mágico que me convenció de que la existencia era algo más que las experiencias cotidianas del día a día. Hablando con mis amigos descubrí que compartían la misma fascinación por ese mundo interior, y solíamos compartir nuestras aventuras nocturnas (muchas de las cuales se relataban con gran exactitud) en una serie que iba desde sucesos de cuentos de hadas, en que los animales hablaban y los deseos se concedían, hasta las pesadillas más espeluznantes y terroríficas. Probablemente yo era un afortunado, ya que la mayoría de mis sueños eran agradables y me sumergían cada vez más profundamente en lo que años más tarde reconocí como mi propio subconsciente.

La riqueza y variedad de mi vida onírica era tal que ni siquiera cuando empecé a estudiar Psicología se resintió ni un ápice mi convicción de que los sueños son una parte fundamental de nuestra vida mental. Portadores de mensajes que nos ayudan a revelar nuestros deseos y miedos ocultos, y en ocasiones de orientaciones o consejos que a nuestra mente consciente y despierta ni siquiera se le habían ocurrido. Descubrí las obras de Freud y Jung, y aprendí cómo los sueños pueden ayudar a los psicoterapeutas a entender los problemas de sus pacientes, y cómo les ofrecen además valiosas claves sobre el proceso necesario para resolverlos.

Posteriormente, al estudiar el budismo, el hinduismo y otras tradiciones orientales, descubrí la enorme importancia que otras culturas dan a los sueños; de hecho, llegan a entenderlos como una manera de atisbar lo que ocurre con nuestra consciencia después de la muerte física. Aprendí que se puede alcanzar progresivamente un mayor control de los propios sueños; a recordarlos con gran detalle al despertar; a influir en su contenido; e incluso a soñar conscientemente (lo que se conoce también como «sueños lúcidos»).

Cuanto más estudio sobre los sueños, más claro tengo lo equivocados que están algunos científicos que los comparan con un mero vaciado informático de datos superfluos al final de una jornada de trabajo. En cualquier caso, es importante reconocer los avances que ha hecho la ciencia para ayudarnos a entender, si no su causa y propósito, al menos sí algunos de los mecanismos que hay tras ellos. Así, hoy en día sabemos que todo el mundo, desde los niños más pequeños hasta los ancianos, sueña todas las noches, y que aquellos que aseguran que ése no es su caso simplemente son incapaces de recordarlos. Los investigadores modernos nos enseñan también que soñar es muy importante para nuestra salud psicológica y que ninguna teoría puede dar cuenta de toda su riqueza y variedad.

Mis propias experiencias a la hora de dirigir talleres de sueños y utilizarlos como ayuda para el entendimiento psicológico me han demostrado también que para mucha gente soñar es divertido. Los sueños transgreden todas las reglas de nuestra vida diaria. En los sueños, los viejos pueden volver a ser jóvenes, y los jóvenes pueden ser viejos. Pueden remediarse los fracasos y las decepciones de nuestra vida diaria. Volar o viajar en el tiempo no sólo resulta posible, sino que se convierte en absurdamente sencillo. La gente y los objetos cambian de forma y en ocasiones se ven destellos de escenas y lugares que parecen el Paraíso. Así que, aunque espero que aprendas de este libro de sueños, por encima de todo quiero que te diviertas con él y que te ayude a enriquecer tus viajes hacia el territorio extraño e ignoto en el que nos sumergimos cada noche.

David Fontana

LA
Naturaleza
DE LOS SUEÑOS

Las personas cuya experiencia es caer cada noche en un sueño profundo y plano, en un vacío negro, quizá se sorprendan al descubrir que, con toda probabilidad, todo el mundo sueña. Aunque muchos de nosotros olvidamos la mayoría o todos los sueños que nos visitan durante la noche, normalmente soñamos una quinta parte del tiempo que pasamos durmiendo. Freud, Jung y otros pioneros del subconsciente nos han ayudado a entender que las escenas de nuestra vida onírica no son mero «ruido» de fondo en nuestra cabeza. Lejos de estar faltos de significado, constituyen una vívida mirada interior hacia las preocupaciones que agitan nuestras mentes en los niveles más profundos de nuestro ser. En muchos sentidos, los sueños son ventanas abiertas a nuestra identidad verdadera, sin censuras.

Los sueños en la Historia

A lo largo de la historia siempre hemos intentado indagar en el significado de nuestros sueños. Intrigados por sus extrañas imágenes y su aparente carga de simbolismo, los hemos escudriñado ingeniosamente para percibir aspectos de nuestra vida presente y averiguar claves sobre el futuro.

Las civilizaciones más antiguas creían que los sueños contenían mensajes de los dioses. Las tablas cuneiformes de Asiria y Babilonia, datadas de finales del cuarto milenio a. J.C., retratan una sociedad cuyos sacerdotes y reyes recibían en sueños advertencias de la deidad Zaqar. La épica de Gilgamesh, el gran relato de un héroe-rey mesopotámico escrito en idioma acadio durante el primer milenio antes de Cristo, está plagada de narraciones de sueños, muchos repletos de augurios divinos de peligro o victoria; como aquél en que una criatura de pesadilla conduce al héroe Enkidu hasta la «Tierra del Polvo», donde las almas de los muertos viven en la oscuridad perpetua.

La antigua tradición judía se anticipó a las teorías modernas sobre los sueños al reconocer que las circunstancias vitales del soñador son tan importantes en su interpretación como su propio contenido. Los babilonios admiraban a los judíos por su habilidad para interpretar los sueños, y en el siglo VI a. J.C. convocaron al profeta hebreo Daniel para que interpretara uno del rey Nabucodonosor; aquél predijo acertadamente los inminentes siete años de locura del rey *(Daniel 4: 535)*. Los egipcios también respetaban la tradición interpretativa judía. José, vendido como esclavo en Egipto por sus hermanos, fue capaz de progresar desde la completa pobreza hasta una posición de considerable poder gracias a su interpretación correcta del sueño del faraón, en el que se pronosticaban siete años de abundancia y siete de penurias en el Reino Antiguo *(Génesis 41: 138)*.

El mundo antiguo

Los propios egipcios hicieron grandes esfuerzos por sistematizar la interpretación de los sueños durante los años del Reino Medio (2 040-1 786 a. J.C.), y sus métodos (como se documenta en el papiro *Chester Beatty*) siguen presentes en las guías oníricas de la actualidad. Los sueños se entendían en términos de opuestos significativos: así, los que eran aparentemente felices presagiaban desastres, mientras que la peor de las pesadillas podía anunciar la llegada de tiempos mejores. Los símbolos individuales se sondeaban mediante similitudes entre palabras de sonido parecido, o a través del moderno método de asociación.

Se creía que los sueños contenían mensajes tanto de los dioses como de los espíritus malignos. Ingiriendo pociones de hierbas o recitando conjuros, el soñador podía intentar atraer a los espíritus buenos y disuadir a los malos. Así preparado, el sujeto dormía en el templo y, al despertar, transmitía sus sueños al sacerdote para que éste los interpretara.

Los antiguos griegos tomaron muchas cosas prestadas de los egipcios; construyeron más de trescientos templos para utilizarlos como oráculos oníricos. En éstos, los mortales se sometían al soporífico poder de Hipnos, el dios del sueño, mientras éste los envolvía en sus alas. Cuando caían en la somnolencia, el dios Morfeo se podía comunicar con sus adeptos, para transmitir advertencias y profecías en sus sueños. Muchos de estos templos se hicieron famosos como centros de curación. Los enfermos dormían en ellos

El Tiempo del Sueño

En la mitología aborigen australiana existe un período de la creación llamado Tiempo del Sueño. Se cree que durante una época primera los ancestros viajaron por Australia creando el paisaje y decidiendo las formas de la sociedad. El Tiempo del Sueño es una época original, aunque es también una especie de dimensión alternativa paralela al mundo cotidiano.

Como estado, el Tiempo del Sueño sigue siendo accesible al pueblo aborigen mediante la divagación en el paisaje y los rituales. Se recrean episodios de éste en lugares sagrados, en los que los participantes se convierten brevemente en sus ancestros.

con la esperanza de que los visitara Asclepio, el dios de la medicina, quien proporcionaba remedios para las dolencias físicas, lo que provocaba en ocasiones una cura inmediata, mientras el soñador dormía rodeado de inofensivas serpientes amarillas. También se cuenta que Asclepio reunía a unas serpientes sagradas en los templos para que lamieran las heridas de los afligidos, lo que los curaba. El caduceo, un artefacto formado por dos serpientes retorcidas alrededor de una vara, se sigue utilizando mucho como representación de la curación en el simbolismo occidental.

Platón, en sus escritos del siglo IV a. J.C., adoptó una visión menos mística, y sostenía que los sueños surgían del hígado. Atribuía algunos de ellos a los dioses, y otros a lo que en *La República* llamaba la «bestia natural, salvaje y sin reglas que se asoma mientras dormimos», con lo que se anticipaba más de dos mil años a Freud al explicar que los sueños eran el lugar en el que se desataban los deseos más salvajes de las personas, excepto cuando el «alma bien gobernada» era capaz de sustituir los instintos más básicos por la razón, en cuyo caso nos ayudaban a «comprender la realidad mejor que en ningún otro momento».

Su discípulo Aristóteles, por su parte, anticipó el racionalismo científico del siglo XX al argumentar que los sueños eran provocados por razones puramente sensoriales. Decía que las visiones oníricas eran como objetos reflejados en el agua: cuando está tranquila, las formas se ven con facilidad; cuando está agitada (esto es, cuando la mente está agitada emocionalmente), los reflejos se distorsionan y pierden sentido. Cuanto más se aquieta el alma antes de dormir, decía Aristóteles, más puede aprender el soñador. Sin embargo, a pesar de estas voces aleccionadoras, la creencia popular en el poder premonitorio de los sueños siguió muy extendida y, presuntamente, afectó al curso de la historia romana: tanto el épico viaje de Aníbal a través de los Alpes como la invasión de Roma de César fueron provocados mediante instigación divina en sueños.

En el siglo II, el filósofo sofista Artemidoro de Daldis (quien tiene dos apariciones breves y enigmáticas en el *Julio César* de Shakespeare) reunió las piezas de toda la sabiduría de siglos anteriores, gran parte de ella almacenada en la gran biblioteca de Babilonia del rey Asurna, en Nineveh. Sus investigaciones aparecieron en cinco libros sobre los sueños, que fueron muy influyentes: el *Oneirokritiká* (del griego *oneiros*, que significa «un sueño»).

Aunque muchas de estas interpretaciones pueden parecer un tanto extrañas a oídos modernos, Artemidoro fue sorprendentemente actual en algunos aspectos. Por ejemplo, identificó la importancia de la personalidad del soñador en el análisis de sus sueños como factor primordial para determinar su significado, y percibió la naturaleza y frecuencia de los símbolos sexuales. En su teoría sobre el espejo onírico como representación de lo femenino para el soñador masculino, y lo masculino para el soñador femenino, anticipó incluso los conceptos jungianos de «Ánima» y «Ánimus» (véase pág. 103).

Tradiciones orientales

Las tradiciones oníricas orientales también ofrecen perspectivas valiosas. Generalmente, se hace más hincapié en el estado mental del soñador. Los místicos chinos admitían que la conciencia posee distintos niveles, y al interpretar los sueños tenían en cuenta la condición física y el horóscopo del soñador, además de la época del año. Creían que la conciencia abandona el cuerpo al dormir y que viaja por reinos de otro mundo, por lo que despertar abruptamente al soñador, antes de que el cuerpo y la mente se volvieran a reunir, podía ser enormemente peligroso.

Los *rsis* (videntes) indios también creían que la conciencia posee diversas capas, y reconocían los distintos estados de la vigilia, el sueño, el dormir sin soñar y el *samadhi*, el éxtasis que sigue a la iluminación. Un pasaje sobre interpretación de los sueños del *Atharva Veda*, un texto filosófico datado entre el 1500-1000 a. J.C., afirma que en una serie de sueños sólo el último es importante; se sugiere que actúan de manera progresiva para resolver problemas o revelar sabiduría. La tradición hindú también centra su interés en la importancia de las imágenes oníricas individuales, y las relaciona con un sistema simbólico más amplio que incorpora los atributos simbólicos de dioses y demonios. La creencia hindú de que algunos símbolos son universales, mientras que otros son propios del soñador, anticipa tanto los trabajos de Freud como los de Jung.

Tradiciones islámica y cristiana

En Occidente no se hicieron grandes progresos en el estudio de los sueños durante los siglos posteriores a Artemidoro, ya que se creía que éste había desvelado todos sus misterios. No obstante, los árabes, influenciados por la sabiduría oriental, siguieron explorando el mundo onírico, y crearon diccionarios de sueños y gran variedad de interpretaciones. Mahoma salió del anonimato para fundar el islam después de un sueño en el que recibió una llamada profética, por lo que después los sueños adquirieron una posición prominente en su ortodoxia religiosa. En el Corán, el ángel Gabriel se aparece a Mahoma en sueños, lo conduce sobre una yegua plateada primero hasta Jerusalén y después al Paraíso, donde se encuentra con Jesucristo, Adán y los cuatro evangelistas, después entra en el Jardín de las Delicias y recibe instrucciones de Dios.

La creencia de que los sueños podían estar inspirados por los dioses persistió durante los primeros siglos del cristianismo, y en el siglo IV de nuestra era formaba parte de las enseñanzas de los padres de la Iglesia, como san Juan Crisóstomo, san Agustín y san Jerónimo. No obstante, la ortodoxia cristiana huía de la interpretación de los sueños y las profecías. Los sueños del Nuevo Testamento se veían como mensajes directos de Dios a sus discípulos y a los fundadores del cristianismo. Las predicciones eran redundantes, ya que se creía que el futuro estaba en manos de Dios. En la Edad Media, la Iglesia llegó a rechazar incluso la posibilidad de que un creyente cualquiera recibiera mensajes divinos, puesto que las revelaciones de Dios sólo se producían dentro y a través de la Iglesia. El teólogo dominico Tomás de Aquino compendió la posición ortodoxa del siglo XIII al aconsejar ignorar por completo los sueños. Martín Lutero, quien rompió con la Iglesia católica romana para convertirse en el iniciador de la reforma protestante, enseñaba que los sueños, como máximo, sólo son capaces de mostrarnos nuestros pecados.

Sin embargo, la interpretación de los sueños estaba demasiado arraigada en la conciencia popular para ser rechazada tan fácilmente. A partir del siglo XV, con la creciente disponibilidad de libros impresos en Europa, proliferaron los diccionarios de sueños, la mayor parte de ellos basados en la obra de Artemidoro. A pesar de su candidez, estos diccionarios desempeñaron un papel muy útil al alejar la interpretación onírica de los videntes y sacerdotes, y dejarla, potenciándola de paso, en manos del individuo.

Aunque los racionalistas científicos del siglo XVIII creían que los sueños no tenían gran relevancia y que su interpretación era una forma de superstición primitiva, popularmente el interés por los sueños se asentó. Es más, empezaron a aparecer como un tema destacado en la literatura y el arte; el nuevo romanticismo, liderado por visionarios como William Blake y Goethe, rechazó las teorías de los racionalistas y le dio una especial importancia al poder individual y creativo de la imaginación.

Los siglos XIX y XX

En la Europa del siglo XIX, incluso filósofos como Johann Gottlieb Fichte (1762-1814) y Johann Friedrich Herbart (1776-1841) empezaron a considerar que los sueños merecían un estudio psicológico serio, con lo que allanaron el camino para la revolución en la teoría onírica que inició a finales de siglo Sigmund Freud (1856-1939).

En 1889, ya entrado en la cuarentena, Freud publicó su monumental obra *La interpretación de los sueños*. Sus estudios como neurólogo lo habían llevado a buscar las causas de las neurosis en la mente subconsciente y, después de un prolongado autoanálisis, lo convencieron del papel que podían desempeñar los sueños como puerta de acceso a las profundidades interiores. Para Freud, el subconsciente es principalmente el lugar donde se encuentran los deseos e impulsos, en especial de naturaleza sexual, reprimidos por la mente consciente. La mayoría de los sueños, creía él, son simplemente la realización de deseos, o bien expresiones de ideas reprimidas que se abren paso hasta nuestra conciencia cuando nuestros egos están relajados durante el sueño. Argumentaba que soñar es lo que nos permite dormir, ya que evita que nuestros deseos y anhelos nos despierten.

El psicólogo suizo Carl Jung (1875-961) trabajó intensamente con Freud entre 1909 y 1913, pero se fue distanciando de la insistencia de Freud en el contenido sexual subyacente de los símbolos oníricos. La visión de Jung sobre los sueños y las operaciones de la mente en general constituyen un importante contrapunto (y para muchos psicólogos, un correctivo) a la de Freud. Jung permitió que emergiera, cada vez más, la faceta no racional de su naturaleza (que se había expresado poderosamente en sus fantasías y sueños de infancia), y mediante un proceso de autodescubrimiento llegó a desarrollar su influyente teoría sobre el «inconsciente colectivo»: la creencia de que la mente contiene una gran reserva interna de simbolismo de la que echan mano los hombres y mujeres de todas las culturas en sus sueños e imaginaciones más profundas. Almacenados en el inconsciente colectivo están los «arquetipos» (véanse páginas 96-107): las imágenes y los temas recurrentes que forman los mitos y los sistemas religiosos y simbólicos del mundo, y que pueblan además nuestros sueños más universalmente significativos.

Aunque han surgido muchas técnicas de interpretación de los sueños nuevas que complementan a las pioneras de Freud y Jung, el psicoanálisis y el análisis jungiano siguen estando en el corazón de la investigación psicoanalítica. En la segunda mitad del siglo XX, el gran avance en el estudio de lo onírico lo supuso el descubrimiento en 1953 del sueño REM (siglas inglesas de «movimientos oculares rápidos»), en el que se producen los episodios oníricos más intensos (véase página 41). Esto abrió un nuevo camino en la investigación. Aún queda mucho trabajo por hacer para construir una ciencia onírica plenamente desarrollada. Mientras tanto, a través de talleres de sueños y otras formas de análisis, estamos construyendo un corpus de estudios de casos para los científicos de los sueños del futuro.

Tu propio templo de Hypnos

En la Antigua Grecia, el templo de Hipnos era el lugar al que la gente acudía para tener sueños proféticos y curativos. Tú puedes crear tu propio templo convirtiendo tu dormitorio en un entorno especial que estimule los sueños significativos; puede ser no sólo un práctico lugar para dormir, sino una habitación llena de misterio y significados.

Crea esa atmósfera utilizando cuidadosamente telas suaves y una iluminación tenue. Desvístete y prepárate para dormir como si buscaras destellos puntuales de luz, en vez de lanzado cuesta abajo hacia una luz deslumbrante. Imagina que los espíritus de los sueños significativos se están preparando en las sombras.

Pon música agradable antes de acostarte y utilízala como acompañante de la meditación, o como mínimo de un ritmo de pensamiento relajado y contemplativo. Si esto te resulta difícil, piensa simplemente en una escena tranquila en la que te sientas feliz y en paz.

Ya en la cama, proyéctate esperanzadamente hacia el futuro: eres un viajero en el tiempo. A la mañana siguiente examina tus sueños para ver si te ofrecen alguna clave sobre tu destino.

Los sueños según Jung

No ha habido nadie más influyente en la historia de nuestros esfuerzos por entender la mente soñadora que el pionero de la psicología Carl Jung, cuya obra revolucionaria reveló la profundidad oculta y el lirismo de los sueños, y los relacionó con los mitos y la imaginación.

Carl Gustav Jung (1875-1961), el fundador de la psicología analítica, nació cerca de Basilea (Suiza) y, tras graduarse como médico en la universidad local, pasó la mayor parte de su vida ejerciendo la praxis psicoterapéutica privada en Kusnacht, junto al lago Zúrich. Como Freud, con quien trabajó codo con codo desde 1909 hasta 1913, creía en el papel que desempeña el subconsciente en la neurosis y la psicosis, y en el rol prominente de los sueños para descubrir las fuentes de los problemas subconscientes. Sin embargo, Jung se apartó de Freud al darse cuenta de que los temas habituales que aparecían en las alucinaciones de sus pacientes no podían emerger todos de sus conflictos subconscientes personales, sino que debían surgir de algún tipo de fuente común. Empezó a estudiar las correlaciones que descubrió entre diversos sueños de personas distintas y percibió que las alucinaciones individuales de sus pacientes psicóticos mostraban similitudes notables, y que en ellas aparecían temas de las mitologías de todo el mundo.

Sus amplísimos conocimientos sobre religión, mitología y sistemas simbólicos comparativos, como la alquimia, lo convencieron de que existían temas similares que se manifestaban en distintas culturas a lo largo de los siglos, y así nació su creencia en el inconsciente colectivo, un nivel genético de la mente, creado por los mitos y común a todos los hombres y mujeres, que actúa como manantial de la vida psicológica. Jung llamó «arquetipos» a los motivos mitológicos y las imágenes primordiales que emergen del inconsciente colectivo. Vio que éstos aparecen simbólicamente

una y otra vez en los grandes mitos y leyendas del mundo, además de en nuestros sueños más profundos y significativos.

A menudo se considera a Jung como un primer y ardiente discípulo de Freud que acabó distanciándose de él. En realidad, ya tenía muy avanzadas sus teorías mucho antes de conocer a Freud, en 1907, y aunque siguió manifestando su admiración por el psicólogo austríaco tras sus desavenencias de 1913, desde el primer momento había existido cierto distanciamiento científico entre ellos.

Ernest Jones, el biógrafo de Freud, escribe sobre la «tendencia hacia el ocultismo, la astrología y el misticismo» de Jung, aunque deja claro que la razón definitiva de su ruptura con Freud fue la insistencia de éste en que la energía vital es principalmente de orden sexual. Las implicaciones de tal desacuerdo para la interpretación de los sueños eran profundas. Jung veía el simbolismo sexual de los sueños como una representación de un nivel de significado más profundo y no sexual; mientras que Freud optaba por interpretar el contenido sexual de manera literal. Para Jung, los «grandes» sueños (es decir, los que surgen del inconsciente colectivo) no son mensajes codificados que aludían a deseos particulares, sino puertas de entrada a un mundo mítico: «el enorme almacén histórico de la raza humana».

Jung también se diferenciaba de Freud en su método para explorar el subconsciente mediante la interpretación de los sueños. Rechazaba la asociación libre freudiana. Prefería la técnica de la asociación directa. Jung criticaba el método de Freud porque permite que la mente divague libremente, siguiendo una cadena de asociaciones que se aleja de la imagen onírica original y a menudo termina en algún punto muy distante de ella. A través de la asociación directa, los jungianos se concentran en el sueño. Evitan trenes de pensamiento divagantes del paciente y lo obligan, una y otra vez, a regresar a la imagen onírica original. Jung admitía que la asociación libre permite obtener valiosas percepciones psicológicas, pero creía que éstas no siempre están conectadas con el mensaje del sueño. Cualquiera puede tomar al azar una palabra del diccionario y utilizarla como punto de partida de este mismo proceso.

Para Jung, la psicoterapia no es una búsqueda de los secretos oscuros de nuestro pasado para la que hay que excavar en los traumas infantiles, sino un proceso de autodescubrimiento y realización personal. Los jungianos creen que entrando en contacto con los temas míticos de nuestro inconsciente colectivo, vamos gradualmente integrando los aspectos más dispares y en ocasiones conflictivos de nuestro yo, desarrollando nuestro potencial a medida que pasamos por las distintas y sucesivas etapas de la vida.

Objetividad y subjetividad

Jung sugirió que existen dos planteamientos básicos en el análisis del material onírico: el objetivo y el subjetivo. El primero es literal; si sueñas con tu hermana descarriada, que es perezosa, no tiene trabajo y se aprovecha de sus amigos y familia, es muy probable que el sueño apunte a aspectos de su comportamiento que te aflijen. Sin embargo, según el planteamiento subjetivo, todo aquel que aparece en el sueño representa algún aspecto del soñador. Desde esta perspectiva, la hermana puede representar tus propias tendencias a huir de las responsabilidades sociales. Un ejemplo más gráfico sería el de un sueño en el que eres perseguido por un atacante violento, donde la referencia oculta pueden ser los propios impulsos agresivos del soñador. Jung argumentaba que el paciente suele tener muchas más dificultades para aceptar la visión subjetiva. Un buen terapeuta animará a sus pacientes a reconocer la verdad de la interpretación subjetiva, de manera que ofrezca una revelación interior y conduzca a una mayor conciencia personal. Los terapeutas Gestalt profundizaron posteriormente en el planteamiento subjetivo y lo aplicaron incluso a los objetos inanimados de los sueños.

Los análisis de Jung revelaron numerosas conexiones entre el simbolismo de los sueños individuales y la alquimia medieval. Ésta no fue un mero antecesor místico de la química, sino también una precursora del estudio moderno del subconsciente y de las técnicas para transformar la materia base del conflicto y la confusión psíquica en el oro de la integridad personal.

Jung veía la alquimia como una poderosa corriente subterránea bajo la religión y filosofía occidentales, algo parecido a lo que el sueño es a la conciencia: «igual que los sueños compensan los conflictos de la mente consciente, la alquimia rellenó los huecos dejados por la tensión cristiana entre opuestos».

Jung no sólo trazó paralelismos entre los símbolos oníricos y sus contrapuntos alquímicos, sino que también encontró en la alquimia una representación simbólica del propio proceso del análisis jungiano y del desarrollo de la psique humana. En su búsqueda de los poderes de la autotransformación, los alquimistas se esforzaban por unificar opuestos como el blanco y el negro, el sulfuro y el mercurio, el calor y el frío, el sol y la luna, la vida y la muerte, el hombre y la mujer, creando así la piedra filosofal. Ésta era el único principio unificador, y también es el origen de algunos mitos relacionados con el Santo Grial.

Jung descubrió en estas transformaciones simbólicas alquímicas una compleja metáfora de la unión entre macho y hembra, Ánima y Ánimus,

Mientras Freud intentaba reducir sus interpretaciones de los sueños planteándolas desde rígidos presupuestos teóricos, Jung abogaba por la amplificación de los símbolos oníricos, escudriñando sus significados más profundos de manera imaginativa y colocando los símbolos en su contexto mítico y simbólico más amplio.

consciente y subconsciente, materia y espíritu. Según él, conducía a la integridad interna de la psique humana. Un proceso al que Jung llama «individuación», tomando prestado un término de la alquimia.

Al darle tanta importancia a las experiencias del presente (en contraste con la preocupación de Freud por la infancia), Jung consideraba que cada etapa de la vida tenía su propia carga de relevancia en nuestro desarrollo, y subrayaba que todos tenemos la capacidad de crecer y actualizarnos incluso a una edad muy avanzada. El objetivo de la psicoterapia, y en consecuencia del análisis de los sueños, era permitir el acceso individual al subconsciente personal y al inconsciente colectivo; no para desvelar los oscuros secretos del pasado, sino para descubrir e incorporar cada aspecto del yo a la integridad psíquica. En el curso de esa integración, los hombres y las mujeres no sólo reconcilian facetas de sí mismos en conflicto, sino que también dejan aflorar una función religiosa a menudo reprimida. Jung descubrió, trabajando con sus pacientes, que esta función es, como mínimo, igual de potente que los instintos sexuales y agresivos de Freud. La función religiosa no tiene nada que ver con credos ni dogmas, sino que es una expresión del inconsciente colectivo que nos inspira y nos conduce hacia la espiritualidad y el amor.

Complejos

Carl Jung utilizaba el término «complejo» o «sensación de tonos complejos de ideas», para referirse a los «nódulos» del subconsciente: las marañas de sensaciones y creencias inconscientes que pueden formar una perturbación psíquica y manifestarse en un comportamiento inaudito. Inicialmente, encontró pruebas de complejos en los test de asociación de palabras que hizo en la primera década del siglo XX, cuando trabajaba en la universidad de Zúrich. En el centro de cualquier complejo se encuentra un patrón universal de experiencia, o arquetipo (véanse páginas 96-107); normalmente, solemos tener complejos relacionados con nuestra madre o nuestro padre, o con un hermano o una hermana. Éstos tienen una vitalidad que no es dañina en sí misma, pero cuando se desequilibran frente a otros complejos, pueden socavar nuestras intenciones y afectar a nuestros recuerdos, sueños y efectividad mental en la vida diaria. También pueden dañar nuestra paz interior y usurparle el poder a nuestra identidad controladora, el ego. Los psicoanalistas suelen trabajar con el paciente en sus sueños para descubrir las raíces de los complejos; una práctica que se concreta en un progreso conjunto marcado por el espíritu de descubrimiento.

Los sueños según Freud

Sigmund Freud sigue siendo una figura controvertida. Algunos creen que sus obras son más importantes como literatura que como registro de descubrimientos científicos; no hay duda de que están plagadas de poder imaginativo. Sus visiones sobre la mente son incómodas, provocadoras y profundas.

Sigmund Freud (1856-1939) empezó su clásica *La interpretación de los sueños* con una afirmación revolucionaria para 1899: «Proporcionaré pruebas de que existe una técnica psicológica que hace posible la interpretación de los sueños». La psicología moderna de los sueños nació con esa frase.

La interpretación de los sueños sólo vendió 351 copias en los primeros seis años, pero más tarde se harían muchas reediciones y se convertiría en uno de esos pocos libros que cambian la manera en que nos vemos a nosotros mismos. Freud nació en Freiberg, Moravia (actualmente en la República Checa), y ejerció como médico en Viena bajo la tutela del célebre neurofisiólogo Ernst Brücke. De él, Freud extrajo su creencia determinista de que todos los fenómenos vivos están subordinados a la ley de causa y efecto, una

visión que más tarde lo predispondría a afirmar que los sueños obedecen a la misma ley.

Posteriormente, mientras trabajaba en París con el famoso neurólogo e hipnotizador médico J. M. Charcot, llegó a la conclusión que las neurosis están causadas por factores psicológicos en lugar de físicos, y a su regreso a Viena desarrolló (en parte con la ayuda del psiquiatra Josef Breuer) la técnica de la libre asociación para identificar esos posibles factores. Los resultados de su trabajo con la libre asociación lo convencieron de que muchos de ellos están por debajo del nivel de la mente consciente, asociados con daños emocionales causados en nuestra más tierna infancia por

Asociación libre

La famosa técnica de asociación libre de Freud se puede adaptar como una manera sencilla de explorar los posibles significados de cualquier sueño reciente que hayas tenido.

Toma como punto de partida un sueño que aún tengas fresco en la mente. Lo idóneo es que hagas este ejercicio por la mañana, poco después de despertarte. Necesitarás un bolígrafo o un lápiz y una hoja de papel en blanco, o una página de un cuaderno de sueños.

Para desentrañar los varios significados posibles del sueño, toma cada objeto, persona y situación que desempeñaron un papel significativo en la experiencia, y asocia libremente una serie de palabras con cada uno de ellos, de uno en uno. Deja que tu imaginación vague libremente. Anota donde puedas todo lo que se te ocurra, y no censures ni corrijas nada. A partir de la primera palabra, sigue las cadenas de asociaciones mentales que surjan, dejando que una imagen dé pie a la siguiente. Puedes terminar bastante alejado de la palabra original, pero la intuición te dirá cuándo debes detenerte. Después, vuelve a la palabra clave y explora otro camino.

Por ejemplo, una asociación libre que se inicie en la imagen onírica de una bicicleta podría ser: bicicleta, pedal, zapatos, botas, policía, autoridad.

La idea fundamental bajo la asociación libre es estimular tus propias revelaciones subconscientes. Estás bajando la guardia deliberadamente, y en esas circunstancias es más probable que te topes con verdades inesperadas. Puedes de repente encontrarte con una palabra o recuerdo que te haga vivir un momento de revelación.

No te preocupes si esta vez no descubres nada interesante. Debes intentarlo más veces y revisar tus notas de asociaciones libres cada cierto tiempo para comprobar que la primera vez no pasaste por alto ningún aspecto.

represiones o distorsiones de los instintos vitales, en especial del deseo sexual, en respuesta a la necesidad de aprobación paterna y social. Reconociendo que esto revelaba la crucial importancia del subconsciente, Freud emprendió entonces un largo camino de autoanálisis, y como resultado de sus descubrimientos se convenció del papel que los sueños desempeñan como vía de acceso al material oculto de la mente.

Es de sobra conocida la definición de Freud de los sueños como «el camino real al subconsciente». Él creía firmemente que había desentrañado todos los misterios que éstos escondían. Actualmente, se discuten muchas de sus conclusiones, pero la deuda con él es gigantesca por haber dado con las preguntas que debíamos hacernos sobre el significado y el propósito de soñar, y acerca de la visión interior que los sueños proporcionan no sólo del contenido del subconsciente, sino también del rol que éste tiene en nuestra vida mental completa.

Bajo el concepto que Freud tenía de los sueños subyace su creencia de que la mente procesa el material en distintos niveles. El estudio de sus propios sueños y de los de sus pacientes lo llevó a distinguir entre lo que llamaba «proceso primario», que opera en la mente subconsciente y soñadora, y el «proceso secundario», que caracteriza al pensamiento consciente. El primero difiere del segundo en la ausencia de organización y coordinación, y consiste sólo en impulsos instintivos,

todos ellos presionando en pos de su autosatisfacción. Freud creía que el proceso primario toma los impulsos, deseos y miedos inconsciente, y los convierte en símbolos. Éstos se hallan conectados por asociaciones que no tienen en consideración categorías como el tiempo y el espacio o lo correcto y lo incorrecto, ya que el subconsciente es ajeno a la lógica, los valores y las adaptaciones sociales de la vida consciente.

El proceso secundario, por su parte, adapta los pensamientos a las leyes de la lógica, de la misma manera que el lenguaje está gobernado por las leyes de la gramática.

Freud mantenía que los instintos subconscientes habitan en una especie de caos primitivo, cada uno de ellos buscando su propia satisfacción independientemente de los demás, de una forma animal y amoral. Utilizó el término «id» (literalmente «ello») para describir la parte primaria de la mente, y sostenía que ésta contenía «todo lo que es heredado… [y] está presente al nacer»; en otras palabras, se refiere a los instintos primordiales que nos han movido desde el nacimiento de la raza humana, sobre todo los de supervivencia individual y de la especie.

Según Freud, el id domina la vida subconsciente, y los sueños son la manifestación en forma de fantasía, o la autosatisfacción, de sus deseos y energías. Pero los sueños no emergen directamente de esta masa de instintos anárquicos. Si así fuera, despertarían al soñador con su contenido

El sueño de Irma de Freud

Freud tuvo este famoso sueño en 1895, y fue el primero que sometió a una interpretación detallada. Trataba sobre Irma, una joven viuda amiga de la familia a quien estaba tratando por «ansiedad histérica».

El sueño. Freud recibía a Irma y a otros invitados en un gran salón. La llevaba a ella aparte y le reprochaba que hubiera rechazado su «solución» a los problemas de ansiedad: «si sigues sufriendo, en realidad sólo es culpa tuya». Ella se quejaba de unos dolores en la garganta, el estómago y el abdomen que la «ahogaban». Alarmado, Freud le examinaba la garganta, por si no había considerado alguna posible causa orgánica a sus problemas, y encontraba una gran mancha blanca, además de unas «destacables estructuras retorcidas», como «huesos de la nariz». El doctor M. repetía el examen y confirmaba lo que Freud había descubierto. Freud decidía que la infección estaba causada por una inyección suministrada por Otto, un doctor conocido suyo, probablemente con una jeringuilla sucia. En opinión del doctor M., Irma no tardaría en contraer disentería, y la toxina sería eliminada.

La interpretación. Analizando el sueño y practicando la asociación libre con sus partes clave, Freud se dio cuenta de que se trataba de un sueño de satisfacción de deseos. En el sueño, primero culpa a Irma de sus propios dolores. Su sensación de que las causas pueden ser orgánicas representa tanto su deseo oculto de evitar la culpa por el fracaso del psicoanálisis como su miedo por haber confundido problemas psicosomáticos y físicos. Concluye «que yo no era responsable del sufrimiento de Irma, sino Otto. Éste, de hecho, me había molestado con sus comentarios sobre la cura incompleta de Irma, y el sueño me permitió vengarme, devolviéndole el reproche a él». En el sueño de satisfacción de deseos de Freud, el «sufrimiento» de Irma no estaba causado por el manejo del psicólogo de la psique de ella, sino por una jeringuilla sucia utilizada por Otto. La ansiedad de Freud sobre su tratamiento a Irma estaba simbolizada por el papel desempeñado por el doctor M., a quien Freud había acudido después de que una paciente suya acabara cayendo mortalmente enferma tras un tratamiento. La mancha blanca en la garganta de Irma le recordaba la difteria y la aflicción sufridas por su propia hija; los huesos de la nariz le recordaban sus propias preocupaciones por el uso de la cocaína, que había causado la muerte a un amigo. Este resumen ilustra la manera en que distintos significados complejos pueden entretejerse y crear un conjunto onírico.

inquietante, a menudo antisocial y potencialmente dañino desde un punto de vista psicológico. Por tanto, los sueños se expresan únicamente de forma simbólica (como se explicará más detalladamente en breve).

En la vida diaria, el ego, la parte racional de la mente varada en la realidad del sentido común y adaptada a un sentido moral adquirido, mantiene bajo control los deseos primitivos del id. Al dormir, sin embargo, el ego relaja su control consciente y el id adquiere mayor protagonismo, inundando nuestra mente con sus pícaros planes. Para evitar que esta inundación perturbe al ego dormido hasta el punto de despertar al soñador, un dispositivo mental, al que Freud llamó «el censor», se esfuerza por traducir el material del id a una forma menos inquietante. El propósito de soñar es, en consecuencia, preservar el sueño simbolizando el contenido onírico de manera que resulte inocuo al censor. Por tanto, los sueños actúan de manera muy parecida a los síntomas neuróticos, que preservan el equilibrio del ego esforzándose por expresar las ansiedades e instintos potencialmente abrumadores en una forma asumible para él.

Las críticas más recientes a las ideas de Freud se han centrado en el aspecto jerárquico de su visión de la mente. Él creía que las funciones «secundarias» como la racionalidad, la moralidad o el papel del ego se desarrollan sólo después de que los deseos e instintos «primarios» del subconsciente se hayan domesticado y reprimido, como si el aprendizaje dependiera de la habilidad del niño para abrirse camino entre los bosques oscuros de los procesos primarios y llegar a la abierta y luminosa claridad del ego consciente. Posteriores investigaciones sugieren que es más probable que en la mente no exista tal lucha entre procesos primarios y secundarios, y que éstos, en vez de competir continuamente unos con otros, en realidad coexisten en mutua compañía.

Para Freud, los sueños siempre tienen un contenido manifiesto y uno latente. El primero es lo que el sueño parece estar diciendo, normalmente un revoltillo aparentemente absurdo;

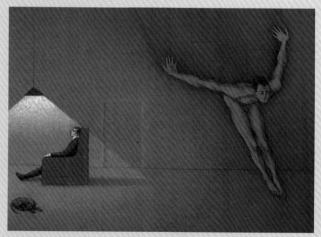

mientras que el segundo es lo que el subconsciente realmente quiere comunicar a la conciencia. El contenido manifiesto tiene dos grandes métodos para disfrazar el contenido latente de manera que pueda evitar al censor. El primero es la condensación: la fusión de dos o más imágenes oníricas para crear un único símbolo. Por ejemplo, Freud a menudo interpretaba las imágenes de hombres ancianos de los sueños de sus pacientes como una condensación de sus padres, por una parte, y del propio Freud, su analista, por la otra. Trabajando mediante asociación en lugar de con conexiones lógicas, el contenido manifiesto une las dos imágenes para reflejar la similitud entre nuestra actitud hacia ambas.

El segundo gran método que emplea la mente soñadora es el desplazamiento. Como la condensación, el desplazamiento trabaja por asociación, traduciendo una imagen onírica por otra, de manera parecida a como la metáfora actúa en el

El sueño del hombre lobo

En 1910 un aristócrata ruso rico y deprimido, Sergei Pankeyev, acudió para recibir tratamiento con Freud. El análisis se prolongó durante años y ayudó al doctor a desarrollar sus teorías. Éste aseguraba que las tendencias obsesivas y masoquistas de Pankeyev provenían de un temprano trauma sexual. La experiencia se reveló durante la terapia, cuando el aristócrata describió un sueño de infancia que lo había atormentado toda la vida.

El sueño. Era invierno. Su cuna estaba cerca de una ventana, que estaba abierta, y veía varios lobos blancos sentados en las ramas de un viejo nogal. Tenían colas largas como zorros y orejas puntiagudas como los perros. Aterrorizado ante la idea de que se lo comieran, se despertaba gritando y su cuidadora corría a reconfortarlo.

Pero la imagen era tan vívida que tardó años en aceptar que sólo se trataba de un sueño. Posteriormente reconoció que lo que más le había impactado era la quietud de los lobos y la intensidad de sus miradas.

La interpretación. El análisis que realizó Freud en este caso era que, cuando era niño, Pankeyev había visto a sus padres practicando sexo y que había quedado traumatizado por lo violento que le había parecido el acto y por el descubrimiento de la falta de órganos sexuales masculinos en su madre. Según su punto de vista, la ventana abierta simbolizaba los ojos abiertos del joven Pankeyev; los lobos, a su padre; y su quietud era una desviación del movimiento violento del acto sexual.

lenguaje. Cuando uno de sus pacientes soñó con un barco a toda vela, con el bauprés proyectándose hacia delante, Freud no tuvo ninguna dificultad para interpretarlo como un desplazamiento de imágenes: el barco era la madre del paciente, las velas representaban sus pechos, y el bauprés simbolizaba el pene que su paciente siempre había imaginado que su autoritaria madre tenía.

La asociación libre fue el método que Freud desarrolló para sortear las condensaciones y desplazamientos del contenido manifiesto y llegar a una interpretación de los sueños. Al seguir la cadena de asociaciones libres surgida de una imagen onírica individual, o llegamos hasta allí donde nuestro tren de pensamiento nos lleve, o nos detenemos repentinamente al toparnos con alguna resistencia: un bloqueo súbito de la mente que suele revelar la naturaleza del problema subconsciente. Cualquiera que sea el resultado, el proceso nos permite entrar en la «carretera real» por la que transitan los instintos y deseos enterrados en el id que Freud creía que era la fuente de nuestros sueños.

Otra idea importante en el método interpretativo de Freud es la revisión secundaria. Con este término describe la manera en que alteramos los sucesos y las imágenes de nuestros sueños, ya sea al contárselos a otras personas, ya sea al intentar recordarlos nosotros. De este modo, un analista freudiano buscaría claves también en la manera en que su paciente «revisa» sus sueños, dándoles mayor coherencia y consistencia interna de la que de hecho poseen.

La teoría de Freud de que todos los sueños se originan en el caos primitivo del id encontró la fuerte oposición de todos aquellos que secundaban la creencia, cada vez más extendida, de que los sueños podían ser una simple continuación de los pensamientos diurnos de la mente, o meras reacciones a sucesos recientes de nuestra vida. En consecuencia, en los años veinte, después de sus desavenencias con Jung y otros psicólogos que investigaban el origen y significado de los sueños, Freud modificó sus ideas para hacer una distinción entre aquellos a los que llamaba sueños de «arriba» y los de «abajo». Los sueños de abajo surgen del subconsciente y «se pueden ver como vías de acceso del material reprimido a la vida diaria», mientras que los de arriba son fruto de los sucesos del día, «reforzados por material reprimido y eliminado del ego»; es decir, material que el ego no puede aceptar y que se encuentra reprimido en el id.

Freud creía que gran parte de nuestro comportamiento consciente también está provocado por la necesidad de satisfacer nuestros deseos subconscientes. A medida que vivimos nuestra jornada, canalizamos la energía instintiva en formas socialmente aceptables, utilizando mecanismos del ego como la represión, la negación y la proyección para mantener todo aquello que nos puede provocar dolor fuera de nuestra conciencia despierta. El ego lucha constantemente por aplacar al id, aunque intenta asegurarse de que los anhelos de éste no pasen completamente desapercibidos por la conciencia. Si el ego fracasara en esta tarea de aplacamiento, o en su defensa contra las acometidas más perturbadoras del id,

los instintos reprimidos y los traumas enterrados del subconsciente podrían colarse en nuestras mentes conscientes, lo que provocaría un colapso mental de gran envergadura.

Incluso si se da el caso de que escapamos de ese aciago destino, podemos malgastar mucha energía en los conflictos entre el ego y el id; y son precisamente esos conflictos los causantes de las obsesiones, depresiones y ansiedades que forman las neurosis y menoscaban nuestra felicidad.

Sin embargo, con la ayuda de un psicoanalista que pueda hacer llegar hábilmente el contenido del id a la conciencia, donde se puede ver y

entender tal como es, podemos evitar esos conflictos y restarle gran parte de su poder. Freud entendía el ejercicio de la interpretación de los sueños como un medio esencial para alcanzar este objetivo.

Para Freud, hay tres tipos básicos de sueños. En el más básico, el de los sueños de satisfacción de deseos, como los que suelen narrar los niños, el contenido manifiesto y el latente coinciden. El sueño no intenta disfrazar su significado subyacente: soñar con una chocolatina o un oso de peluche muestra sencillamente el deseo de tener una chocolatina o un oso de peluche, sobre todo cuando los padres no quieren darlos o los han prometido. En el segundo tipo de sueños, el contenido también es transparente, pero mucho más sorprendente, ya que en el nivel consciente no somos capaces de relacionar la escena con nuestros deseos cotidianos. Por ejemplo, podemos soñar con que nos lanzamos en paracaídas sobre una zona de guerra junto a un comando muy selecto, algo que, sin duda, en la vida real jamás desearíamos hacer.

El tercer tipo de sueños de Freud es el más intrigante. En él, el contenido manifiesto es desconcertantemente surrealista e incoherente; por ejemplo, personas que conocemos haciendo cosas irracionales en escenarios inesperados. Para penetrar en los misterios de este tipo de sueños, es preciso que nos sumerjamos profundamente en nuestras propias motivaciones, en un territorio en el que podemos sentirnos extremadamente incómodos.

Freud nos alerta de un repertorio de significados mediante el cual los deseos se disfrazan, ocultan o reprimen en los sueños, de manera que al soñador le resulta imposible, a la mañana siguiente, descifrar su verdadero significado. Por ejemplo, los anhelos emocionales se pueden traducir en un contexto completamente distinto que suaviza su faceta más peligrosa. La nostalgia de un adulto respecto a los placeres de la infancia y los tiernos cuidados de la madre, instigada por una necesidad de cariño provocada por su falta en la vida actual, puede revelarse, según Freud, en un sueño sobre gran cantidad de pasteles cargados de calorías y azúcar.

Aquellos que son escépticos ante el planteamiento de Freud respecto al mundo onírico suelen concentrar sus ataques en, para muchos, su excesiva insistencia en el sexo. Por ejemplo, son pocos los psicólogos actuales que creen en el «complejo de Edipo»: la teoría de Freud sobre la supuesta atracción del hijo por su madre y su rivalidad y hostilidad hacia su padre. El término proviene de la mitología griega: Edipo fue separado de sus padres al nacer; más tarde, antes de descubrir sus identidades, mató involuntariamente a su padre y se casó con su madre. El equivalente de este síndrome para una chica, aunque con un impacto menos contundente, es el «complejo de Electra», que se manifiesta en el deseo por su padre.

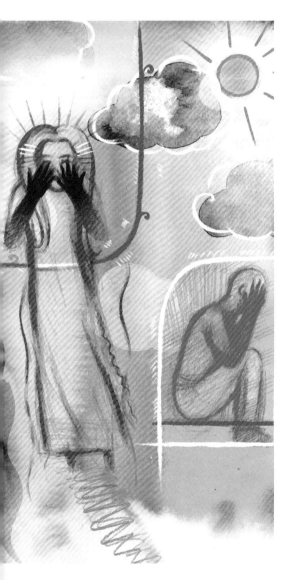

Los analistas freudianos siguen otorgando gran relevancia a la sexualidad en el subconsciente. También sostienen que la incomodidad que muchos sienten ante los planteamientos de Freud refleja, inconscientemente, su represión de las verdades incómodas.

Edipo y nosotros

Edipo es el transgresor sexual más famoso de la mitología griega, aunque sus pecados fueran inconscientes. Abandonado cuando apenas era un bebé, después de que el Oráculo de Delfos predijera que mataría a su padre y se acostaría con su madre, fue rescatado por un pastor y adoptado por el rey y la reina de Corinto. Años más tarde, mató a un extraño que lo insultó; se trataba del rey Layo, su padre. Después, rescató a Tebas de la Esfinge, una bestia abominable que mataba a todo el que no era capaz de resolver su acertijo. Como salvador de la ciudad, Edipo fue proclamado rey y se casó con la reina viuda, Yocasta, su madre. Tebas prosperó bajo su reinado, hasta que la castigó una plaga. Al descubrir la verdad, Edipo se arrancó los ojos. Yocasta se ahorcó. La historia recrea un oscuro drama psíquico surgido del subconsciente, la fuente de nuestros sueños.

Los sueños según Perls y Boss

A pesar de sus teorías y análisis reveladores, ni Freud ni Jung fueron capaces de desvelar todos los secretos del mundo onírico, y es muy probable que nadie lo consiga jamás. Pero en el siglo xx se hicieron un buen número de trabajos que ampliaron muchísimo nuestro entendimiento. Especialmente destacan los de Fritz Perls y Medard Boss.

El trabajo de Fritz Perls

El psiquiatra estadounidense Fritz Perls (1893-1970) es famoso por ser uno de los fundadores de la terapia Gestalt, que pone el centro de su atención en la manera en que el individuo organiza los hechos, las percepciones y los comportamientos que constituyen su propia vida, en vez de en la naturaleza separada de cada uno de ellos.

Al igual que Jung y Freud, Perls subrayaba el contenido simbólico de los sueños, pero también creía que todos los personajes y objetos de nuestros sueños son una proyección de nuestro propio yo y de la manera en que hemos vivido nuestras vidas. Para Perls, los sueños representan asuntos emocionales no resueltos, o «huecos emociona-les», en la historia vital del soñador, y su contenido simbólico surge de la experiencia personal del soñador en vez de proceder de motivaciones instintivas o colectivas.

Perls creía que el juego de roles era una técnica más eficaz y precisa para la interpretación que la asociación libre o directa (véanse páginas 27 y 22). Su método era pedirle al soñador que dramatizara cada imagen del sueño, dando voz incluso a los objetos oníricos inanimados, en ocasiones adoptando incluso las posiciones físicas que esos objetos tenían en el sueño, para intentar representar mejor el mensaje que intentaban transmitir.

En un sueño de un tren que atraviesa un bosque, por ejemplo, el soñador podía descubrir que las vías, o los árboles que el tren dejaba tras de sí, revelaban más sobre su estado emocional que

la imagen central del tren. Perls le sugeriría que interpretara qué sentían los árboles al quedar atrás o lo que dirían las vías cuando el tren pasara sobre ellas.

Este tipo de juego de roles coloca decididamente la interpretación del sueño en manos del soñador. El terapeuta puede hacer sugerencias, pero el sueño sigue siendo propiedad exclusiva del soñador: el significado nunca debe imponerse desde fuera.

No existe una contradicción necesaria entre este planteamiento de los sueños y los de Jung y Freud, por mucho que Perls insistiera en lo contrario. Tanto Jung como Freud insistían en que las imágenes oníricas suelen simbolizar aspectos de la propia identidad del soñador y en que en la interpretación de los sueños los ejercicios de juegos de roles pueden ser un añadido útil a la asociación libre o directa. Sin embargo, el problema con el método de Perls es que el soñador corre el riesgo de dejarse seducir por sus habilidades interpretativas y llegar a perder el contacto real con el sueño. Aunque Perls confiaba en su capacidad de reconocer este efecto cuando se producía, otros practicantes de esta técnica pueden no disponer de esa percepción experta. Es más, por

valiosos que puedan resultar los métodos de Perls para trabajar en sueños que operan en el nivel 1 y el nivel 2 (véanse páginas 65-70), corren el riesgo de subestimar el significado compartido de los símbolos oníricos, en especial al ignorar el papel crucial del inconsciente colectivo, tal como lo define Jung.

El trabajo de Medard Boss

El psiquiatra suizo Medard Boss (1903-1990) postuló la relación entre sueños y existencialismo. La teoría existencial sostiene que cada individuo elige consciente o inconscientemente qué quiere ser. Así, para Boss, los sueños no son un profundo lenguaje simbólico, sino que representan de manera directa aspectos de la elección existencial.

El uso que Boss hacía de los sueños en la práctica clínica demostró claramente que los sueños pueden proporcionar ayuda psicológica sin ser interpretados simbólicamente. Buscando siempre significados simbólicos, corremos el riesgo de no percibir lo que el sueño realmente pretende decir. Mientras que Freud y Jung se concentraban en los sueños más profundos de nivel 2 y 3, el planteamiento de Boss dirigía su atención a la verdadera importancia de los sueños de nivel 1.

En lugar de la asociación, Boss desarrolló un método interpretativo que permitía que los sueños relataran su propia historia. Éste dependía menos de las teorías sobre el subconsciente que de la habilidad para ver «lo que tenemos delante de las narices».

En uno de sus experimentos, Boss hipnotizó a cinco mujeres, tres sanas y dos neuróticas, y les sugirió a todas que soñaran con un hombre, desnudo y excitado sexualmente, enamorado de ellas y que se les aproxima con intención de satisfacer sus deseos sexuales. Mientras que las tres mujeres sanas siguieron el guión dado de manera exacta y gozosa, los sueños de las dos mujeres neuróticas fueron ansiosos y nada excitantes. En uno de ellos, el hombre desnudo fue sustituido por un soldado uniformado armado con una pistola con la que estaba a punto de disparar a la mujer. Boss sostenía que en los tres primeros sueños no había nada simbólico: eran expresiones directas de los deseos conscientes de las soñadoras. Y ni siquiera el sueño del soldado necesitaba de una profunda interpretación simbólica: era un simple reflejo del mundo estrecho y lleno de miedo de la mujer, en el que los hombres eran vistos como una amenaza.

Sería un error entender que este planteamiento existencial basado en los sueños de nivel 1 nie-

ga la importancia de los sueños de nivel 2 y 3. En este tipo de experimentos, el escenario soñado lo coloca el experimentador en la mente del soñador, en vez de surgir del propio subconsciente de éste. Los jungianos y freudianos indicarían que los elementos que emergen del subconsciente (el amante transformado en soldado, el pene en un arma) podrían dar claves sobre las causas de la neurosis de la mujer. Las asociaciones surgidas como respuesta a estas imágenes podrían demostrar, por ejemplo, que el sueño no sólo revelaba una sexualidad reprimida, sino también un arquetipo Ánimus reprimido (véase página 103), o que el soldado y el arma representaban las tendencias autoritarias y autodestructivas del propio soñador.

La función de los sueños

¿Son los sueños revelaciones de una fuente creativa y profunda de nuestro interior, o el residuo confuso de pensamientos e imágenes dejado por nuestra vida cotidiana? ¿Es la mente onírica una ventana abierta al yo más profundo del soñador, o un cubo de basura psíquico lleno de material mental aleatorio que sería mejor que ignoráramos?

*L*as investigaciones modernas sobre los patrones físicos del sueño se iniciaron en 1953 con el trabajo del fisiólogo estadounidense Nathaniel Kleitman y de su discípulo Eugene Aserinsky. En su «laboratorio del sueño» observaron que, durante unos períodos breves, los ojos de los niños dormidos se movían de un lado a otro rápidamente tras sus párpados cerrados. Posteriores investigaciones revelaron que ese fenómeno también se producía en los adultos, y las lecturas de encefalogramas, que registraban la actividad eléctrica del cerebro, mostraron que esos períodos de movimiento ocular se correspondían con unos ritmos particulares del cerebro. El descubrimiento de una conexión entre el movimiento de los ojos y las ondas cerebrales reconocibles fue un

Sueño REM

El sueño REM (siglas inglesas de «movimientos oculares rápidos») también se conoce como «sueño paradójico», porque cuando se produce, la actividad cerebral, los niveles de adrenalina, el pulso y el consumo de oxígeno son parecidos a los que tenemos cuando estamos despiertos, aunque el tono muscular se relaja y puede resultar particularmente difícil despertar al soñador. Es precisamente durante la fase REM cuando más soñamos.

En los años sesenta, los investigadores descubrieron que la ausencia de la fase REM parece provocar irritabilidad, fatiga, pérdida de memoria y mala concentración. Los voluntarios a los que se les privó del sueño REM, despertándolos cada vez que entraban en la fase de actividad ocular, recuperaban el tiempo perdido en noches posteriores sumergiéndose en el sueño REM más tiempo del habitual. Si un sujeto se enfrenta a la completa ausencia de sueño, por una enfermedad u otros factores, se ha llegado a detectar el estado REM en momentos de conciencia despierta. Al parecer, lo necesitamos intensamente, algo que se podría asociar con la necesidad psicológica de soñar.

Recientes investigaciones han demostrado que los sueños que se producen durante esta fase tienen un contenido más visual que los que ocurren en otros períodos del sueño. Los hallazgos indican incluso que los movimientos oculares que se producen entonces se pueden sincronizar con sucesos de los sueños, lo que sugiere que el cerebro no distingue entre la imaginería onírica y la de la vida cotidiana. Lo mismo puede decirse de la reacción del cerebro ante otras sensaciones oníricas: sin duda, ciertos estímulos, como que te salpiquen con agua, un ruido repentino (como la alarma de un despertador o una voz) o un destello de luz, pueden incorporarse al sueño y «racionalizarse» para hacerlos encajar con su contenido.

Aun así, por reales que esas experiencias sensoriales puedan parecerle al cerebro, algo impide que pongamos en práctica los actos y las emociones que llenan nuestros sueños. Durante el sueño REM se produce una pérdida generalizada de tono muscular; de hecho, los músculos oculares parecen ser los únicos que actúan físicamente en relación con los sucesos oníricos. Se ha demostrado que cuando los sueños son más intensos, se producen algunos inhibidores para evitar que los músculos reciban impulsos relevantes del cerebro, asegurándose de que no actuamos en respuesta a los estímulos sensoriales que experimentamos al soñar.

Probablemente esta parálisis es la que crea sensaciones oníricas como la de la incapacidad de correr, o el intento en vano de gritar, o querer caminar pero estar atrapado en arena, barro viscoso o agua.

verdadero avance en la investigación del sueño. A esta fase del sueño se la llamó REM (siglas inglesas de «movimientos oculares rápidos»).

Posteriores investigaciones revelaron cuatro niveles o etapas distintas del sueño, cada una de ellas caracterizada por unas actividades fisiológicas y unos ritmos cerebrales concretos. Durante los primeros quince minutos, el soñador desciende progresivamente de la etapa 1 a la 3, antes de pasar cerca de una hora en la etapa 4, el nivel más profundo, cuando el cuerpo está más relajado y los ritmos cerebrales son más lentos. Después de esto, el ascenso de vuelta hasta la etapa 1 suele ir acompañado de un cambio de postura del soñador; es en ese punto donde empieza el primer período de sueño REM, que normalmente dura unos diez minutos. A partir de ahí, el proceso de ascenso y descenso se repite entre cuatro y siete veces durante la noche, aunque el sueño casi nunca vuelve a alcanzar un estado tan profundo como el de la etapa 4. Cada episodio de sueño REM se va haciendo progresivamente más largo, igual que la frecuencia y rapidez del movimiento ocular. El último período REM puede durar hasta cuarenta minutos.

Existen muchas teorías sobre por qué dormimos. Algunos científicos sostienen que la ventaja evolutiva del sueño es una estrategia para conservar la energía y reducir el consumo de alimentos. Otro argumento del mismo tipo es que al dormir durante las horas de oscuridad, cuando nuestros ancestros eran más vulnerables a los ataques de los depredadores, aumentaban sus posibilidades de sobrevivir. Una teoría fisiológica sugiere que el sueño es la posibilidad que tiene el cuerpo de relajarse y repararse a sí mismo, y de utilizar sus energías para segregar hormonas especiales: los niños, por ejemplo, producen mayor cantidad de hormonas de crecimiento de noche.

Parece claro que el sueño le da, literalmente, un descanso al cerebro. La producción de serotonina y noradrenalina, sustancias químicas que ayudan a transmitir los impulsos nerviosos al cerebro, se reduce mientras dormimos. Los voluntarios que pasan una o dos noches sin dormir presentan mayor irritabilidad, fallos de memoria y mala concentración, y acabarían durmiéndose de pie si se les siguiera privando del sueño. En cualquier caso, hay gente que necesita dormir muy poco, y algunos hombres y mujeres espiritualmente avanzados pasan la noche en un estado de profunda meditación en lugar de durmiendo realmente. Existen raros casos médicos de personas que, después de traumas como lesiones cerebrales, apenas duermen en absoluto.

*A*sí que se sabe mucho, y se supone, sobre cómo actúa la mente soñadora fisiológicamente. No obstante, cuando empezamos a profundizar en los aspectos psicológicos del soñar, nos adentramos en aguas más turbias. Aunque, desde el descubrimiento del REM en 1953 los científicos han llevado el sueño a los laboratorios

y han realizado rigurosos test que han analizado con la ayuda de algunas tecnologías modernas, la cuestión planteada por Freud y Jung en la primera mitad del siglo XX sigue en gran medida sin obtener una respuesta: ¿soñamos para poder dormir o dormimos para poder soñar?

Aunque los científicos tienden a coincidir en que soñar tiene un propósito, discrepan sobre cuál puede ser. La perspectiva que muchos intérpretes de sueños han adoptado desde el siglo XIX es que nos alertan sobre aspectos importantes del estado de nuestra mente subconsciente.

Freud, como hemos visto, creía que los sueños eran mensajes codificados creados por el subconsciente para explicarnos los deseos e instintos reprimidos que habitan en él. Los jungianos van más lejos, pues reconocen el inconsciente colectivo, un subnivel creativo compartido y vital para nuestro bienestar que genera no sólo las imágenes de nuestros sueños, sino también las de los mitos, leyendas y enseñanzas religiosas. Aunque este libro se basa en los fundamentos mellizos de estas teorías, merece la pena detenerse un momento para poner a prueba la fuerza del planteamiento de la «basura psíquica», que sostiene que soñamos para organizar y descartar detritos mentales no deseados mientras dormimos, y que aunque la función del sueño es importante, su contenido no lo es en absoluto.

Algunos científicos creen que el cerebro opera selectivamente, escudriñando la masa de detalles que nos bombardea mientras estamos despiertos, catalogando y almacenando información relevante, y eliminando lo irrelevante. Según esta visión,

¿Basura u oro?

Las teorías de la «basura» sobre los sueños deben su génesis a la tendencia de los científicos a separar los procesos de sus contenidos. Estas teorías se desmoronan cuando centramos la atención en el contenido del sueño en sí.

Nadie que mantenga un diario de sueños durante un período de tiempo razonable debería tener dificultad alguna para reconocer que poseen una notable coherencia como historia secreta del yo. Desgraciadamente, la creencia de los teóricos de la «basura», según la cual es preferible no recordar los sueños, impide que estudien los suyos propios y les hace despreciar las pruebas evidentes que desacreditarían sus ideas.

la mayor parte de este proceso se realiza de día y gran parte del material descartable se elimina de manera inmediata. No obstante, el cerebro también necesita un período de consolidación en el que puede centrar toda su atención en eliminar el material acumulado, y eso es lo que sucede mientras dormimos. Los científicos han comparado esta operación con la de una computadora central que queda «en reposo» durante la noche y ordena sus propios archivos y programas, modificándolos y actualizándolos para descubrir datos nuevos relevantes y eliminar o enviar al limbo cualquier elemento redundante o no deseado. Aun así, en los sueños, los fragmentos del material catalogado y eliminado emergen en la conciencia dormida, irremediablemente entrelazados y asediados por conjuntos de asociaciones involuntarias. Según la teoría de la «basura psíquica», este amasijo de imágenes aleatorias es lo que soñamos.

Existen varias objeciones sólidas a este planteamiento. Primera, no es correcto afirmar que el contenido de los sueños no tenga significado. Se ha demostrado que los sueños proporcionan indicios sobre nuestra salud psicológica y, probablemente, física; y también pueden ser de gran ayuda para resolver problemas. Aunque a primera vista pueden parecer confusos y aleatorios, el análisis detallado de un experto es capaz de demostrar que poseen gran riqueza de significado (aunque algunas veces sea ambivalente) relacionado con las circunstancias del soñador. Los sueños lúcidos (véanse páginas 55-64) demuestran que en vez de tener la mente «en reposo», en ocasiones se puede tener plena conciencia mientras soñamos (y potencialmente siempre). No hay ninguna prueba de que la gente que recuerda y trabaja con sus sueños tenga menor salud psicológica que los que no lo hacen; de hecho, parece más bien al contrario. Finalmente, aunque la mayoría de los sueños son un tanto escurridizos en su significado, algunos de ellos resultan tan memorables que años después siguen igual de frescos en nuestra

mente que los sucesos más destacados de nuestra vida cotidiana.

Sin embargo, si los sueños contienen importantes mensajes del subconsciente para los niveles conscientes de la mente, ¿por qué olvidamos gran parte de lo que experimentamos en ellos? Existen distintas teorías a este respecto, una de las cuales tiene que ver con la manera en que nos despertamos. Ya no lo hacemos sobresaltados como nuestros ancestros primitivos, alertados por los peligros de vivir al aire libre; en vez de eso, salimos lentamente del sueño en la seguridad de nuestras camas, y posiblemente eso es lo que envía gran parte de nuestros sueños al olvido, en ese punto entre la vigilia y el dormir. Otra teoría es que simplemente dormimos demasiado y que las horas que pasamos durmiendo sin soñar pueden asfixiar los recuerdos de nuestros sueños. En talleres de sueños, la gente suele comentar que los recuerdan más cuando están fuera de su casa y en entornos frescos (quizá porque en esas circunstancias duermen entrecortadamente) o cuando duermen en una cama más dura.

Puede que la naturaleza desordenada, distraída e indisciplinada de nuestras mentes también inhiba los recuerdos de los sueños. Se dice que los adeptos de las órdenes místicas hinduistas y budistas, y algunos seguidores de la tradición hermética occidental, gozan de conciencia mientras duermen, principalmente por su entrenamiento intensivo en técnicas de concentración y meditación.

La teoría clásica de la amnesia del sueño, no obstante, es la que avanzó Sigmund Freud, quien creía que la principal razón por la que olvidamos lo que soñamos es que suele ser demasiado doloroso para recordarlo. En su opinión, la amnesia del sueño no tiene nada que ver con aspectos circunstanciales del tipo de vida del soñador, sino que está causada directamente por lo que él llama «el censor», un mecanismo de defensa represivo del ego que protege a la mente consciente de la masa de imágenes, instintos y deseos perturbadores que habitan en las profundidades del subconsciente. Nuestros sueños están codificados en un lenguaje aceptable para nuestra propia protección mental.

Introducción a los símbolos

Cuando observamos más atentamente la experiencia de soñar y lo que puede significar para nosotros, es muy útil fijarse primero en la principal unidad semántica de nuestros sueños: el símbolo.

Los mensajes contenidos en los sueños se transmiten típicamente como símbolos que representan una idea, concepto o emoción difícil de poner en palabras. La presencia de símbolos es uno de los motivos por el que los sueños le parecen tan misteriosos e incluso absurdos a nuestra mente consciente; sin embargo, cuando empezamos a descifrar su lenguaje simbólico, descubrimos que suelen ser profundamente significativos, capaces de mostrar nuestros sentimientos de una manera que en la vida cotidiana sólo es comparable a la de artes como la poesía, la pintura y la música.

Los sueños surgen en el subconsciente y utilizan símbolos: una parte primitiva del lenguaje del subconsciente que precede al desarrollo del habla. Como se explica más adelante, muchos de los símbolos empleados por los sueños son personales del soñador y se han creado a lo largo de su experiencia. Otros, por contra, parecen ser más universales y surgir de niveles compartidos de la mente subconsciente. Esos símbolos universales a menudo están conectados con animales o fuerzas naturales; por ejemplo, los pájaros en muchas culturas representan la libertad, el fuego simboliza la destrucción y purificación, y el agua es una imagen de la vida misma.

Trabajando con los sueños, entramos en contacto con ese lenguaje simbólico, que nos muestra una manera de profundizar más y más en el subconsciente, lo que permite que nos embarquemos en un viaje emocionante (y a veces perturbador) hacia el autodescubrimiento. Por el camino podemos recibir cualquier mensaje, y su significado particular dependerá de nuestras esperanzas, miedos y otras inquietudes interiores.

Muchos de los mensajes que recibimos en sueños están relacionados con las esperanzas, preocupaciones y ansiedades de la vida cotidiana. La investigación ha demostrado que los sueños de las mujeres suelen centrarse en sucesos domésticos, mientras que los de los hombres suelen situarse normalmente fuera del hogar. Un buen número de sueños, sin embargo, emergen de niveles más profundos de la mente. Antes de poner a prueba métodos de interpretación que se explican más adelante, pregúntate qué significado intenta transmitir cada uno de los sueños que recuerdas. Por ejemplo, quizá hayas soñado con que conocías a un extraño, entrabas en una tienda o talabas un árbol. ¿Qué pueden intentar decirte esos sueños?

En un sentido amplio, los sueños suelen tener más que ver con lo que podría ser que con lo que realmente es. Así, un sueño puede sugerir que quizá quieras ampliar tus horizontes o explorar nuevas vías y oportunidades. En ocasiones, parecen advertirnos de peligros o de que debemos sopesar cuidadosamente algún comportamiento. El mensaje más claro es que los sueños son demasiado importantes para ignorarlos.

Sueño de calidad

Aunque algunas personas aseguran soñar más cuando duermen interrumpidamente, se sabe que, por lo general, un patrón de sueño mejor conduce a una mejor calidad de la vida onírica. Sigue estos simples pasos para asegurarte de que tus noches son apacibles y nada las interrumpe, y así lograrás enriquecer tus sueños.

• Evita el alcohol y las pastillas para dormir: ambos refrenan el sueño REM. Evita el café y el té antes de dormir: sustitúyelos por leche caliente con miel.

• Antes de meterte en la cama, limpia tu mente de todos los pensamientos diurnos. No permitas que la ira o el resentimiento perturben tu mente.

• Si lees antes de dormir, asegúrate de que el contenido de tu lectura es tranquilo y contemplativo: evita, por ejemplo, los libros de suspense subidos de tono.

• Convierte tu habitación en un oasis de paz, sin desorden y con una iluminación suave.

• Acuéstate y levántate pronto.

• Antes de acostarte relaja tu cuerpo, conscientemente, tensando y relajando todos tus músculos.

Estados de transición

Si pensamos en los sueños como experiencias etéreas y fragmentarias probablemente es porque recordamos los típicos sueños evanescentes que se suelen dar antes de que despertemos por las mañanas. Enmarcando la intensidad vívida de los sueños REM, nuestro sueño empieza y termina con imágenes oníricas más huidizas en los límites entre la vigilia y el dormir.

Frederick Myers (1843-1941), uno de los pioneros británicos en la exploración del subconsciente, utilizó el término «hipnagógicos» para referirse a los sueños que preceden al sueño profundo, e «hipnopómpicos» para los que suceden justo antes de que nos despertemos. Estos dos estados de transición son fragmentarios y huidizos, como un recuerdo que se nos escapa al poco de revivirlo. Ambos tienden a estar marcados por una serie de imágenes escurridizas, misteriosas y, en ocasiones, maravillosas.

Cuando el durmiente cae en el sueño, el cerebro produce unos ritmos alfa constantes que caracterizan al estado de profunda relajación; el pulso y la respiración son lentos y desciende la temperatura del cuerpo. Después los ritmos alfa empiezan a interrumpirse y el durmiente entra de pleno en el sueño de fase 1, en el que su mente se llena con los extraños y alucinantes sueños del estado hipnagógico. Quizá sería mejor llamarlos alucinaciones en lugar de sueños, ya que no tienen la complejidad narrativa y la resonancia emocional onírica de otras etapas más profundas del sueño. Cuando el filósofo ruso P. D. Ouspensky

Retazos hipnagógicos

Prueba a dormir una siesta sentado en vez de tumbado. Cuando te adormezcas, tu cabeza caerá hacia delante y te despertarás. Ésta es una buena manera de bordear las fronteras del sueño, donde pueden encontrarse las visiones hipnagógicas.

se refiere a las «chispas doradas y diminutas estrellas… [que se transforman] en hileras de cascos de bronce de soldados romanos marchando por la calle que tenemos debajo», está describiendo la cualidad mágica y visionaria de los sueños hipnagógicos.

Las investigaciones más recientes sobre la hipnagogia se han centrado en su cualidad visionaria. Típicamente, las imágenes hipnagógicas incluyen formas amorfas como olas de color puro, diseños y patrones a menudo de una notable simetría o regularidad, y escritura no sólo en la lengua materna del soñador, sino en ocasiones también en idiomas extranjeros o incluso completamente imaginarios. Unas caras arquetípicas se nos acercan en *zoom* y desaparecen de nuestra vista. Otros misteriosos personajes también entran y salen, y las imágenes a veces están al revés o invertidas como en un espejo.

Las experiencias hipnopómpicas, formadas en el proceso del despertar, comparten muchos aspectos con sus contrapuntos hipnagógicos. Un buen número persisten brevemente al despertar. René Descartes, el gran pensador francés, considerado el fundador de la filosofía moderna, admitió que con frecuencia veía «chispas esparcidas por la habitación» al salir del sueño, mientras que otros escritores describen el despertar de los sueños hipnopómpicos como visiones de figuras bailando alrededor de la cama o de un paisaje extraño y surrealista que se extiende al otro lado de la ventana de su habitación.

Muchos han hablado de alucinaciones auditivas en lugar de visuales, tanto en el estado hipnagógico como en el hipnopómpico. Se oyen con claridad voces que advierten de un desastre inminente y misteriosos fragmentos de diálogos, como

Observando la hipnopompia

A finales de los años noventa, el investigador del sueño George Gillespie, afincado en Nueva Jersey, anotó con detalle sus propias experiencias hipnopómpicas. Ocasionalmente, al despertarse veía algo que parecía un patrón enrejado de dos dimensiones, justo antes de abrir los ojos. A veces permanecía en su campo de visión durante un segundo o dos, incluso cuando ya había abierto los ojos. Si mantenía los ojos cerrados, podía estudiar los detalles del patrón durante hasta diez minutos. Resulta interesante que tanto Gillespie como uno de sus ayudantes descubrieran que el patrón enrejado era fijo; podía examinarse moviendo los ojos de un lado a otro. En este campo sigue quedando aún mucho trabajo por hacer.

si vinieran de la propia habitación. Las sensaciones táctiles y olfativas también son comunes, y en ocasiones existe cierta complejidad perceptiva, como si el soñador estuviera simultáneamente teniendo una visión, escuchando una conversación inconexa y oliendo el suave perfume de un jardín invisible. No sorprende que en la Antigüedad y en la época medieval mucha gente creyera que estas experiencias eran visitas de los dioses.

Las investigaciones más recientes han intentado explicar la naturaleza alucinatoria, en ocasiones casi de trance, de los estados hipnagógico e hipnopómpico explorando el papel que desempeña el ego cuando la conciencia viaja entre la vigilia y el sueño. Se ha sugerido que los sueños hipnagógicos visionarios son un producto del intento del ego por recuperar el control de los procesos de pensamiento después del repentino cambio en la conciencia provocado por la pérdida de contacto con la realidad diaria. Otro punto de vista es que estas experiencias son la auténtica antítesis del ego.

Los adeptos a la meditación hindú y budista enseñan que para alcanzar un estado de profunda meditación, el practicante debe dejar de lado el ego en su camino hacia la iluminación. Normalmente, cuando el adepto pasa de un nivel de conciencia a otro, ve visiones, como las de la hipnagogia, cuyas misteriosas imágenes y diseños tipo mandala sirven para estimular su búsqueda. Estas imágenes no tienen relación con los recuerdos conscientes, por lo que se sugiere que provienen de un nivel profundo del subconsciente creativo. Las visiones hipnagógicas fueron sin duda una importante fuente de inspiración para los pintores surrealistas, como Salvador Dalí y René Magritte. El pintor catalán llegó incluso a inducirlas durmiendo de pie con una cuchara y una sartén en las manos. Cuando empezaba a adormecerse, tales objetos se le caían y el ruido lo despertaban, con las extrañas imágenes del momento de transición aún frescas en su mente.

El psicólogo estadounidense Andreas Mavromatis sugirió que las experiencias hipnagógicas e hipnopómpicas actúan como reductoras de la ansiedad y que apartan al soñador de las pruebas y tensiones de la vida cotidiana, y lo ayudan así al crecimiento y desarrollo personal. Evitando la complejidad narrativa y emocional de los sueños REM y relajando las habituales restricciones sobre el pensamiento, permiten que el soñador eche un vistazo al contenido de su subconsciente, como si hojeara las páginas de un libro ilustrado. Así, el soñador experimenta en el nivel de la conciencia los procesos creativos mentales que normalmente se mueven en las profundidades del subconsciente. Ordenando la gran riqueza de materiales almacenados en la mente, estos procesos engendran visiones interiores creativas que parecen irrumpir en la conciencia como destellos llegados de ninguna parte.

Explorando los sueños hipnagógicos

La propia naturaleza de las imágenes hipnagógicas hace que sean fugaces y huidizas, aunque no resulta difícil entrenar la mente para evocarlas casi voluntariamente.

Un buen ejercicio inicial para aclimatarte a este fascinante estado onírico es el de sentarte en un sofá con la televisión o la radio encendidas. Permite que tus pensamientos vaguen y presta sólo parte de tu atención a lo que veas o escuches, dejando que el resto de tu mente divague libremente. Si descubres que empiezas a dar cabezadas, concéntrate más intensamente en la televisión o radio, utilizando sus estímulos para mantenerte en las fronteras de la vigilia. Descubrirás que tu mente errabunda se mueve entre distintos niveles de conciencia, atrapando fragmentos de relatos poco concisos, produciendo vívidas imágenes de paisajes extraños o rumiando sobre recuerdos tan antiguos que prácticamente habías olvidado. Ésta es una introducción muy efectiva al mundo de la hipnagogia.

Para explorar más a fondo este estado, es muy útil desarrollar una vigilancia relajada. Cuando te vayas a la cama, concéntrate en un espacio interior entre tus ojos, deja que tu atención se pose sobre ese punto, y regresa a él delicadamente cada vez que tu mente divague. Permite que las imágenes surjan a su debido momento.

Si te resulta difícil no dormirte al realizar esta práctica, puedes utilizar alguna técnica de meditación tibetana para mantenerte más alerta. Sencillamente, visualiza un disco giratorio de luz en el espacio que hay detrás de tus párpados, o en tu corazón, y permite que las imágenes surjan a través de él.

Otro planteamiento es provocar las imágenes tú mismo, en vez de estar abierto a su aparición. Cuando te estés quedando dormido, visualiza las cosas que quieres ver, o las letras del alfabeto en una secuencia. A menudo estas imágenes voluntarias se transforman en formas geométricas afines o se transforman de modo espontáneo en visiones que en apariencia son aleatorias e inconexas.

Al experimentar con la hipnagogia, no descubrirás nada sobre tus ansiedades o deseos desconocidos; éstos son propios del sueño REM. Sin embargo, lograrás familiarizarte con el funcionamiento del cerebro, al mismo tiempo que tendrás experiencias alucinatorias potencialmente gozosas, como quien disfruta del espectáculo de una aurora boreal.

Sueños lúcidos

La mente durmiente acepta lo extraño sin preguntarse si es real,
por lo que creemos que lo que experimentamos existe en el mundo
real. De ahí el poder de las pesadillas. Durante los llamados sueños
«lúcidos», no obstante, sabemos, o acabamos dándonos cuenta de
ello, que estamos soñando, sin que eso llegue a despertarnos.

Mucha gente, en un momento u otro, ha experimentado un sueño lúcido. Imagina que estás soñando con que encuentras un viejo libro en la bodega de la casa de un amigo. Sabes que no deberías estar allí, pero cuando encuentras el libro, no puedes resistir la tentación de abrirlo para ver qué tiene que decirte. Quizá contenga respuestas a algunas de tus preguntas sobre la vida. De alguna manera, te das cuenta de que estás soñando, pero eso no hace que el sueño termine. Decides, y es una decisión consciente, abrir el libro. Lees una frase y te asombras ante su profundidad. Resuelves recordar esas palabras y escribirlas en cuanto te despiertes. Eres consciente de que éste es un sueño extraordinario e importante, que puede incluso cambiar tu vida.

Sientes una sensación de poder, puedes tomar decisiones conscientes en el sueño. Finalmente, te despiertas, por supuesto. Y, al mirar atrás, sabes que has estado consciente durante todo el tiempo que has soñado… pero no puedes recordar la frase esclarecedora. Al fin y al cabo, sólo era un sueño.

Los sueños lúcidos son tan emocionantes que solemos creer que es algo que debe estimularse. Y de hecho podemos, hasta cierto punto, entrenar nuestra mente para entrar en el estado somnoliento y tomar las riendas de nuestros sueños. Sin embargo, se trata de una disciplina que requiere preparación y práctica.

La investigadora británica del sueño Celia Green ha señalado varias diferencias clave entre los sueños lúcidos y los no lúcidos. Los primeros parecen libres de la irracionalidad y la no articulación del estado no lúcido, más habitual, y en ocasiones se ven y se recuerdan con una precisión notable; puede que no recordemos las palabras del libro que cogimos, pero podemos recordar cómo era la bodega o la portada del libro con toda meticulosidad. Durante los sueños lúcidos, el soñador puede acceder a todos los recuerdos y las funciones del pensamiento de cuando está despierto, y puede no notar diferencia entre el sueño y la vigilia. Pero, sobre todo, como hemos visto, el soñador es consciente de que está soñando.

Normalmente esta conciencia surge de manera abrupta. Algo inapropiado o ilógico en el escenario o los sucesos oníricos convencionales puede repentinamente alertar al soñador de que está soñando. La emoción que acompaña a eso y la

sensación increíble de lo que podría denominarse como «expansión mental» hace que la experiencia resulte inconfundible. Los colores asumen un brillo intenso y los objetos aparecen con gran claridad. Probablemente, lo más destacado es la habilidad posterior del soñador para controlar los sucesos del sueño, decidiendo adónde ir y qué hacer, capaz de experimentar con el escenario del sueño.

Pero resulta intrigante, sin embargo, que por mucho poder que parezca tener el soñador, nunca pueda controlar por completo el transcurso de un sueño lúcido. La decisión, por ejemplo, de visitar una isla tropical en sueños puede ser del soñador, pero al llegar, la isla es igual de novedosa y sorprendente que cualquiera que viéramos por primera vez en nuestra vida cotidiana. El físico holandés William Van Eeden, un prolífico soñador lúcido que acuñó la expresión «sueño lúcido» en 1913, describía el mundo onírico como un «mundo falso, hábilmente imitado pero con pequeños fallos», y citaba como ejemplo un sueño lúcido en el que intentaba romper una copa de vino que resistía todos sus intentos, pero que aparecía rota al cabo de un momento, «como un actor que se olvida de su texto».

Algunas de las grandes religiones del mundo han visto los sueños lúcidos desde una perspectiva mística. En las tradiciones hindú y budista, se suele afirmar que los adeptos más avanzados en las artes meditativas conservan la conciencia

Experiencias extracorporales

Entrenarse en el sueño lúcido se considera en ocasiones un gran paso para permitir que nuestra conciencia salga del cuerpo en una «experiencia extracorporal». En los sueños lúcidos, la conciencia vaga por los «reinos astrales»: mundos creados por el pensamiento y la imaginación. En las experiencias extracorporales, por contra, nuestra mente se mantiene en el plano terrestre y es consciente de la realidad física, incluso de la presencia del cuerpo de su dueño en la habitación. Sin embargo, la línea que separa las experiencias extracorporales de los sueños lúcidos es, en muchos casos, difusa.

tanto cuando sueñan como cuando duermen sin soñar, por lo que viven todos sus sueños como lúcidos. Los budistas tibetanos enseñan que los sueños lúcidos nos dan una práctica de incalculable valor para ejercer el control en la otra vida; un entorno comparable en muchos sentidos al mundo onírico. Aplicándonos en este tipo de técnicas, finalmente podemos liberarnos del ilusorio ciclo de vida y muerte. Por supuesto, los budistas tibetanos mantienen que el principal propósito de soñar es darnos la oportunidad nocturna de adquirir este control.

Israel Ragardie, un exponente fundamental de las tradiciones hermética y alquímica, escribió que un practicante avanzado «deja de pasar las noches en un profundo olvido», y que en lugar de eso mantiene un nivel consistente de conciencia, de manera que «todo es una corriente de conciencia continua y sin restricciones». Algunas enseñanzas esotéricas sugieren incluso que tomar la iniciativa en los sueños nos permite realizar actos aparentemente inexplicables en nuestra vida cotidiana. Algunos místicos hindúes han asegurado que sus adeptos pueden aparecer en varios sitios distintos a la vez gracias a la práctica en el control de los sueños, utilizando ese control para, primero, visualizar un lugar y visitarlo en un «cuerpo soñante», visible y material para los demás.

En todas las culturas, y tanto en iniciados como en adeptos, la habilidad para controlar los sucesos de un sueño surge de un elevado nivel de control mental en la vida cotidiana. En vez del subconsciente haciendo sus travesuras freudianas bajo el nivel de la conciencia, o murmurando su sabiduría no atendida, en los sueños lúcidos la mente consciente y la subconsciente parecen establecer una comunicación y una cooperación efectivas. El sueño lúcido es su creación conjunta. Al llevarla gradualmente al control consciente, el soñador alcanza niveles más profundos de autoconocimiento. Siendo consciente del curso de un sueño, o incluso dictándolo, el soñador no sólo puede profundizar en su mente subconsciente, sino que puede decidir enfrentarse a los miedos, deseos y energías que residen en ella.

En lugar de escapar, presa del pánico, de una fuerza oscura y misteriosa o un terrorífico monstruo que habita en las sombras de los límites del mundo onírico, los soñadores lúcidos poseen la capacidad de convocar a esos demonios a voluntad y enfrentarse a ellos, sabiendo que como sólo están soñando no hay nada que temer. Una vez afrontadas, esas fuerzas suelen perder poder, porque en los sueños, como en la vida cotidiana, el mayor miedo a menudo es el miedo en sí. Enfrentándose a estos demonios en el subconsciente, el soñador no sólo reduce el terror que provocan, sino que contiene la energía a la que antes temía.

Aunque los sueños lúcidos puedan parecerle al no iniciado un ejemplo de trucos que nuestra mente nos hace, en realidad pueden ser muy

Falsos despertares

Coligados a los sueños lúcidos, y quizá como una escala a medio camino de ellos, está la, a menudo inquietante, experiencia onírica conocida como «falso despertar». Los sueños del falso despertar están provistos de una claridad vívida similar a la de los sueños lúcidos, aunque el soñador no es consciente de que está soñando, sino que cree estar despierto. Así pues, puede soñar con gran detallismo que se levanta, se lava la cara, desayuna y se marcha al trabajo; al cabo, termina despertándose un poco más tarde y se da cuenta de que en realidad no ha hecho nada de eso. Entonces le toca volver a repetir todo el proceso, pero de verdad.

terapéuticos y agradables, y pueden incluso ofrecernos una vía para aumentar nuestro autoconocimiento. En un nivel avanzado somos capaces de utilizar los sueños lúcidos para una autoexploración radical. Por ejemplo, podemos crear conscientemente una puerta en nuestro sueño, tras la cual esperamos encontrar las razones de una acción o predicamento concreto de nuestra vida cotidiana, o como mínimo alguna clave o símbolo relevante. Controlando el sueño, podemos abrir la puerta para dar con las respuestas que se nos escapan cuando estamos despiertos. Otro planteamiento es imaginar a un sabio consejero al que podemos acudir en nuestros sueños lúcidos para pedirle consejos oportunos sobre nuestros problemas o dilemas. Esa creación puede ser una personalización de nuestra propia sabiduría subconsciente, pero él o ella son capaces de sacar a la luz información cargada con una verdad y profundidad inaccesibles para la mente consciente.

*E*n la lucidez sostenida también tenemos el poder de elección y la habilidad para preguntar: ¿qué camino debo tomar? ¿Puedo convencer a esa persona de que suelte su arma? ¿Qué se siente al volar sobre los tejados? O, en un sueño lúcido surrealista, ¿con cuál de estos peces debo bailar? Puede ser muy terapéutico explorar de esta manera los aspectos más curiosos de nuestra imaginación, poner a prueba nuestras respuestas a los acontecimientos, y tomar o perder el control.

Las personas con un alto grado de disciplina mental son más propensas a experimentar sueños lúcidos. La mejor manera de inducirlos es perfeccionar tus poderes mentales. Técnicas como la meditación y la visualización creativa son una buena base para el entrenamiento de la mente, y sólo pueden resultar beneficiosas. Además, es posible probar otras técnicas. Puedes adoptar la perspectiva de un chamán y examinar detalladamente un objeto justo antes de dormirte. Si el objeto aparece en el sueño, te devolverá a la conciencia. O visualizar un acto sencillo tan a menudo como puedas en tu vida cotidiana, como caminar por el parque o preparar una taza de café. Si después ves ese acto en el sueño, quizá su aparición te haga ser consciente de que estás soñando.

La técnica más sencilla de todas es la conocida como «autosugestión». Simplemente debes repetirte a lo largo del día esta sencilla convicción: que cuando te duermas, serás consciente de que estás soñando. Esto puede ser suficiente para poner en alerta a tu mente soñadora.

La fe en uno mismo es una herramienta mental muy poderosa, pero la paciencia es la más útil de todas. Es muy importante que no fuerces las cosas ni te frustres demasiado si los primeros intentos fracasan. Sigue probando con un espíritu optimista.

Cómo ser un soñador lúcido

Para muchos, los sueños lúcidos son el Santo Grial, o la piedra filosofal, de una vida onírica plena. Aquí hay una lista de algunas estrategias que puedes probar para intentar dominar este arte.

Medita regularmente

La autoconciencia que se desarrolla con la meditación puede colarse en tu vida onírica, haciéndote tomar conciencia de que estás soñando, normalmente alertándote de las anomalías de los sueños; por ejemplo, gente que puede volar, animales que hablan u otras alteraciones de la lógica cotidiana. La visualización creativa, que implica visualizar de forma intensa tus objetivos para hacerlos psicológicamente más accesibles, también puede ayudarte.

Conságrate a la observación

Durante el día, repítete que vigilarás cualquier anomalía que pueda suceder en tus sueños. Para reforzar este planteamiento, haz comprobaciones de la realidad mientras estás despierto. Pregúntate, por ejemplo, cómo sabes que no estás soñando en un momento determinado (por ejemplo, porque tu móvil acaba de sonar y has tenido una conversación detallada y realista con tu hermano).

Utiliza tu mano como señal

Ésta es una técnica chamánica. Durante el día, debes repetirte a ti mismo que en el próximo sueño que tengas te mirarás las manos, y que ésa será la señal que te indicará que estás soñando. Afírmalo con convicción: debes creerlo. Con algo de suerte, tu subconsciente captará esa intención y la pondrá en práctica cuando estés soñando, lo que te dará la señal que estabas buscando para adquirir la lucidez en sueños. Si lo prefieres, puedes aplicar este método a un objeto, como por ejemplo la puerta de tu casa o la mesa de la cocina.

Elimina el estrés

La ansiedad puede interferir en tu habilidad para tener sueños lúcidos, así que puede ayudarte colocar una iluminación suave en el dormitorio, y quizá poner algo de música ligera a un volumen bajo, justo antes de acostarte. Si utilizas velas, asegúrate de apagarlas, para no despertarte en llamas.

Adopta una personalidad chamánica

Cuando estés tumbado, esperando para dormirte, piensa en ti mismo como en un chamán que debe cumplir una misión por el bien de su comunidad.

Para fines de investigación experimental, los científicos han inventado varias máquinas que ayudan a controlar los sueños. Esas máquinas, conectadas al pecho del soñador, detectan el sueño REM y emiten pequeñas descargas eléctricas, que no llegan a despertar al durmiente pero que les hacen tomar conciencia de que están soñando. No se pueden utilizar en el dormitorio de tu casa, pero si llegas a dominar tu propia y potencial habilidad psíquica para provocar la aparición de sueños lúcidos, habrás creado una máquina mental que ninguna ciencia es capaz de superar.

La dimensión temporal

Los sueños lúcidos han ayudado a solucionar la cuestión sobre si los sucesos que tienen lugar mientras soñamos ocupan un espacio temporal normal o si, como se cree generalmente, condensan el tiempo. Los descubrimientos de Stephen Laberge en la Universidad de Stanford, California, en los que los soñadores lúcidos hacían movimientos oculares previamente acordados para manifestar su progresión a través de una serie de sucesos oníricos también preacordados, sugieren con fuerza que el tiempo de los sueños se aproxima al tiempo real. El sueño puede eliminar intervalos irrelevantes, pero ése es el único aspecto en el que pueden vencer al reloj.

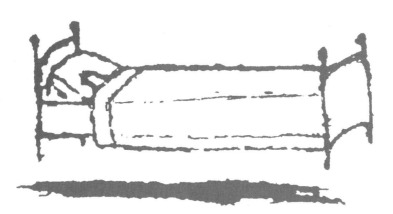

Los tres niveles del sueño

Freud propuso una jerarquía tripartita en la mente, a la que Jung añadió un cuarto nivel: la mente consciente, el preconsciente, el subconsciente personal y el inconsciente colectivo. Según este modelo existen tres grandes clases de sueños.

Para entender la naturaleza de las experiencias oníricas, lo primero que debemos hacer es reconocer que provienen de distintos niveles del subconsciente.

Sin embargo, los niveles de la mente no poseen una existencia fisiológica: son simples etiquetas que los psicólogos han dado a distintas funciones del cerebro. Freud fue el primero que clasificó los procesos de pensamiento de esta manera, dividiendo la mente subconsciente en dos estratos distintos: el preconsciente y el subconsciente personal. Posteriormente, Jung añadió un tercer nivel, más profundo, al que llamó «inconsciente colectivo». Los sueños nos ofrecen una perspectiva nueva sobre cada uno de estos niveles e incrementan nuestra conciencia sobre ellos, a menudo proporcionándonos una ruta vital hacia el autoconocimiento.

Otras clasificaciones

La clasificación de los sueños en tres niveles no es la única perspectiva que existe a este respecto. Al estudiar tu propio diario de sueños, puedes hacer un interesante ejercicio y agruparlos en las siguientes categorías, o incluso crear las tuyas propias.

- *Pasado/presente/futuro.*
- *Deseos/miedos/intenciones.*
- *Tú como soñador/tú como personaje.*
- *Los extraños como el mundo/los extraños como individuos conocidos/los extraños como emociones.*
- *Sueños de acción/sueños de sensación.*
- *Prácticamente surrealista/parcialmente surrealista/realista.*
- *Suaves/fuertes/neutros.*

El preconsciente es la más superficial de las tres capas de la mente subconsciente. Las ansiedades triviales, el conocimiento factual, las ideas, las motivaciones y ambiciones plenamente reconocidas y los recuerdos residen aquí, y se puede acceder a ellos fácilmente mediante nuestra conciencia y nuestros sueños. Los sueños que reflejan las preocupaciones de la mente preconsciente se conocen como sueños de nivel 1. Reflejan angustias y sucesos cotidianos, y su interpretación tiende a ser bastante directa. Nuestras mentes están repasando de forma constante los sucesos acaecidos hace poco, y los sueños de nivel 1 parecen ser una extensión de esa tendencia

Perspectivas sobre la mente

Como un iceberg que tiene la mayor parte de su masa bajo la superficie, la mente subconsciente es difícil de estudiar. Debajo te mostramos un breve intento de situarla en una perspectiva histórica. A continuación, se recoge la influyente división de la mente en tres partes que propuso Freud.

Hoy en día tendemos a pensar en el subconsciente como si fuera un descubrimiento de Freud y Jung, pero el concepto, de hecho, es anterior a ellos. Existen referencias a una mente profundamente estratificada en los viejos textos hindúes conocidos como Vedas, datados entre el 2500 y el 600 a. J.C. En Europa, Paracelso, físico del siglo XVI, se aproximó aún más al entendimiento moderno de la mente. En un pasaje sobre síntomas psicosomáticos describía cómo una enfermedad puede estar causada por una idea, «asumida por la imaginación, afectando a los que creen en ese tipo de cosas».

Freud rompió con sus predecesores al identificar el lado oscuro de la psique, con todos sus incómodos impulsos y fobias. Llamó a las tres partes principales de la mente: id, ego y superego. Sus ideas provocaron un gran escándalo en su época y se consideraba que mancillaban la infancia. No obstante, desde entonces se han convertido en la columna que sostiene la psiquiatría moderna.

El id: cuando somos unos recién nacidos, el id (también conocido como el «ello») nos permite saciar nuestras necesidades llorando cuando tenemos hambre, frío o queremos atención. Sin más pensamiento que la satisfacción de nuestros deseos, se basa en el principio del placer. Es primitivo, caótico y no tiene conciencia del tiempo ni del espacio.

El ego: nacido del id, el ego (o el «yo») se suele desarrollar durante los primeros tres años de la vida del individuo. Está basado en el principio racional y toma en consideración las necesidades de los demás y el hecho de que el egoísmo, la impulsividad y la gratificación instantáneas pueden dañar nuestros intereses a largo plazo. El ego es nuestra conciencia y afronta la realidad de manera racional. El de los niños es débil y amorfo, y sólo puede olvidar los malos recuerdos por completo, pero no reprimirlos.

El superego: suele desarrollarse alrededor de los cinco años. Es la parte moral de la psique que se desarrolla como respuesta a los valores de nuestros cuidadores. El superego es esencial para el bienestar de la sociedad como conjunto. No obstante, un código moral demasiado estricto puede provocar la aparición de la culpa y la represión de los instintos del id.

retrospectiva. No obstante, puesto que los sueños de nivel 1 se centran en sucesos rutinarios e insignificantes del día, pueden llevarnos a pensar erróneamente que no tienen significado. En realidad, todo lo que soñamos lo tiene, y si la mente soñadora se ha centrado en asuntos comunes, en lugar de en inquietudes más profundas, es probable que se deba a algún motivo. De hecho, el sueño puede utilizar sucesos poco relevantes como una vía indirecta de ocuparse del material de los niveles 2 y 3, al que cuesta mucho más acceder directamente. Por ejemplo, si no hace mucho te equivocaste al marcar un número de teléfono y ese incidente se repite en un sueño, puede estar sugiriendo una ansiedad profunda y subconsciente sobre tu incapacidad para mostrar tu verdadero yo a los demás, en general o en el contexto de una relación concreta. De esta manera, el material aparentemente insustancial del nivel 1 puede servir para emitir algunos mensajes complicados del nivel 2, siempre que afrontes la interpretación de tus sueños con la suficiente minuciosidad e imaginación.

El segundo nivel, el subconsciente personal, también es único e intransferible, pero no se puede acceder a él mediante la memoria consciente.

Freud llamaba a este nivel el id; es decir, el aspecto primitivo y animal del ser que, cuando estamos despiertos, es mantenido a raya por el ego de la conciencia. En el id se acomodan los deseos, las emociones y las motivaciones que se han reprimido, además de traumas medio olvidados y otras experiencias encerradas en partes de nuestra memoria profundas e inaccesibles.

Los recuerdos largamente olvidados y las cuestiones personales más profundas son la especialidad de los sueños de nivel 2. A menudo representan situaciones y sucesos bastante alejados de los de nuestra vida cotidiana. Un soñador puede encontrarse en un papel extraño o en una situación incongruente, interactuando con extraños de maneras inesperadas o completamente fuera de lugar. El sueño quizá tenga una atmósfera intrigante y perdure en la memoria, como si reclamara ser interpretado.

Cada uno de nosotros tiene su propio repertorio de símbolos almacenados en el subconsciente personal, y esos símbolos son los que constituyen el lenguaje de los sueños de nivel 2. Cubiertos por el velo de la metáfora como una manera aceptable de afrontar diversos temas tabú, estos sueños nos piden que nos enfrentemos a nuestras necesidades y deseos ocultos. Por ejemplo, podemos descubrirnos cometiendo actos violentos o lujuriosos que serían impensables en nuestra vida cotidiana. Esos escenarios son importantes expresiones de los impulsos ocultos que el ego nos obliga a con-

trolar en la vida diaria para beneficio de nuestra propia paz mental y su efectividad funcional.

El tercer nivel de la mente, y el más profundo, es lo que Jung definía como el «inconsciente colectivo». Lo describía célebremente como el «enorme almacén histórico de la raza humana». Allí se almacenan los arquetipos universales: el lenguaje simbólico de los sueños de nivel 3. Estos sueños envuelven los miedos y deseos universales en una capa de simbolismo mitológico, ya que los mitos derivan del inconsciente colectivo. La mayoría de nosotros somos incapaces de tener grandes sueños a menudo, pero cuando los tenemos suelen causarnos un gran impacto. Tratan de temas profundos como la espiritualidad, la vida y la muerte, el amor, el sacrificio o la transformación y el heroísmo. Habitualmente, los símbolos que operan en este nivel tienen resonancias universales, y se pueden entender mejor si se estudia su manifestación en los mitos y las leyendas de distintas tradiciones culturales del mundo; una técnica que Jung llamó «amplificación» (véase página 108).

Los «grandes sueños» suelen aparecer en momentos de transición claves de nuestras vidas; por ejemplo, durante la adolescencia, después del nacimiento de un hijo, al principio de la menopausia o en momentos de sufrimiento.

La pauta de frecuencias y proporción en la que se producen estas tres categorías de sueños varía mucho según la persona. Aquellos que realizan prácticas de autoconciencia como la meditación, o los que inician un período de psicoterapia, suelen relatar un creciente número de sueños de nivel 3. Las variaciones en tus frecuencias de sueño pueden alterar el patrón habitual de tu vida onírica, y merece la pena experimentar para comprobar qué sucede. Por ejemplo, puedes probar a ponerte la alarma de un despertador en varios momentos de la noche, y apuntar en un cuaderno lo que recuerdes de tus sueños cada vez que te despiertes. Podrías descubrir, por ejemplo, que tus sueños más vívidos y significativos se producen durante las primeras horas de la mañana y que prácticamente siempre los olvidas.

Sueños proféticos

La idea de que los sueños pueden darnos claves sobre nuestro destino, como individuos o como tribu o nación, está profundamente arraigada en la antigüedad. Entonces también se creía adivinar el futuro mediante las pautas de vuelo de los pájaros o por las entrañas de animales. Pero los sueños ofrecen un tipo de señales más poéticas y evocadoras.

¿Pueden los sueños aportarnos información de una manera que desafíe la lógica convencional de la vida cotidiana? Mucha gente siente intuitivamente que sí. El sueño telepático, por tomar un ejemplo de lo que podría llamarse un sueño paranormal, se ha demostrado incluso clínicamente. En un célebre experimento en el hospital Maimonides de Brooklyn, Nueva York, algunos voluntarios debían concentrarse en una selección de fotografías mientras otros dormían. Tras despertarlos durante los períodos de sueño REM, los durmientes relataron un número significativo de sueños claramente influenciados por las imágenes.

Otro aspecto muy conocido de los sueños paranormales es la precognición: el conocimiento clarividente de sucesos futuros, por el que las personas han soñado con desastres inminentes, como el hundimiento del Titanic en 1912 o el ataque japonés contra Pearl Harbor en 1941. La ciencia no tiene explicación para esta aparente habilidad de ver el futuro, pero hay muchos casos bien documentados basados en testimonios fiables.

Uno de los ejemplos más impactantes y extraños de sueños precognitivos y clarividentes son los de las personas que, sin el menor conocimiento sobre la materia, predicen con acierto los ganadores de las carreras de caballos. Una curiosa contrapartida parece ser la de que el dinero ganado por ese medio sólo puede utilizarse para fines benéficos. Varios soñadores han relatado que perdieron esa habilidad al gastarse las ganancias en ellos mismos.

Sueños que predijeron desastres

Los registros de casos de sueños premonitorios tienden a estar dominados por impresiones clarividentes de desastres. Sin embargo, no todos los sucesos pronosticados han terminado mal, a diferencia de los dos ejemplos de debajo. Existen muchos relatos de personas que han salvado la vida por un sueño inquietante que evitó que estuvieran en el lugar equivocado en el momento más inoportuno; por ejemplo, yendo al trabajo el día de un ataque terrorista.

El hundimiento del Titanic

En abril de 1912, el supuestamente insumergible Titanic, el barco de pasajeros más grande del mundo, se hundió en el norte del Atlántico después de chocar con un iceberg: más de mil quinientas personas murieron. Fue notable el gran número de premoniciones que se registró en relación con el accidente. Un empresario estadounidense de Nebraska canceló su viaje después de que su mujer soñara, con todo lujo de detalles, con el hundimiento. Más de una hija vio en sueños a su madre luchando contra las olas; una de ellas descubrió más tarde que su madre había reservado billete para el viaje. Se divulgaron centenares de sueños como éstos y otras formas de premonición, y diecinueve fueron acreditados.

Los sueños premonitorios suelen ser muy personales: el soñador se ve envuelto de alguna manera en el escenario vaticinado, de manera que el sueño se presenta como una intuición paranormal que se cuela en la conciencia de todos los días con una advertencia: «no te subas a ese barco, no tomes ese avión». No obstante, también hay sueños que profetizan desastres en los que el soñador no está directamente implicado, como si lo que estuviera en funcionamiento fuera una especie de conciencia social. Los sueños de David Booth sobre el peor desastre aéreo de Estados Unidos son un ejemplo muy conmovedor de ese tipo.

Los diez sueños de David Booth

En 1979, un joven de 23 años llamado David Booth, responsable de una oficina de alquiler de coches de Cincinnati, Ohio, soñó en diez noches distintas con un accidente aéreo. La experiencia le resultó tan perturbadora que contactó con la administración de aviación federal, que, por supuesto, no tomó ninguna medida. Los sueños mostraban un avión de American Airlines ladeándose hacia un costado, dando un vuelco y estrellándose contra el suelo. El último sueño de Booth sobre el accidente se produjo el mismo día que éste ocurrió: un DC-10 de American Airlines se estrelló cerca de Chicago. Murieron todas las personas que viajaban a bordo del aparato, además de algunas personas que había sobre tierra. El resultado final: 274 fallecidos. A raíz de esto, Booth se hizo famoso como vidente.

Un ingeniero eléctrico británico llamado Harold Horwood, funcionario público retirado, desarrolló la habilidad de soñar regularmente los ganadores de las carreras como fruto accidental de sus intensas prácticas meditativas, contando entre sus éxitos muchos de los principales eventos del calendario hípico británico. Otro exitoso soñador de resultados de carreras de caballos fue el irlandés Lord Kilbracken, quien durante un breve período soñó con nueve ganadores y más tarde se convirtió en el corresponsal en las carreras de un periódico de Londres.

La doctora Thelma Moss, una investigadora estadounidense de todo lo relacionado con el sueño, incluye entre su colección de pronosticadores el notable caso de una mujer que soñó con cuatro ganadores por semana durante un período de cuatro meses. Por su parte, Montague Ullman, fundador del Laboratorio del Sueño del Centro Médico Maimonides, Brooklyn, Nueva York (véanse páginas 76-78), dio fe del caso de un hombre que soñó los ganadores y segundos clasificados de las carreras de caballos tres noches seguidas.

La creencia en el poder predictivo de los sueños es tan antigua como la historia escrita. En muchas culturas antiguas, los sueños que advertían sobre una inminente inundación, invasión, peste o final de una dinastía regente se trataban con el mayor de los respetos y solemnidades. Prevenido, el soñador podía evitar la catástrofe posponiendo la batalla, arrestando al espía de palacio o, como Noé, construyendo un arca para sobrevivir al diluvio que se avecinaba.

El legado del racionalismo científico europeo nos ha cargado a todos de un profundo escepticismo, aunque las historias sobre sueños premonitorios siguen siendo relativamente comunes, sobre todo cuando están relacionadas con la propia familia o amigos del soñador. Pero hasta la apari-

ción de los trabajos de John William Dunne no se había publicado ningún intento consistente para investigar si los sueños podían realmente o no proporcionar visiones sobre sucesos futuros. En 1902, Dunne, un ingeniero aeronáutico británico, tuvo un sueño que pronosticó acertadamente la erupción del monte Pelée, en Martinica. En su sueño, se daba cuenta de que el volcán estaba a punto de estallar y corría a advertir a las autoridades francesas de la inminente catástrofe, diciéndoles que en la erupción perecerían cuatro mil personas. Más tarde, quedó atónito al leer en un periódico que el volcán había entrado realmente en erupción. Los titulares, no obstante, hablaban de cuarenta mil muertes y no de cuatro mil, por lo que Dunne llegó a la conclusión de que no fue la visión del propio volcán la que lo alertó del desastre, sino la experiencia precognitiva de estar leyendo un artículo de un periódico y entender mal el titular que indicaba el número de muertes.

Una serie de sueños precognitivos posteriores convencieron a Dunne de que la coincidencia no explicaba la frecuencia y, en ocasiones, la precisión detallada de sus premoniciones. Llevó un diario de sueños durante más de treinta años, registrando todos sus sueños y los de sus amigos, para reunir pruebas de sus ideas cada vez más radicales.

Creía que los sueños pueden utilizar los acontecimientos futuros con la misma libertad con que seleccionan sucesos del pasado, vagando adelante y atrás en el tiempo, incluso combinando en ocasiones el pasado y el futuro en un mismo sueño. Su libro, *Un experimento con el tiempo*, publicado en 1927, detallaba una intrincada y elaborada teoría física que daba cuenta de esta aparente burla de la lógica científica.

En 1971, Montague Ullman y Stanley Krippner, trabajando con el equipo del Laboratorio del Sueño de Maimonides, en Nueva York, idearon por primera vez un método para investigar los sueños precognitivos bajo condiciones de laboratorio. Trabajaron con Malcolm Bessent, un dotado vidente inglés que tenía un historial de sueños precognitivos. Antes de irse a dormir, se le comunicaba a Bessent que a la mañana siguiente lo iban a exponer a una «experiencia de vigilia multisensorial especial» elegida al azar por los investigadores entre varias opciones disponibles. Éstos lo despertaban después de cada período REM para registrar lo que acababa de soñar y unos jueces independientes comparaban los sueños con las «experiencias de vigilia especiales» que los seguían. Se hicieron dos experimentos independientes. En el primero, que duró ocho noches, Bessent tuvo sueños precognitivos precisos en cinco ocasiones; en el segundo, que se alargó durante dieciséis noches, de las cuales sólo ocho se dedicaron a la experimentación, volvió a repetir la proporción de cinco de ocho.

El grado de éxito del que gozaron estos experimentos prácticamente no tiene parangón en la historia de la parapsicología. De los doce proyectos que realizó el equipo del Maimonides entre los años 1966 y 1972, nueve dieron resultados positivos, algunos con un alto grado de relevancia.

Durante el transcurso de los años setenta y ochenta, el Laboratorio del Sueño del Maimonides también llevó a cabo una serie de experimentos para examinar formas más generales de percepciones extrasensoriales en los sueños, como la telepatía o la clarividencia, utilizando cuadros famosos como objetivo. Un «agente», situado en una habitación o edificio distinto que el sujeto, se concentraba en una de esas imágenes elegidas al azar intentando «transmitírsela» al soñador e incorporarla a sus sueños. De nuevo los resultados fueron impresionantes: los psicólogos declararon que el grado de precisión era de un 83,5 por ciento en una serie de doce de estos experimentos, un descubrimiento contra todo pronóstico.

Los investigadores han registrado varios sueños clarividentes aparentemente relacionados con el hundimiento del Titanic. De manera similar, una llamada retrospectiva de la prensa británica en busca de sueños conectados con la tragedia de Aberfan, un pueblo minero de Gales en el que una avalancha de carbón sepultó vivas a 140 personas, produjo resultados impresionantes que condujeron a la creación del Departamento Británico de Premoniciones y el Registro Central de Premoniciones Estadounidense.

Los sueños sobre la muerte de seres queridos, también llamados «sueños de despedida», son asimismo relativamente comunes. Uno de los más conocidos es el del explorador Henry Stanley, quien después de ser capturado en la batalla de Shiloh durante la guerra de Secesión, soñó de forma detallada con la muerte repentina de su tía, que estaba a cuatro mil kilómetros de distancia, en Gales. Abraham Lincoln soñó con su propia muerte en 1865. En su sueño, vagaba por una Casa Blanca «mortuoria» siguiendo el eco de unos «sollozos lastimeros». Todas las habitaciones le resultaban familiares y tenían la luz encendida, pero no había nadie en ellas. Finalmente entraba en la sala Este y veía un cadáver tendido con la cara tapada y ropas mortuorias. Al preguntar a los asistentes al funeral quién había muerto, le dijeron: «El presidente, lo han asesinado». El sonoro estallido de dolor de los presentes lo despertó del sueño. Pocos días después, John Wilkes Booth lo abatía a tiros en un teatro.

Soñar con resultados deportivos

Una manera divertida y entretenida de poner a prueba los sueños precognitivos es intentar predecir el ganador de una competición deportiva. Por supuesto, hay que hacer algunas apuestas para poder realizar este ejercicio. Se basa en el sistema de eliminación desarrollado por Harold Horwood (véase página 74). El método es idóneo para deportes en los que participen diversos competidores, como las carreras de caballos o de automóviles. No se puede aplicar esta técnica a resultados binarios; es decir, un partido de fútbol o baloncesto, por ejemplo, donde habrá un ganador y un perdedor. Aunque incluso con los deportes binarios puedes adaptar la técnica para ver si tus sueños pronostican el equipo campeón de una competición por eliminatorias o de una liga, o el máximo anotador de una temporada.

1. Haz dos listas

Elige una carrera con una o dos semanas de antelación, dale a cada participante un número y divídelos aleatoriamente en dos listas, cada una de ellas en una hoja de papel diferente. Antes de irte a la cama, lee las listas y piensa en los nombres y números. Pon una lista en el lado izquierdo de la cama y la otra en el derecho.

2. Explora el primer sueño

A la mañana siguiente, intenta recordar si tus sueños sugerían o contenían algún nombre o número. Pregúntate, también, si en algún sueño se enfatizaba la «derecha» o «izquierda», lo que podría indicar qué lista pudiera contener el ganador. Anota tus conclusiones.

3. Rehaz las listas

La noche siguiente, redistribuye los participantes aleatoriamente en dos nuevas listas, conservando sus mismos números. Repite los pasos 1 y 2, rellenando tus listas sucesivas con las notas sobre los sueños que has tenido.

4. Repite el proceso

Repite este proceso cada noche, aislando progresivamente a un participante, identificando qué candidato ha sido el más sugerido, por el nombre, número o inclusión en la lista elegida.

5. Utiliza tu intuición

Examina tus sueños en busca de algún tipo de clave o señal. Si descubres que en un sueño se te sugiere claramente un nombre o número, no necesitas seguir trabajando con las listas.

EL
Lenguaje
DE LOS SUEÑOS

Al despertarnos por la mañana, a menudo la naturaleza extraña de lo que recordamos haber soñado nos lleva a dar por sentada su irrelevancia. ¿Qué importancia pueden tener para nuestra vida consciente las imágenes sin sentido de la noche? (El extraño sin rostro, el mono que vive dentro del armario de tus vecinos, el coche sin volante.) No obstante, también se podría preguntar algo así sobre una lengua extranjera. Hasta que no aprendamos su significado, las imágenes extrañas del mundo onírico no tendrán ningún sentido para nosotros; pero en cuanto empecemos a explorar este nuevo idioma, se abrirá ante nosotros una nueva dimensión de significado.

Simbolismo

Los símbolos oníricos son metáforas visuales que representan objetos, recuerdos, emociones, ideas, ansiedades, esperanzas, aspiraciones, frustraciones, o incluso, en ocasiones, a nosotros mismos u otras personas. Pueden adoptar prácticamente cualquier forma reconocible sensorialmente: un objeto inanimado, un fragmento musical, un paisaje o un suceso. Los símbolos son el punto de partida del trabajo de los sueños.

Sin embargo, a diferencia de las palabras de un idioma extranjero, muchos símbolos oníricos pueden cambiar de significado de una persona a otra. Es más, también a diferencia de las lenguas, el sueño no tiene una gramática fija, sino que conecta unidades semánticas según principios lógicos idiosincrásicos que deben estudiarse cuidadosamente para poder ser descifrados y comprendidos.

En todos los sentidos, los sueños representan un diálogo entre la mente subconsciente y la consciente, y aunque podemos aprender los significados típicos de muchos símbolos oníricos, nunca podemos estar plenamente seguros de haberlos entendido, ni a sus posibles conexiones,

hasta que los hemos trabajado desde la perspectiva de nuestra propia historia y experiencia vital. No importa lo extraños o graciosos que puedan ser los símbolos de un sueño en concreto, éste los ha elegido por su particular habilidad para transmitir el mensaje pretendido. El símbolo aparentemente más trivial puede permitir acceder a un potente recuerdo o una revelación elocuente sobre cómo somos en el presente o cómo seremos en el futuro.

En nuestra vida diaria, los símbolos suelen referirse a algo concreto; una cruz, por ejemplo, puede simbolizar el cristianismo; una cigüeña, el nacimiento de un niño. Pero los símbolos oníricos son más connotativos que denotativos (es decir,

sus significados son más sugerentes que concretos), por lo que al traducirlos a un sentido consciente es necesario prestar atención al contexto, estado de ánimo o escenario del sueño, y a las circunstancias del soñador. En otras palabras, todo el mundo posee un sistema simbólico-onírico propio y único.

Generalmente, los sueños de nivel 1 y 2, que surgen respectivamente del preconsciente y del subconsciente personal (véanse páginas 65-69), emplean principalmente símbolos que poseen asociaciones concretas para el soñador, o que nacen de la actualidad general de la vida cotidiana. Muchos de estos elementos son comunes, pero otros sólo tienen sentido para el soñador. Así, un árbol, para la mayoría de nosotros, puede representar protección y fertilidad, pero para un soñador que se cayó desde las ramas de uno cuando era un niño puede representar peligro, oscuridad y la culpa de una aventura prohibida.

Aunque tienen un sentido obvio literalmente, los símbolos del nivel 1 y 2 pueden tener la suficiente carga emocional para contar con un significado especial en los sueños de algunas personas

Safari de símbolos

Dado que los símbolos desempeñan un papel tan importante en nuestros sueños, cualquiera que esté interesado en la interpretación de los sueños debe familiarizarse con algunas de las características del simbolismo antes de empezar. Debajo hay algunos ejercicios que afinarán tu oído al idioma de los símbolos.

Metáforas cotidianas

Escucha atentamente las metáforas (símiles o figuras) que los demás y tú mismo utilizáis al hablar. Puedes «saltarte» un examen o tener un encuentro «doloroso». Tal vez te sientas «hecho trizas» después de un día muy largo. Debes ser consciente del sentido literal de esas expresiones; por ejemplo, si estás hecho trizas, imagínate a ti mismo derrumbándote en pequeños pedazos y fragmentos de tu ser.

Mensajes visuales

Piensa en cómo la gente comunica mensajes de manera visual, mediante su manera de vestir, sus alhajas, etcétera. Por ejemplo, un broche en forma de rosa sugiere belleza, amor, romanticismo, y quizá añade la idea de que las cosas más espléndidas de la vida son aquellas que alcanzan un momento de gloria y después empiezan a marchitarse. Puesto que la rosa es un regalo de amantes, también debe de sugerir cierta admiración. De manera similar, si tienes la miniatura de un Buda sentado en la mesa del salón, esto puede decirle al mundo que eres bastante contemplativo y que posees un lado espiritual profundo, o quizá que te gusta la atmósfera misteriosa de Oriente.

Productos y publicidad

Mantente alerta respecto a los paquetes, las etiquetas y los anuncios de los productos comerciales, desde coches y cámaras hasta perfumes y champús. En cada producto analiza las asociaciones del nombre, las imágenes de la etiqueta y el contexto más amplio del anuncio. En tus investigaciones te toparás con árboles, flores, animales, castillos, ríos, amaneceres y atardeceres, y muchas cosas más. Piensa por qué todas esas cosas se han relacionado con esos productos concretos.

Películas

Estudia el simbolismo de las películas: el escenario, la iluminación, los colores. Hubo un crítico que se dedicó a analizar toda la película *Casablanca* en términos del simbolismo del blanco y negro, la luz y la sombra. Dado que las películas y los sueños tienen mucho en común, este tipo de pensamiento te ayudará a aclimatarte para interpretar el mundo onírico.

concretas. Por ejemplo, la ira puede estar simbolizada para un soñador por un granjero enfadado, porque en una ocasión un granjero le amenazó con dispararle si se metía en su terreno; mientras que para otro soñador puede tomar la forma de un puzle chino que lo llevó a los límites de la frustración durante unas largas vacaciones de verano. Los símbolos del nivel 1 y 2 se pueden tomar no sólo de la experiencia directa del soñador, sino también de aspectos más periféricos de la vida, como libros, juegos o programas de televisión (aunque éstos no causaran un impacto demasiado claro en la mente consciente). El sueño saquea sin vergüenza imágenes de los bancos de recuerdos del soñador, eligiendo los motivos que mejor sirven a sus propósitos inmediatos. Podríamos pensar en el sueño como en un pintor de *collages* de técnica mixta, que estudia minuciosamente una paleta muy intensa, hurga en cajas de basura y materiales reciclados, y combina fragmentos hasta que logra la impresión creativa correcta.

Los símbolos de los sueños de nivel 3, por contra, suelen tener un significado universal, derivado de la experiencia colectiva del género humano. No sólo los arquetipos son comunes a todos nosotros (véanse páginas 34-38), también lo son las formas en las que suelen emerger a la conciencia. El problema con los sueños de nivel 3 suele tener menos que ver con la interpretación de sus símbolos que con la moderna reticencia a reconocer que los sueños son capaces de ayudarnos a echar mano de un repertorio de sabiduría que está más allá del alcance de nuestra mente consciente.

*F*reud y Jung discrepaban fundamentalmente sobre el significado de los símbolos, y ésa fue una de las razones por las que se distanciaron. Para Freud, el simbolismo se produce para traducir los deseos reprimidos, sexuales o de otro tipo, en una forma aceptable, protegiendo así al soñador ante una agitación tal que pudiera llegar a despertarlo. También le dio un significado fijo a los símbolos oníricos, de manera que, por ejemplo, las pistolas, dagas, puertas y cuevas siempre representaban órganos sexuales, indicios de nuestro instinto animal, aparecieran en el contexto en que aparecieran. Para Jung, sin embargo, esto suponía

tratar las imágenes como signos, no como símbolos. Afirmaba que la sustancia de un símbolo «está formada por los contenidos de nuestro subconsciente que se manifiestan, aunque la mente consciente no sea capaz de captar su significado». Un signo, por otra parte, representa una interpretación fijada de una imagen onírica, y en consecuencia está restringido a un significado que ya es consciente. Tratar una imagen onírica como un signo no sólo nos impide acceder a su significado más profundo, sino que reprime aún más ese significado y al hacerlo ensancha en lugar de estrechar la distancia que separa el consciente del subconsciente.

Para Freud, un símbolo fálico representaba el pene; para Jung, era el «maná creativo, el poder de curar y la fertilidad». La mayoría de los psicólogos y de los antropólogos que han estudiado los símbolos abogan por el planteamiento más creativo de Jung. El especialista en mitos estadounidense Joseph Campbell insistía que «la conciencia no es capaz de inventar ni predecir ningún símbolo efectivo, igual que no puede pronosticar ni controlar los sueños de esta noche».

A diferencia de los signos, el símbolo puede estar cargado con gran variedad de significados que, aunque todos son facetas de la misma verdad,

merece la pena estudiar por separado. Así, al analizarla, la imagen de una pistola puede resultar para el mismo soñador una representación de rayos y truenos, de procreación masculina, de destrucción y del juguete que utilizaba para aterrorizar a un amigo de la infancia y obligarlo a compartir las chucherías. Estos cuatro significados reflejan un tema central: el poder, pero demuestran respectivamente que éste se puede utilizar para destruir, para hacer el bien o el mal, o para reforzar el impulso infantil de intimidar y explotar a los demás.

Dado que los símbolos oníricos suelen ser extraños y aparentemente inconexos, tendemos a desecharlos por su irrelevancia. Por ejemplo, podemos dudar de la relevancia para nuestras vidas de un laberinto, un títere, un animal salvaje o una imagen tan mundanal como un regalo no deseado. Para entender el significado de los símbolos, debemos intentar determinar con paciencia y diligencia cómo esas metáforas encajan con nuestras propias circunstancias. Interpreta tu lexicón personal de símbolos oníricos desde la perspectiva de tu historia vital y experiencias recientes: el fuego puede simbolizar la destrucción, pero también el empezar algo de cero, como una nueva relación; un castillo puede representar la seguridad, pero también podría implicar la sensación de aislamiento. Sólo mediante un examen sincero de tus reacciones lograrás una interpretación válida.

Piensa también en el contexto del símbolo: una flor regalada por un amante puede significar algo muy distinto que otra regalada por un enemigo. El significado de un símbolo onírico también puede modificarse según su apariencia; por ejemplo, su color, textura y tamaño. Un perro rosa es probable que simbolice algo bastante diferente de un perro negro; el significado de un jarrón vacío será posiblemente distinto del de un jarrón con flores. Finalmente, piensa en las conexiones entre los símbolos oníricos, examinando sus significados complementarios: un tren, una daga y una serpiente pueden ser todos símbolos fálicos; una estrella, el agua y un templo tal vez estén todos relacionados con el deseo o la necesidad de espiritualidad.

Los principales significados de algunas imágenes oníricas comunes se pueden encontrar en la guía de símbolos de las páginas 84-93 de este libro. Pero recuerda que cualquier guía de este tipo sólo puede ofrecer orientaciones generales. Los soñadores individuales tienen más posibilidades de descubrir los verdaderos significados de sus símbolos oníricos si utilizan las anotaciones de la guía como estímulo más que como descripciones literales. Imagínate como un detective, un descifrador, un explorador de lugares oscuros o un arqueólogo de la mente que, trabajando con fragmentos, tiene la habilidad suficiente para recomponer todo el conjunto.

El simbolismo onírico en acción: un ejemplo

El sueño que aquí se describe y se analiza muestra el simbolismo onírico en acción. El soñador es un varón, un ejecutivo de ventas que trabaja para un gran conglomerado de empresas. Siempre ha querido ser escritor, pero ahora pasa la mayor parte de su tiempo redactando material publicitario engañoso pero enormemente efectivo.

El soñador describe su sueño

«Me encontraba en una barbería esperando mi turno. El sitio era pequeño y oscuro, y me daba la impresión de que estaba pintado de marrón y que la atmósfera era sórdida. Había dos hombres antes que yo, sentados a mi derecha, pero el barbero me llamaba primero a mí. Aquello me incomodaba bastante y me hacía pensar que quería congraciarse conmigo. Sin embargo, cuando iba a sentarme en el sillón, descubría que estaba solo en la barbería. El espejo que tenía delante era viejo y la superficie del mismo estaba tan deteriorada que no podía ver mi reflejo. Después estaba fuera, mirando los escaparates de varias tiendas. Creo que estaba intentando encontrar unas tijeras para cortarme yo mismo el pelo, pero no lo conseguía. Entonces escuchaba una especie de siseo que me decía: "El globo ha explotado".»

Un analista descodifica los símbolos

El soñador asociaba el pelo y su visita a la barbería con una vanidad «sórdida» e ineficaz, y relacionaba el comportamiento del barbero con la manera en que otros prodigan alabanzas y atenciones indebidas; una situación que él claramente asociaba con su trabajo como escribano.

Los dos hombres silenciosos deberían haber sido llamados por el barbero antes que él, pero perdieron su turno. Esto podría sugerir que había aspectos profundos, aunque aún latentes, de su ser, como su talento como escritor, que se deberían haber priorizado pero que aún no habían tenido oportunidad de salir a la luz.

El soñador sintió que el espejo en el que no podía ver su cara era una indicación de falta de autoconocimiento. Había permitido que su verdadero yo desapareciera en la falsedad y engaño que rodeaba a su vida profesional.

Su observación de los escaparates indica que el soñador busca en el exterior, cuando debería haber buscado en su interior. La búsqueda de las tijeras puede estar sugiriendo al que sueña que debe controlar su vanidad. La imagen final del globo explotado quizá haga referencia tanto a las ilusiones destrozadas como a una autoestima «desinflada».

La gramática de los sueños

Los pioneros de la psicología del siglo XX nos enseñaron que los sueños no son un mero batiburrillo de sucesos y sensaciones aleatorias, sino que siguen una lógica interna y reflejan las preocupaciones del yo interior. Pero, más concretamente, ¿cómo trabaja esa lógica?

Antes de Freud (véanse páginas 28-33), los científicos creían que los sueños eran completamente fortuitos y que no obedecían a ninguna lógica. Sin embargo, él se resistía a apoyar este tipo de convencionalismos. Con una inventiva sutil e imaginativa, descubrió varias maneras en las que los sueños utilizan una lógica propia y extraña para transmitir mensajes profundos desde la mente subconsciente al yo consciente. Demostró que los sueños doblegan las leyes del tiempo y el espacio, y que presentan los sucesos en secuencias desconcertantes, mezclando el pasado y el presente, lo cercano con lo remoto; y demostró que burlan la física de la materia y la identidad, de manera que una cosa puede convertirse en otra, o adquirir repentinamente las características de otra, lo que es ligeramente distinto.

Conectando con el surrealismo

Este sencillo ejercicio está diseñado para aumentar tu sensibilidad respecto al surrealismo, un ingrediente esencial del mundo onírico.

1. Piensa en tres objetos independientes que simbolicen distintas partes de tu vida, como tu trabajo, tu tiempo de ocio y tu relación más importante.

2. Intenta pensar en una historia surrealista que conecte los tres aspectos de tu vida e incorpore los tres objetos. Imagina esta historia como unos dibujos animados extraños, cuyo guión gráfico estás dibujando en tu mente, como si fueras el productor de una película.

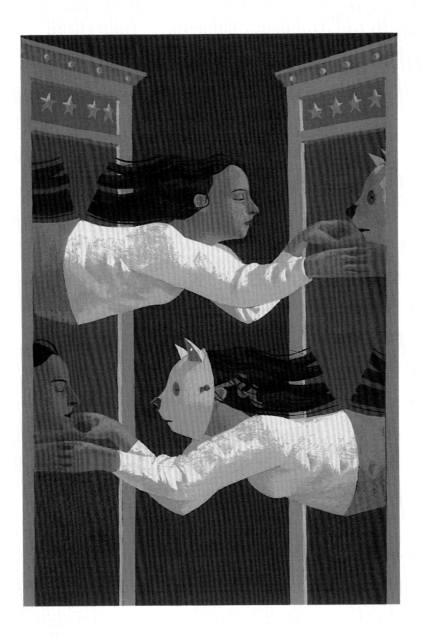

Hasta la revolución en la teoría de los sueños provocada por los trabajos de Freud y Jung, eran pocos los filósofos que discrepaban de la afirmación del físico alemán del siglo XIX Theodor Fechner de que en los sueños «es como si la actividad fisiológica se hubiera trasladado del cerebro de un hombre razonable al de un loco». Su actitud no hacía más que parafrasear lo que los filósofos venían escribiendo sobre los sueños desde tiempos de los romanos, cuando el estadista y erudito Cicerón defendió que «no hay nada imaginable que sea demasiado absurdo, demasiado complicado o demasiado anormal para que soñemos con ello». Un filósofo alemán menor escribió en 1875 sobre las «ridículas contradicciones que [el soñador] está dispuesto a aceptar en las leyes de la naturaleza y la sociedad», mientras que cuatros años más tarde un colega suyo afirmaba que «parece imposible detectar ninguna ley fija en esta actividad demente… Los sueños se funden en un remolino loco de confusión caleidoscópica».

Lo que desasosegaba a los filósofos racionalistas no era sólo el contenido aparentemente «absurdo» de las propias imágenes oníricas, sino la también aparente ausencia de pensamiento racional y funciones mentales elevadas en la lógica que conectaba esas imágenes. En 1877, por ejemplo, un autor hablaba de «un eclipse de todas las operaciones lógicas de la mente basadas en las relaciones y conexiones», de manera que los sueños no estaban en ningún caso «afectados por la reflexión o el sentido común».

El propio Freud comparaba los sueños, con su ausencia de conexiones útiles entre una imagen y otra, con una oración sin conjunciones o nexos, pues las palabras como «y», «si», «porque», «cuando» y «o» son las que forman conexiones lógicas entre conceptos y dan al lenguaje gran parte de su coherencia.

No obstante, Freud observó que las conexiones entre las cosas se podían demostrar por otros medios aparte de la palabra; como es el caso, por ejemplo, del arte. Creía que «la locura de los sueños puede que sí posea algún método, e incluso pueda simularse, como la del príncipe danés [Hamlet]». Aunque las conexiones oníricas no siguen la lógica racional del lenguaje y la filosofía, es posible que estén relacionadas con un razonamiento más oblicuo que disfraza deliberadamente el significado del sueño.

La naturaleza a menudo desconcertante de esta lógica refleja que los orígenes del sueño están más allá de los confines de la mente consciente. Un sueño puede ser una respuesta a las preocupaciones y sentimientos más profundamente arraigados del soñador, o una manera de satisfacer deseos o resaltar emociones no resueltas en su vida cotidiana. Las contradicciones y los conflictos implícitos en estos procesos complejos, como era de esperar, se reflejan en la gramática y la sintaxis de los sueños. Frecuentemente enig-

mático, titubeante y fragmentario, el lenguaje onírico puede manipular el tiempo, reuniendo a figuras históricas y contemporáneas. Puede mezclar lo familiar con lo desconocido y crear transformaciones fantásticas gracias a su propia variedad de «magia» psíquica. Como cierto tipo de películas, el mundo onírico también puede presentar «fundidos» mediante los cuales una escena pasa a convertirse misteriosamente en otra. Los objetos inanimados se mueven libremente, y pueden hablar, o incluso convertirse en amenazantes.

Las personas y los animales son capaces de volar, la gente puede ladrar como un perro o caminar desnuda por un lugar abarrotado. El significado que encierran los sueños se debe extraer de esos sucesos complejos y opuestos.

La experiencia clínica le demostró a Freud que las imágenes de los sueños se interconectan mediante cuatro grandes mecanismos de conexión. El primero es la simultaneidad, en el que las imágenes o los sucesos oníricos se presentan juntos en un mismo escenario. El segundo es la contigüidad, en el que las imágenes o sucesos oníricos se presentan en una secuencia. El tercero es la transformación, en el que una imagen se funde hasta convertirse en otra. Y para finalizar está la similitud, revelada principalmente mediante la asociación indirecta y directa, que Freud consideraba el mecanismo de conexión más importante y del que sostenía que operaba

por asociación, en la que un objeto se parece a otro en algún sentido, o recuerda o invoca sensaciones sobre ese segundo objeto. Muchas de estas asociaciones están olvidadas o reprimidas en el nivel consciente, pero se pueden revelar con técnicas apropiadas de interpretación de sueños. Al descifrarlas, el psicoanalista saca a la luz no sólo la manera en que actúa la lógica onírica, sino también su profunda sutileza.

Las complejas operaciones de la lógica onírica se pueden demostrar con un ejemplo bastante común: el del sueño en que encuentras en tu armario la ropa de otra persona. Este sueño puede tener una faceta de satisfacción de deseos, al reflejar una admiración por las cualidades de la otra persona: adquiriendo sus cosas, nosotros mismos nos hacemos con algunas de sus características.

Sin embargo, también puede haber una faceta de resentimiento ante la intromisión de algo extraño en un lugar tan privado y doméstico. Esto puede sugerir la envidia que suele acompañar a la admiración. Un sueño comparable sería el de descubrir la ropa de otra persona sobre nuestra cama: podríamos concluir de forma razonable que su significado es parecido, excepto que en este sueño hay un elemento perturbador adicional: la ropa no está cuidadosamente guardada y doblada en el armario, sino que está tirada y desordenada, lo que nos obliga a ocuparnos de su presencia. Es más, la cama es un lugar aún más íntimo que el armario. Así, el sueño (dependiendo como siempre del contexto) puede reflejar las interferencias del dueño de esas piezas de ropa en la vida del soñador.

Los investigadores de sueños posteriores a Freud han descubierto que la coherencia interna desempeña un papel clave en la manera de operar de la lógica onírica. El análisis de sueños de nivel 1 y 2 (los generados por el preconsciente y el subconsciente personal) muestra con claridad que cada soñador puede tener su propia manera de manifestar esa coherencia interna.

La forma que adopta más habitualmente, bautizada como coherencia relativa por los investigadores del sueño estadounidenses Calvin Hall y Vernon Nordby, radica en el grado de frecuencia con que las diversas imágenes oníricas aparecen en los sueños de un individuo durante un período determinado de tiempo. Por tanto, el mobiliario, las partes del cuerpo, los coches y los gatos pueden surgir en orden descendente de frecuencia para un soñador, mientras que para otro, las mujeres pueden aparecer más frecuentemente que los hombres o los escenarios exteriores más que los espacios domésticos. Se ha demostrado que estos patrones de frecuencia se mantienen notablemente constantes con el paso de los años.

Otra importante forma de coherencia interna de los sueños es la dimensión simbólica. Al usar los símbolos, el sueño no se preocupa de lo incomprensibles y extraños que puedan parecerle a la mente consciente. Los selecciona partiendo únicamente de la base de sus asociaciones con el material que quiere expresar, y es muy posible que repita los que considere más eficaces sueño tras sueño para hacer llegar su mensaje.

Arquetipos

Los arquetipos son los temas universales o, en palabras de Jung, los «motivos mitológicos», que emergen del inconsciente colectivo y reaparecen una y otra vez en los mitos, sistemas simbólicos y sueños.

James Hillman, el fundador contemporáneo (estadounidense) de la psicología arquetípica, se refiere a los arquetipos como «los patrones más profundos del funcionamientos psíquico»: son «las raíces del alma que gobiernan las perspectivas que tenemos sobre nosotros mismo y el mundo…, las imágenes evidentes y axiomáticas a las que siempre regresan nuestra vida psíquica y nuestras teorías sobre ella».

Sin acceso a la vitalidad creadora de mitos de los arquetipos, nos encontramos aprisionados en unas pocas habitaciones de esa espléndida mansión que es la mente y desconectados de la fuente creativa de nuestra propia vida psíquica.

En la mayoría de los casos, los sueños arquetípicos nos dejan la sensación de haber recibido sabiduría de una fuente externa a lo que solemos reconocer como nosotros mismos. El describir esta fuente como un depositario de verdades espirituales o como una dimensión no explotada de nuestras propias mentes es menos importante que el hecho de ser conscientes de su existencia.

En nuestros «grandes» sueños, los arquetipos aparecen como símbolos, o toman formas personificadas como dioses y diosas, héroes y heroínas, animales fabulosos y poderes del bien y el mal concretos que le resultan más familiares a nuestras mentes conscientes. Los junguianos subrayan, no obstante, que nunca debemos identificarnos con arquetipos individuales, porque cada uno de ellos es sólo un fragmento del yo completo. Al integrar esa variedad de arquetipos en el inconsciente colectivo, los junguianos esperan progresar hacia la individuación (véanse páginas 23-24).

Los sueños arquetípicos ocurrirán con más probabilidad en momentos de transición que son im-

portantes en la vida de cada uno, como los primeros días de colegio, la pubertad, la adolescencia, la
paternidad, la mediana edad, la menopausia y la
vejez. También suceden en épocas de agitación e
incerteza, y marcan el proceso hacia la individuación y la madurez espiritual. Jung entendía que
los sueños arquetípicos tenían la función especial
de ayudar al soñador a modelar su futuro. Aconse-
jaba a los soñadores que se preguntaran por qué
podían haber tenido ese sueño y que evaluaran su
impacto potencial. Si los arquetipos son personifi-
caciones de nuestras energías psíquicas, entonces

su aparición en los sueños puede ser un indicador de la dirección que debe tomar nuestro desarrollo futuro.

Como hemos visto, las energías arquetípicas pueden adoptar distintas formas y aparecer en sueños como sucesos simbólicos o seres míticos realistas. Inicialmente, al menos, los arquetipos que aparecen en forma humana se reconocen con más facilidad.

Jung descubrió que los sueños arquetípicos le sucedían a todo tipo de gente, tanto a aquellos que «están ensimismados, apartados de la humanidad y oprimidos por el pensamiento de que nadie más tiene sus problemas» como a los que están mucho más adelantados en el proceso de individuación. Aun así, en estos dos casos extremos el contenido del sueño es distinto: los sueños de la personalidad alienada reflejan preocupaciones personales, mientras que los de la personalidad integrada reflejan problemas suprapersonales, como el nacimiento y la muerte, la inmortalidad y el significado de la existencia.

No obstante, Jung advierte que si los sueños arquetípicos contienen material potente que parece contradecir drásticamente las ideas y creencias de la mente consciente del soñador, o no dispone de la coherencia del genuino material mitológico, entonces puede existir una profunda división, nacida de la resistencia y la represión, entre el inconsciente colectivo y la vida cotidiana del soñador. Esos bloqueos psíquicos deben solucionarse para poder continuar con el progreso.

Los arquetipos de los sueños son vitales para encontrar nuestro «verdadero yo». Buscándolos en los sueños y aprendiendo a reconocerlos, podemos construir puentes hacia nuestro subconsciente. Cada arquetipo es un eslabón en una cadena de asociaciones míticas. Identificando un arquetipo, podemos atraer a otros a nuestra conciencia soñadora, de tal manera que nos sumergimos más profundamente en el poder creativo de nuestro inconsciente colectivo.

Según los analistas junguianos Edward Whitmont y Sylvia Perera, sabremos que hemos penetrado en el mundo de los arquetipos si nuestros sueños nos enfrentan con elementos racionalmente imposibles en la vida cotidiana y si nos conducen a los «reinos del mito y la magia». Muchos sueños rechazan en distintos grados las restricciones de la vida diaria, pero cuando nos encontramos en un mundo de formas cambiantes en el que nos topamos con hombres y mujeres carismáticos e imponentes, héroes que salen ilesos de heridas mortales, extraños, altos y oscuros que atraviesan puertas cerradas, y fugitivos que se convierten en árboles al escapar, podemos sospechar justificadamente que estamos en presencia de los poderes arquetípicos.

Las imágenes y los sucesos oníricos arquetípicos a menudo parecen tener un poder dramático predeterminado y sobrecogedor, descrito por Whitmont y Perera como una «numinosidad que crea una sensación de sobrecogimiento en el soñador». El sueño puede estar situado en un entorno cultural o histórico muy alejado del soñador, y simbolizar el hecho de que éste está viajando fuera de los límites de su experiencia sensorial y psicológica cotidiana. También se ha descubierto que los sueños arquetípicos transmiten una sensación de gran relevancia para el soñador, que ve en ellos «alguna sugerencia reveladora, una advertencia o una ayuda sobrenatural». Por encima de todo, los sueños arquetípicos poseen lo que Jung denominaba una «cualidad cósmica», una sensación de infinidad temporal o espacial transmitida por experiencias oníricas como trasladarse a gran velocidad por distancias enormes, o volar como un cometa por el espacio, o la experiencia de sobrevolar la Tierra desde gran altura, o una impresionante expansión del yo hasta que trasciende su estrecha individualidad y abraza toda la creación. Asimismo, las cualidades cósmicas también pueden aparecer en nuestros sueños como símbolos astrológicos o alquímicos, o como experiencias de nacimiento y muerte.

Muchos sueños arquetípicos contienen viajes o búsquedas mágicas que suelen representar, como la del Santo Grial, la persecución de algún aspecto de nosotros mismos. Un tema común en los cuentos de hadas es el del joven héroe que

debe viajar a una tierra extranjera para descubrir su hombría, o verdadero yo, antes de regresar para matar a un dragón o rescatar a una apenada dama. Cuando este tipo de temas aparecen en sueños, suelen simbolizar un viaje hacia el subconsciente, donde el soñador pretende encontrar y asimilar partes fragmentadas de la psique para adquirir una confianza e integridad psicológica que puede diferenciarlo de sus antecedentes sociales.

Un viaje arquetípico común es el paso marino nocturno, en el que el héroe es devorado y prácticamente destruido por el monstruo al que intenta matar. Como en el cuento bíblico de Jonás y la ballena, el héroe consigue destruir al monstruo desde su interior, para finalmente escapar y llegar a tierra en lo que constituye una representación simbólica de la exitosa búsqueda por parte del soñador de la energía vital que radica en las pro-

Nadando hacia las estrellas: un ejemplo de sueño arquetípico

La soñadora es una profesora de universidad. Tiene una reputación académica formidable, pero corre el riesgo de comprometerla si hace público su creciente interés por el misticismo y el desarrollo espiritual.

El soñador describe su sueño

«Había estado nadando en el mar e iba a darme una ducha de agua dulce en la playa. El agua me caía por la espalda, pero antes de que pudiera mojarme la frente me encontraba en un elegante vestuario. Todavía llevaba puesto el traje de baño, que goteaba sobre la moqueta. Había varias mujeres bien vestidas que me miraban con desaprobación. Al cabo de un momento, estaba flotando sobre el tejado. Era de noche y las estrellas parecían más grandes y brillantes que en la vida real. Yo estiraba una mano para tocarlas, y por un momento sostenía una en mi mano. Quería guardármela en el bolsillo, pero aún llevaba puesto el bañador. Una voz dijo: "Guárdatela en el pecho". Estaba intentando imaginar cómo hacerlo cuando, de repente, me desperté.»

Los arquetipos analizados

La naturaleza arquetípica de este sueño la sugieren sus elementos más irracionales: la transformación de la playa en un vestuario, la habilidad del soñador para flotar sobre el tejado y que puede tocar las estrellas.

La protagonista está nadando en el mar, lo que indica su deseo por profundizar aún más en el subconsciente arquetípico. Pero entonces intenta limpiarse la sal del mar con una ducha de agua dulce, lo que sugiere que desea «santificar» todo lo que haya podido descubrir mientras nadaba. Pero sólo lo consigue parcialmente: su espalda, ese aspecto de su ser que la mantiene derecha en público, queda «limpia», pero la parte delantera de su cuerpo, el lado que ven sus ojos, sigue sin santificarse.

La repentina transición hacia el vestuario, donde su traje de baño gotea sobre la moqueta, le recuerda que no puede ser ella misma en un entorno artificial, sobre todo bajo las miradas reprobatorias de sus colegas, las señoras bien vestidas del sueño.

Después flota por la casa hasta el tejado, donde puede ver las estrellas; se representa a sí misma estados de conciencia más elevados. Y es capaz de coger una estrella con las manos. Sigue pensando de manera convencional y pretende guardarla en un bolsillo. Al despertar aún no puede entender cómo puede meterla «bajo su pecho» y, de este modo, integrar su yo más elevado en su vida consciente.

fundidades del subconsciente, despojando así a los impulsos inconscientes del poder de dominar nuestro comportamiento consciente.

Otros viajes arquetípicos, como las travesías marinas hacia el sol naciente, son capaces de representar el renacimiento y la transformación. En los sueños también es posible que aparezcan bautismos y otras formas de rituales iniciáticos, la salida de las profundidades de una cueva o arquetipos alquímicos como el ave fénix resurgiendo del fuego, que destruyen el pasado y dejan al soñador libre para crear su futuro. Las criaturas míticas como el fénix tal vez no personifiquen arquetipos primarios en sí mismos, pero es factible que la mente soñadora los utilice como representantes de los arquetipos. Por ejemplo, las esfinges pueden simbolizar la sabiduría oculta del arquetipo de la Gran Madre, mientras que la deidad hindú Garuda (mitad hombre, mitad águila) quizá sea una representación de la energía feroz y purificadora del Anciano Sabio. Sin embargo, Jung veía el dragón como un símbolo primario, relacionado con el aspecto social colectivo u opresivo de la Gran Madre, a quien hay que matar para liberar al héroe.

Un arquetipo con una cualidad profundamente numinosa es el Espíritu, lo opuesto a la materia, que en ocasiones se manifiesta en los sueños como una impresión de infinidad, espaciosidad e invisibilidad. El Espíritu también puede aparecer como un fantasma o una visita de los muertos, y su presencia suele indicar una tensión entre el mundo material y el no material. En las siguientes páginas se describen otros arquetipos primarios.

La Persona

La Persona es la manera en que nos presentamos a nosotros mismos ante el mundo exterior; la máscara que adoptamos para lidiar con la vida cotidiana. Útil y no patológica en sí, la Persona se convierte en peligrosa si nos identificamos excesivamente con ella, llegando a confundirla con el verdadero yo. En ese caso puede aparecer en nuestros sueños como un espantapájaros o un vagabundo, como un paisaje desolado o como ostracismo social. El aparecer desnudo en sueños suele representar la pérdida de la Persona.

El Ánima y el Ánimus

Los estudios y la experiencia clínica de Jung lo convencieron de que todos tenemos en nuestro interior todo el potencial humano, tanto masculino como femenino. El Ánima representa las cualidades «femeninas» de los estados de ánimo, reacciones e impulsos de los hombres; y el Ánimus, las cualidades «masculinas» de los compromisos, creencias e inspiraciones de las mujeres. Lo más importante es que, al ser el «no yo» de cada uno, actúan como el Psicopompo, o guía de las almas, que conduce hacia las enormes áreas de una capacidad interior desconocida.

La mitología representa al Ánima en forma de diosas virginales o mujeres de gran belleza, como Atenea, Venus y Helena de Troya; mientras que el Ánimus está simbolizado por dioses nobles o héroes, como Hermes, Apolo y Hércules. Si aparecen en nuestros sueños en esas formas exaltadas, o como cualquier otra representación potente de hombre o mujer, normalmente significa que debemos integrar lo masculino y femenino de nuestro interior. Si se ignoran, estos arquetipos tienden a proyectarse hacia fuera en la búsqueda de un amante idealizado, o se adscriben de manera poco realista a compañeros de trabajo o amigos. Si permitimos que se apoderen de nuestras vidas subconscientes, los hombres tal vez se conviertan en demasiado sentimentales y emocionales, mientras que las mujeres pueden mostrar falta de compasión y terquedad. No obstante, una vez que el proceso de individuación se ha iniciado, estos arquetipos sirven como guías y hacen profundizar al soñador cada vez más en el reino de sus posibilidades interiores.

El Anciano Sabio

El Anciano Sabio (o Anciana) es lo que Jung llamaba una personalidad maná, un símbolo de una fuente primaria de crecimiento y vitalidad que puede curar o destruir, atraer o repeler. En los sueños, este arquetipo puede aparecer como un mago, doctor, profesor, sacerdote, padre o cualquier otra figura de autoridad, quien con su presencia o enseñanzas transmite la sensación de que el soñador tiene a su alcance estados de conciencia más elevados. Sin embargo, como el hechicero o el chamán, la personalidad maná sólo es medio divina, por lo que puede tanto alejarnos como acercarnos a esos niveles más elevados. El propio Jung disfrutó de una relación con una personalidad maná durante toda su vida: él la llamaba Philemon, y a menudo pasaba sus días hablando y pintando con él.

El Embaucador

El Embaucador, o «mono de Dios», un antihéroe arquetípico, es una amalgama psíquica de lo animal y lo divino. Puede aparecer en sueños, como lo hace en las mitologías de todo el mundo, en forma de mono, zorro, liebre o payaso.

Jung lo conectaba con el Mercurio alquímico, el transmutador, con sus perennes bromas astutas y travesuras maliciosas. Visto a menudo como un aspecto de la Sombra (véase página opuesta), el Embaucador aparecerá burlándose de sí mismo, al mismo tiempo que se mofa de las pretensiones del ego y de su proyección arquetípica, la Persona.

Además, el Embaucador es el siniestro personaje que trastorna nuestros juegos, desenmascara nuestros planes y arruina nuestro placer soñador. Como la Sombra, es un símbolo de transformación; indestructible y capaz de cambiar de forma, desaparecer y reaparecer según le place. Suele manifestarse cuando el ego está en una situación peligrosa que él mismo ha creado, ya sea por vanidad, ambición excesiva o juicios erróneos. No está domesticado y es amoral y anárquico.

Aunque el Embaucador puede sabotear nuestros esfuerzos, también es capaz de ayudar indirectamente a nuestro desarrollo retándonos con paradojas y revelando lo absurdo de las posesiones materiales.

La Sombra

Jung define la Sombra como «aquello que la persona no desea ser». Todo lo que tiene sustancia proyecta una sombra, y para Jung la psique humana no es ninguna excepción: «desgraciadamente, no puede haber ninguna duda de que el hombre es, en conjunto, menos bueno de lo que quiere o imagina ser». Según Jung, cuanto más reprimimos este aspecto, y si lo aislamos de la conciencia, menos posibilidades tenemos de impedir su progreso «en momentos de conciencia».

Oculta bajo nuestro barniz civilizado, la Sombra se revela en actos egoístas, violentos y a menudo brutales. Se alimenta de la codicia

y el miedo, y puede proyectarse al exterior como el odio que oprime y convierte en cabezas de turco a los grupos minoritarios. En los sueños, la Sombra suele aparecer como una persona del mismo sexo, a menudo con un papel amenazante y tormentoso. Puesto que jamás puede eliminarse por completo, suele representarse como personajes indemnes a golpes y balas que nos persiguen superando todos los obstáculos por los fantasmagóricos callejones y sótanos de la mente. No obstante, también puede adoptar la figura de hermano o hermana, o del extraño que nos obliga a afrontar aquellos problemas que preferimos no ver y aquellas palabras que preferimos no escuchar.

Dado que la Sombra es obsesiva, autónoma y posesiva, despierta en nosotros fuertes emociones de miedo, ira o atrocidad moral. Aun así, Jung insiste en que no es malvada de por sí, sencillamente «un tanto inferior, primitiva, inadaptada y torpe». Su aparición en sueños indica la necesidad de una mayor conciencia de su existencia y de un esfuerzo moral más convincente para conciliarse con sus energías oscuras. Debemos aprender a aceptarla e integrarla porque los desagradables mensajes que nos envía suelen redundar, indirectamente, en nuestro propio bien.

El Hijo Divino

El Hijo Divino es el arquetipo de la fuerza regenerativa que nos lleva hacia la individuación. Es el símbolo de nuestro yo verdadero, de la totalidad de nuestro ser, opuesto al limitado y limitador ego que, en palabras de Jung, es «sólo un pedazo de conciencia que flota en un océano de cosas ocultas». En sueños, el Hijo Divino suele aparecer como un niño o un bebé. Se trata de una figura inocente y vulnerable, y está inmaculado pero al mismo tiempo posee un poder transformador. El contacto con el niño nos puede librar de caer en la vanagloria, de la que se alimenta tan codiciosamente el ego, y mostrarnos lo mucho que nos hemos alejado de lo que fuimos o aspirábamos a ser.

La Gran Madre

La imagen de la Gran Madre desempeña un papel vital en nuestro desarrollo psicológico y espiritual. Su predominio en sueños, mitos y religiones deriva no sólo de nuestras experiencias personales en la infancia, sino también del arquetipo de todo lo que alberga e impulsa el crecimiento y la fertilidad por un lado, y todo lo que domina, devora, seduce y posee, por el otro.

La energía de la Gran Madre no es sólo divina, etérea y virginal; también es ctónica (es decir, generada por la tierra) y agrícola: la Madre Tierra era antiguamente adorada como portadora de las cosechas. Siempre ambivalente, es un arquetipo del misterio y poder femenino que aparece en muchas formas: en las más exaltadas, como la reina de los cielos; en las más devoradoras, como la diosa sumeria Lilith, la medusa Gorgona o las brujas y arpías de los mitos y leyendas populares.

Para Freud, sin embargo, la madre onírica simbólica era más una representación de la relación del soñador con su madre que un arquetipo abstracto. Freud observó que, de hecho, la mayoría de los sueños implican a tres personas (el soñador, una mujer y un hombre) y que el tema que conecta más comúnmente a estos tres personajes son los celos. Manifestaba que la mujer y el hombre del sueño, en la mayoría de los casos, representaban a los padres del soñador, y sostenía que simbolizaban aspectos de los complejos de Edipo y Electra, que padecen hombres y mujeres respectivamente.

El Héroe

El Héroe es el yo interior despertado, tanto en el hombre como en la mujer, que aspira al crecimiento y desarrollo interior, y pone en marcha una búsqueda de la comprensión verdadera. Las tareas a las que se enfrenta suelen estar simbolizadas por retos físicos que requieren gran habilidad y coraje, y a menudo necesitan de la ayuda del Ánimus (del que en ocasiones resulta difícil distinguirlo), el Ánima o el Anciano Sabio. Este arquetipo también puede aparecer como un antihéroe, cuyos ideales equivocados lo llevan a involucrarse en una serie de aventuras de las que emerge meritoriamente, pero que no surgen gran efecto. Siempre que un sueño implica retos físicos o psicológicos (como, por ejemplo, pelear con adversarios, escalar una empinada pared de piedra o resolver un acertijo), cabe la sospecha de que el Héroe está implicado en ellos.

Trabajando con arquetipos

Los arquetipos tienen una gran presencia en el inconsciente colectivo y el territorio de los sueños. Puede que el soñador no los reconozca, pero a menudo su aparición viene indicada por una sensación de percepción exaltada; podemos sentir una especie de resonancia interior cuando nos topamos con ellos.

El significado universal de cualquier arquetipo que encontremos interactuará, por supuesto, con las asociaciones subjetivas que surgen de nuestra experiencia personal. Para entender los niveles más profundos de significado y relevancia de los sueños arquetípicos para el individuo, Jung proponía el método interpretativo conocido como «amplificación». Éste implica explorar aquellos mitos en que aparece ese arquetipo y plantearse cómo pueden estar relacionados con nuestra propia vida.

El simple hecho de leer historias míticas y reflexionar sobre ellas en nuestra vida cotidiana es una buena manera de prepararse. Jung consideraba que los mitos griegos eran especialmente adecuados para los occidentales, aunque cualquier tradición mitológica que llame tu atención (los mitos célticos, egipcios o hindúes, o los cuentos populares europeos, por ejemplo) será igualmente apropiada. Algunos relatos parecen intuitivamente adecuados a tus circunstancias, pero todos ellos emergen del gran almacén del inconsciente colectivo y tendrán alguna resonancia en algún nivel de tu experiencia. Cuanto más te familiarices con el repertorio mítico, más sencillo será el proceso de amplificación.

La amplificación puesta en práctica

La amplificación onírica jungiana suele deslizarse hacia capas cada vez más profundas. Por ejemplo, si en tu sueño aparece un caballero sobre su montura, la «amplificación natural» te lleva hasta la sensación de liderato o combate. Después, exploras la «amplificación cultural», que puede sugerir que el caballero es un defensor de la fe, quizá de la fe en tus propias posibilidades. Finalmente llega la «amplificación mítica». Ésta te puede llevar a pensar en Parsifal, el héroe artúrico que en la leyenda medieval se encuentra con el Rey Pescador enfermo y ve el Santo Grial. No lo reconoce y no es capaz de responder acertadamente una pregunta que habría sanado al rey. Al descubrir su error, promete regresar al castillo real y completar su búsqueda. Finalmente, termina siendo uno de los dos caballeros que acompañan a sir Galahad y completan la búsqueda del Grial junto a él. Reflexionando sobre esta leyenda, quizá empieces a pensar en cómo, en la vida, fracasaste en alguna búsqueda, pero finalmente ayudaste a otra persona a completarla con éxito.

Soñando en griego

Como preparación para trabajar en tus sueños con la técnica junguiana de la amplificación, un punto de partida muy útil es familiarizarte con los mitos de la Antigua Grecia. Éstos constituyen un cuerpo narrativo dramático, con una rica variedad de figuras y episodios arquetípicos, a menudo conectados entre sí de manera que los personajes, tanto humanos como sobrenaturales, aparecen los unos en los relatos de los otros. Lee el magistral libro de referencia de Robert Graves, *Los mitos griegos*, para tener una visión general y detallada de las leyendas.

Dos grandes viajes

Los viajes de Jasón y Ulises poseen una gran riqueza de significado arquetípico. Esto se deriva en parte del motivo universal del trayecto peligroso, ya sea una vuelta a casa (en el caso de Ulises), ya sea de una búsqueda de un objeto precioso (en el relato de Jasón, el vellocino de oro). Pero la relevancia de estas dos aventuras también emerge de los encuentros que estos héroes tienen por el camino: dragones, gigantes, mujeres seductoras, pastores monstruosos con un solo ojo, hechiceros, etcétera. Jasón, por ejemplo, consigue el vellocino con la ayuda de Medea, una hechicera que se enamora de él; el tesoro está protegido por un dragón, pero Medea encanta a la criatura con su voz y le rocía los ojos con una poción.

Los doce trabajos de Hércules

Otra figura heroica de la tradición griega es Hércules (o Heracles), famoso por su fuerza sobrenatural. Hijo del gran dios Zeus y de una madre mortal, el rey Euristeo de Tirinto le encarga que realice doce «labores», o trabajos, como penitencia por los terribles asesinatos que había cometido. Los trabajos encomendados incluyen matar a un león monstruoso, acabar con la serpiente de nueve cabezas (la hidra) y limpiar los establos de Augías, donde se habían ido acumulando los excrementos de unas tres mil cabezas de ganado desde hacía treinta años.

Orfeo en el inframundo

Orfeo era un gran músico cuya lira era capaz de hechizar incluso a los animales. Se enamoró de una ninfa, Eurídice, y se casó con ella. Después, una serpiente la mordió en un tobillo, murió y fue llevada al inframundo. Abrumado por la pena, Orfeo fue en su busca, y el rey y la reina quedaron conmovidos por sus súplicas. Así pues, permitieron que Eurídice regresara con Orfeo al mundo de los vivos, con la única condición de que él no la mirara hasta que hubieran salido de allí. Pero Orfeo no pudo evitar la tentación de girarse a mirarla… y la perdió para siempre. La historia tiene nexos evidentes con el amor intenso, la tentación, la pérdida y las debilidades humanas.

Escenarios de los sueños

Un simple episodio onírico puede contener una serie de acciones aparentemente inconexas que pueden suceder en diferentes lugares. Pueden ser realistas o fantásticos, o una mezcla de ambos. A veces el soñador no recuerda nada del escenario, sólo un espacio amorfo en el que se desarrolla la narrativa. En otras ocasiones, la ubicación es una parte crucial del sueño, e incluso puede provocar una respuesta emocionalmente fuerte: un bosque, por ejemplo, puede vivirse como espantoso o amenazador, o una casa es capaz de estimular sensaciones de confort u orgullo.

Aunque los escenarios de los sueños pueden parecer a menudo extraños o irreales, no suelen ser arbitrarios: normalmente soportan o contribuyen al significado general del sueño, en ocasiones de formas inesperadas. Prestando atención al escenario del sueño, tienes más posibilidades de penetrar en sus significados.

De hecho, normalmente los sueños están ubicados en lugares familiares, lo que refleja los intereses y recuerdos inmediatos del soñador. La investigación ha demostrado que el hogar es la ubicación onírica más común. Lejos de implicar falta de profundidad, cabe destacar que el famoso sueño de Jung sobre su propia casa le ayudó a inspirarse en su teoría del inconsciente colectivo, con lo que se demostró que un escenario aparentemente cotidiano puede poseer una notable carga de información simbólica.

Jung soñó que estaba en una casa que era la suya pero que no le resultaba familiar. Explorando sus diversos pisos, descubría una antigua bodega, a la que se llegaba tras descender desde una cueva en la que había cerámicas, huesos y calaveras. Él interpretó que la bodega representaba el subconsciente personal, y la cueva con el inconsciente colectivo, el depósito de símbolos atemporales y arquetípicos ante el que responde toda la humanidad.

A partir de entonces, Jung, con la fuerza de sus propias experiencias, animó a sus seguidores a examinar los escenarios oníricos que aparecían en sus sueños en niveles cada vez más profundos para revelar su significado simbólico. Por ejemplo, un árbol que en un primer momento representa el cerezo bajo el que el soñador jugaba de niño, y que, en consecuencia, simboliza refugio y dulzura, puede en etapas posteriores de la interpretación ejercer como símbolo de la madre, más adelante como Árbol de la Vida, y finalmente como el árbol sacrificial sobre el que Cristo fue crucificado. De manera parecida, una casa puede hacer referencia progresivamente al cuerpo del soñador, a su mente, al cuerpo de su ma-

dre, que en el pasado lo alimentó y protegió, e incluso (mediante un retruécano onírico común) a la familia de su padre u «hogar». Generalmente, cuanto más imaginativo y creativo sea el soñador, más posible es que emerjan esos niveles progresivos de significado y que el propio escenario de los sueños sea variado e impactante.

Muchos artistas se han inspirado en los escenarios de los sueños. Pintores como el surrealista italiano Giorgio de Chirico (1888-1978) y el también surrealista belga Paul Delvaux (1897-1994) son particularmente célebres por capturar la atmósfera de los sueños, extrayendo elementos del simbolismo onírico freudiano y situando imágenes familiares en contextos extraños. Es esa yuxtaposición de lo ordinario y lo extraordinario,

retratada en sus cuadros, lo que le da al escenario onírico su cualidad especial y lo que hace que las pesadillas tengan ese poder escalofriante. Una casa puede ser la del soñador, pero en una pesadilla quizá aparezca envuelta en un vacío espeluznante nunca experimentado en la vida real.

Los cambios frecuentes de ubicación son característicos de los sueños. Los escenarios pueden estar conectados lógicamente, pero también suelen aparecer en una secuencia no consecutiva y aparentemente aleatoria. Como con otros aspectos más prominentes de los sueños, los escenarios oníricos pueden transformarse repentinamente. Una bahía resguardada tal vez se convierta en una alfombra mullida, una granja lejana puede transformarse en un matadero. Mediante estos cam-

Del desguace a la cafetería: el escenario de un sueño analizado

En este caso, el soñador es una mujer joven que aún no ha cumplido los treinta años y que tiene una posición ejecutiva de responsabilidad y mucha exigencia en una empresa inmobiliaria de una gran ciudad cualquiera.

El soñador describe su sueño

«Forma parte de una serie de sueños en los que me encontraba a mí misma en un desguace, rodeada de objetos viejos y rotos, o de aparatos nuevos que, hiciera lo que hiciese, me negaba a utilizar. El escenario del desguace era desconcertante, porque no recuerdo haber visitado ninguno jamás. En el sueño, estaba de pie en lo alto de una larga escalinata. Parecía descender hasta un desguace lleno de escombros y chatarra, aunque la escalinata parecía amplia y majestuosa, como las de los jardines de un castillo. En el desguace había un hombre trabajando en un coche viejo y yo le preguntaba por qué no funcionaba. Él me decía que ya funcionaba, que lo había arreglado, y de repente estábamos conduciendo por una autopista, pero íbamos tan rápido que sentía un gran temor de que el coche saltara en pedazos. Parábamos delante de una cafetería, pero allí no había nadie para servirnos. Por todo el suelo de la cafetería había pedazos de coches viejos, que yo pisaba al entrar.»

El escenario analizado

Las escaleras descendentes suelen representar una vía hacia el subconsciente personal. El soñador asegura haber disfrutado con el sueño y tiene grandes expectativas sobre lo que (la gran escalera) puede revelarle, aunque de hecho los escalones conducen sólo hasta los escombros abandonados y rotos de recuerdos antiguos y objetos inútiles.

Pero las cosas no son lo que parecen. Entre la chatarra hay un hombre trabajando, que quizá significa que la cura psicológica y la actividad creativa continúan en la mente subconsciente, aunque no seamos conscientes de ello, y que lo que en apariencia son desperdicios psíquicos pueden ser joyas de gran valor, si nos aproximamos a ellos de la manera correcta.

El hombre le dice que ha «arreglado» el viejo coche, que probablemente simboliza una aspiración o ambición frustrada. La carretera por la que se marchan a toda velocidad representa una huida de los confines de la ciudad (los demás). Pero el automóvil está fuera del control del soñador, que está asustado. La cafetería puede sugerir un refugio, pero los restos del pasado también se encuentran en ella. Quizá es preferible trabajar en el problema que escapar de él. Los escenarios del sueño subrayan este mensaje.

bios, el sueño envía su mensaje, desconcertando a la mente y sacándola de los hábitos convencionales de pensamiento para que las emociones y preocupaciones más profundas se expongan claramente.

Los paisajes oníricos, lejos de ser un mero telón de fondo de la acción, suelen ofrecer experiencias muy profundas por sí mismos. Un paisaje puede ser dolorosamente solitario o estar saturado de una misteriosa sensación de bienestar. Si el paisaje tiene unos contornos amables y evoca sensaciones potentes, una interpretación posible es que simboliza el cuerpo, en especial el de la madre. Freud creía que los paisajes en los sueños, sobre todo aquellos que contienen peñascos rocosos (masculino) o colinas boscosas (femenino), a menudo operan como símbolos de los genitales. Los lugares oníricos también pueden representar la topografía de la propia mente: por ejemplo, un barrio extraño en una parte remota de la ciudad tal vez sea un símbolo del subconsciente. Las escenas nocturnas, de manera similar, quizá sugieran las profundidades lúgubres del yo interior.

Es vital, durante la interpretación, recordar los detalles del paisaje onírico si queremos revelar todo el significado del sueño. Si una escena se sitúa en un jardín, ¿su diseño es formal o informal? ¿Está cuidado o abandonado? Si hay flores, ¿cómo huelen? Si hay una carretera, ¿es sinuosa y se retuerce sobre sí misma, o es larga y recta, como un sencillo viaje de regreso a casa? Incluso aquellas partes del escenario que parecen ser mero fondo pueden tener un significado central cuando se somete el sueño a análisis.

Las ambigüedades en los posibles significados de los escenarios de los sueños deben ser rigurosamente estudiadas. Por ejemplo, si unos campos verdes están bordeados por un pueblo distante, ¿eso hace que el soñador se sienta reconfortado por la presencia cercana de la civilización o le provoca frustración ante esa intrusión artificial? Si en el sueño aparece una cueva, ¿puede ser un lugar en el que refugiarse si el tiempo se complica o es más probable que haya algo espantoso acechando en su interior?

Las circunstancias y el carácter del soñador serán sin duda de gran relevancia en semejantes deliberaciones. Aunque los entornos no familiares pueden representar para una persona sentimientos de pérdida y desconcierto, para otra tal vez simbolicen el deseo de viajar o explorar. Un castillo puede sugerir seguridad y tranquilidad, o una actitud excesivamente defensiva frente a la vida. Y, por supuesto, se debe tener siempre presente que la misma persona puede reaccionar de manera diferente en distintos momentos de su vida, ya que sus circunstancias cambian.

Los escenarios de los sueños también pueden ser lugares, insignificantes de por sí, en los que se produjeron sucesos formativos o traumáticos en nuestro pasado. A menudo nuestros recuerdos de esos lugares se pierden en la concien-

cia, y eso quizá complique la interpretación del sueño. Si la ubicación de un sueño te desconcierta, pregúntate si está conectada con algún lugar en el que vivieras o pasaras unas vacaciones. Puede ayudarte describir el escenario a otro miembro de tu familia, que quizá tenga recuerdos más claros de tu infancia.

Practica pensando en paisajes naturales y urbanos en términos de su simbolismo subyacente, que funciona de manera muy parecida al simbolismo de los objetos. Cuando un sueño muestra una montaña, plantéate la posibilidad de que sugiera una aspiración sublime o un estado personal de exaltación. El bosque, como el océano, puede representar las profundidades del inconsciente colectivo; sin embargo, a diferencia de los escenarios marítimos, los bosques también tienen cierta connotación de refugio, además de poder representar un cambio estacional, si los árboles son caducos. Los valles fluviales, que en ocasiones se leen como símbolos sexuales femeninos, también pueden sugerir fertilidad y bienestar.

Las personas que interpretan sueños a veces olvidan que los elementos naturales también pueden someterse a la amplificación mítica, como los personajes oníricos. Los lagos pueden sugerir superficialmente paz y contemplación, pero la historia de la espada Excalibur de Arturo, sacada de debajo del agua por la Dama del Lago mientras el rey moría en la orilla, sugiere que pueden tener algún trasfondo más melancólico.

Sueños de los niños

En los sueños de los niños, suelen aparecer padres, hermanos y profesores, además de amigos, quienes pueden mostrarse, con su ambivalencia infantil, a veces como un apoyo, otras con una agresividad cruel. El mundo onírico de un niño a menudo se caracteriza por imágenes de inseguridad y cambio, en los que éste se esfuerza por lidiar con experiencias nuevas y formidables.

Somos soñadores natos. Puede incluso que soñemos en el útero materno, y sin duda pasamos los primeros momentos de nuestra vida entre sueños. Alrededor del sesenta por ciento del sueño de los recién nacidos trascurre en el estado REM (véase página 41), en el que soñamos más; es el triple del tiempo que pasan en ese estado los adultos. Que los bebés duerman más de catorce horas diarias indica que el total de tiempo de sueños es muy elevado.

Aunque nos es evidentemente imposible saber con exactitud qué sueñan los niños pequeños, es probable que gran parte del contenido onírico tenga su origen en sensaciones físicas, o sean sueños sobre esas sensaciones físicas. Después de su primer mes de vida, las imágenes visuales y auditivas probablemente empiezan a ganar pre-sencia. Cuando el niño es lo bastante mayor para hablarnos de sus sueños, el contenido refleja principalmente sus intereses y emociones cotidianas, como cabría esperar.

Robert Van de Castle y Donna Kramer, de la Universidad de Virginia, analizaron varios centenares de sueños de niños de edades comprendidas entre los dos y los doce años, y descubrieron que desde muy temprana edad los sueños de las niñas eran más largos que los de los niños, y contenían más personas y referencias a la ropa, mientras que ellos soñaban más con utensilios y objetos. Los animales aparecían con mucha más frecuencia en los sueños de los niños que en los de los adultos, y la proporción de bestias temibles como leones, gorilas, caimanes y lobos respecto a la de animales no temibles como ovejas, maripo-

sas y pájaros era muy superior. Esta frecuencia de imágenes de animales parece que podría reflejar los intereses básicos de los niños, pero también es muy probable que los animales simbolicen sus deseos y miedos. No obstante, Van de Castle considera que estos temas también pueden surgir de la naturaleza más primitiva y animista del pensamiento del niño, por su cercanía al yo no cultural.

Los niños relatan alrededor del doble de actos violentos en sus sueños que los adultos. Ocasionalmente, ellos mismos desempeñan el papel de agresores, pero más frecuentemente son las víctimas, y se ha demostrado que el miedo es su emoción onírica más común. Robert Kegan, un psicólogo evolucionista estadounidense, ha sugerido que este alto nivel de agresividad representa la dificultad que tienen los niños pequeños para integrar sus potentes y espontáneos impulsos en el orden social y control que les demandan los adultos. Los animales salvajes, monstruos y cocos de los sueños de los niños parecen simbolizar también su conciencia interior de que esos impulsos acechan justo debajo de la superficie consciente de su comportamiento y que pueden

El camión que explota: un sueño de un niño

La soñadora es una niña de ocho años que tiene problemas con su maestra en la escuela. Este sueño se produjo después de una excursión escolar a un museo de la ciencia. La maestra aseguraba que la niña no había disfrutado de la visita.

El soñador describe su sueño

«Había un gran camión con una especie de caldera delante del colegio, y mi maestra decía que iba a explotar. Un hombre salió del camión y vino hacia mí, me dio miedo y escapé. Después estaba en el coche con mi papá. Nos alejábamos de ese hombre, y mi papá se saltaba un semáforo en rojo y se subía por la acera, pero no había nadie. Entonces alguien se nos acercaba y nos decía que aquella cosa había explotado, y mi papá decía que teníamos que volver al colegio para ver qué había pasado. Pero yo no quería volver.»

La interpretación

Los sueños de los niños tienden a ser más episódicos y fragmentados que los de los adultos. Esto refleja su experiencia más limitada, pero también puede deberse a los fallos de memoria o la tendencia a mezclar varios sueños en uno. Es un error imponer una interpretación exterior y adulta al sueño de un niño; en vez de eso, hay que ayudarlo a encontrar sus propias asociaciones y a extraer sus propias conclusiones.

Esta niña había tenido problemas con su maestra, pero no era capaz de explicárselo a sus padres. En el sueño, la amenazante explosión frente al colegio está claramente asociada con la maestra («mi maestra decía…»), y puede representar lo que a la cría le parece un estallido de ira imprevisto. La imagen de la caldera como símbolo de la ira puede surgir de la visita al museo de la ciencia y partir del cliché que asocia el agua en ebullición con la tensión. El hombre amenazante que se acerca a ella desde el camión puede simbolizar su temor a la maestra y su deseo de escapar de ella.

Confía en su padre para que la ayude en la huida («después estaba en el coche con mi papá»), pero sabe que sólo puede hacerlo rompiendo las leyes del mundo adulto: saltándose un semáforo en rojo. Pero sus esfuerzos son inútiles. Cuando se entera del enfado de la maestra («alguien nos decía que aquella cosa había explotado»), su padre decide que deben regresar al colegio, escenario del problema de la niña. Ésta debe aprender a aceptar el mundo adulto, que su maestra personifica y simboliza.

escapar y provocar el caos en la mente consciente si se relaja el autocontrol.

*P*ara Kegan, la experiencia habitual de los sueños de los niños en la que son devorados vivos es particularmente significativa, ya que representa el terror de perder un sentido del yo emergente pero aún frágil frente a los poderosos conflictos entre los impulsos interiores y las demandas del exterior. En la teoría psicoanalítica, los cocos, además de representar aspectos del yo del soñador, también pueden simbolizar a los padres y a otros adultos poderosos. Un niño pequeño tiene serias dificultades para reconciliar conscientemente los aspectos afectivos y de abastecimiento de la madre o padre con su función como agentes de la disciplina y represión. Las brujas y lobos oníricos son maneras de representar y aceptar el rol punitivo de los padres, mientras que los propios actos agresivos del niño hacia los símbolos paternos pueden representar la rivalidad dirigida hacia el progenitor del mismo sexo que el niño, o simplemente su deseo de liberarse de la fuerza dominante que los adultos ejercen en su vida cotidiana.

Freud ponía especial atención en este último aspecto, el de satisfacción de deseos, en los sueños de los niños, ya que, de hecho, consideraba que aquéllos «no plantean problemas para su resolución» y son «bastante poco interesantes comparados con los sueños de los adultos». Creía que la relativa falta de deseo sexual del niño durante el llamado período de «latencia» (aproximadamente desde los siete años hasta la pubertad) simplifica la naturaleza de la satisfacción de sus deseos durante esa época, lo que deja vía libre al «otro de los dos grandes instintos vitales» para la autoafirmación: el deseo de comida.

La psicología jungiana, sin embargo, asegura que existe un nivel de interpretación de los sueños de los niños que va más allá de los deseos, reconociendo en el coco, el héroe y la heroína las imágenes arquetípicas ya activadas en el subconsciente del niño, que simbolizan no sólo aspectos de su vida cotidiana, sino también la noción mística de su naturaleza interior.

Los antropólogos han identificado varias culturas en las que la sociedad considera que los sueños de los niños desempeñan un papel muy importante en su desarrollo psicológico. Investigando a la tribu Temiar de Indonesia, Richard Noone y Kilton Stewart descubrieron que a los niños se les pedía que relataran sus sueños cada mañana, de manera que los adultos del grupo pudieran «entrenarlos» en el manejo de los miedos

y retos oníricos para potenciar su desarrollo psicológico mientras dormían. Joan Halifax, entre otras
antropólogas interesadas en las actitudes triba-
les hacia los sueños, ha destacado la importancia
crucial que éstos tienen, en ocasiones desde tan
pronto como los cinco años, en la vida y el entrenamiento del chamán, ayudándolo a viajar y lidiar
con el mundo de los espíritus. Tan potente es la
creencia en el poder creativo de los sueños entre
las culturas chamánicas australianas que a los niños
se les enseña que el propio mundo nació durante
el llamado «Tiempo del Sueño».

Se entiendan como se entiendan las imágenes,
los sucesos y los símbolos de los sueños infantiles,
prácticamente nadie duda del papel fundamental
que desempeñan los sueños en el desarrollo psicológico del niño, ni de que pueden tener una
potente influencia en lo que les suceda en años
venideros. Como adultos no podemos soñar con la
intensidad de los niños, al menos no tan a menudo.
Pero esos primeros sueños pueden reaparecer cada
tanto y cogernos por sorpresa.

Ayudar a los niños con sus pesadillas

No digas nunca que una pesadilla «sólo era un sueño»; es importante no trivializar las experiencias oníricas. Atiende a los miedos del niño, reconfórtalo con dulzura y explícale que los monstruos que encontramos en los sueños en realidad no quieren asustarnos. Ayuda al niño a crear un asistente de sueños, quien se ganará a las criaturas oníricas desagradables, o le ayudará a enfrentarse a ellas.

1. Pregúntale al niño quién le gustaría que lo ayudara en sus sueños; puede ser un personaje de un cuento o de su libro preferido, una figura que ya haya aparecido en sus sueños o, muy posiblemente, un animal.

2. Pídele que describa a su ayudante: qué aspecto tiene, qué cualidades posee y cómo puede ahuyentar o transformar a los monstruos que aparecen en sus pesadillas.

3. Después pídele al niño que imagine que ha vuelto al sueño y que llama a su ayudante para que se reúna con él. En su imaginación puede llamarlo y pedirle que lo ayude a espantar a los demonios. Habla con el niño durante el proceso y asegúrale que eso es exactamente lo que pasará la próxima vez que se duerma.

Ayudar a los niños a aprender de sus sueños

A medida que los niños crecen, pasan por una serie de etapas de desarrollo, cada una de las cuales ayuda a que se produzca un tipo de aprendizaje distinto y especializado. Es importante aprovechar esas oportunidades, ya que cuando nos hacemos mayores nos resulta mucho más complicado aprender. La habilidad de soñar es un buen ejemplo. Si animamos a nuestros hijos a recordar y prestar atención a sus sueños desde una edad temprana, cuando tienen la mente mucho más abierta, podemos ahorrarles muchos esfuerzos cuando sean mayores.

Los niños pueden seguir prácticamente los mismos procesos que los adultos: desde llevar un diario de sueños hasta utilizar algún ayudante para lidiar con las pesadillas (véase página opuesta). Los padres, y otros adultos cercanos a los niños, pueden ayudarlos siguiendo unas simples directrices.

• Invita a tus hijos a que te cuenten sus sueños y busca un momento para escucharlos atentamente. Los niños siempre aprenden lo que es importante de los adultos más significativos de su vida.

• Resiste la tentación de decirles que sus sueños son «tontos»; en vez de eso, tranquilízalos haciéndoles entender que sus sueños y las sensaciones que les producen realmente importan.

• Sugiéreles con firmeza que pueden influir en sus sueños. Esa habilidad depende de la convicción de que es posible, así que intenta no crear dudas en las mentes infantiles, aunque al mismo tiempo debes evitar dar la impresión de que los sueños lúcidos están garantizados.

• Cuéntales tus propios sueños: ¡siempre que no sean demasiado inquietantes! Les encantará escucharlos. Si lo mantienes, el hábito de compartir los sueños con tus hijos cada tanto les resultará sin duda algo especial, divertido y fascinante.

• No te esfuerces demasiado en interpretar sus sueños. Acéptalos, en vez de preocuparte porque tal vez revelen partes de ellos mismos que no entienden. Sin embargo, es posible explicarles que los sueños pueden representar otras cosas. No hay nada malo en preguntar: «¿Qué crees que representa eso?» o «¿Qué crees que puede significar aquello?».

• Si el niño está muy interesado en explorar el significado de los sueños, utiliza los cuentos de hadas, que poseen la misma cualidad arquetípica que los mitos y las leyendas, para facilitar la amplificación (véase página 108). Por ejemplo, *Cenicienta* es una historia sobre la bondad que triunfa sobre el mal y sobre el poder transformador de la cortesía. *Las habichuelas mágicas* demuestra que un corazón puro puede resultar más gratificante que el materialismo y muestra el verdadero valor del coraje. También expone el poder de la mente.

Trabajar
CON LOS SUEÑOS

Para extraer el máximo beneficio de una vida onírica rica y esclarecedora, es necesario adquirir ciertas habilidades, empezando por algunas técnicas básicas para asegurarte de que tus sueños no caen sencillamente en el olvido a la mañana siguiente. Existen varios métodos que puedes utilizar para mejorar tu recuerdo de los sueños. Es importante llevar un diario de sueños, no sólo para anotarlos rápidamente, sino también como un lugar en el que registrar tus interpretaciones. Este capítulo se ocupa de éste y otros métodos para recordar los sueños y ofrece también algunos consejos prácticos para estimularlos; incluso, si tienes suerte, para soñar sobre temas concretos que tú mismo elijas.

El arte de recordar

La primera etapa del trabajo con los sueños es el arte de recordarlos. Mucha gente asegura que nunca recuerda lo que sueña, y algunos niegan incluso que sueñen. Sin embargo, con práctica y la técnica adecuada, no es extraño que las personas puedan recordar varios sueños al despertar.

Lo primero es tener una actitud positiva. Recordar los sueños es un hábito que puede cultivarse. La mejor manera es decirte a ti mismo durante el día que recordarás tus sueños de esa noche; al despertar por la mañana quédate en la cama un momento, centrando tu mente consciente en las imágenes, pensamientos o emociones que hayan emergido mientras dormías. Contempla esas percepciones y profundiza en ellas si hacen que recuerdes los sueños.

Llevar un diario de sueños permite construir un retrato detallado y constante de tu vida onírica. Anota (o esboza) todo lo que puedas recordar, tanto los pequeños detalles como los grandes temas, y deja constancia de cualquier emoción o asociación que surja del contenido onírico. Durante el día, piensa en el sueño de la noche anterior e intenta revivir las emociones asociadas a él. Relee tus notas y ten paciencia: pueden pasar semanas o meses antes de que empieces a recordarlos regularmente; pero si perseveras, lo lograrás. Para acelerar el proceso, ponte ocasionalmente una alarma unas dos horas después de la hora en la que sueles dormirte: tendrás una oportunidad excelente de despertarte inmediatamente después del primer período de sueño REM, plagado de actividad onírica.

Algunos investigadores de los sueños aconsejan que se recopilen como mínimo un centenar de sueños antes de empezar a analizarlos, ya que se necesita ese margen de tiempo para que los temas comunes emerjan coherentemente. Siempre merece la pena investigar las conexiones con los sucesos diurnos, pero recuerda: el sueño tiene sus

propios motivos para elegir esos sucesos y puede utilizarlos para simbolizar aspectos más profundos. Anota cualquier cosa significativa sobre esos sucesos y los recuerdos que puedan traerte a la mente. Éstos pueden conducirte a experiencias largamente olvidadas sobre las que el sueño, a su simbólica manera, intenta llamar tu atención.

Los sueños son escurridizos. Los experimentos científicos han demostrado que un soñador al que se despierta cuando el sueño está terminando suele recordar aproximadamente un ochenta por ciento de los sucesos ocurridos en él. Después de sólo ocho minutos, el recuerdo cae hasta el treinta por ciento. Con el tiempo el soñador puede acabar recordando sólo un cinco por ciento o incluso olvidarlo por completo.

Todos soñamos, pero puede que no seamos conscientes de ello. Sólo desarrollando nuestras capacidades para recordar los sueños podremos empezar a reconocer la plenitud de nuestra vida onírica e interactuar con sus procesos para mejorar el conocimiento de nosotros mismos.

Existe una diferencia muy notable entre nuestros recuerdos de los sucesos de la vida real y los de la vida onírica. Para recordar la realidad debemos ejercitar la memoria; para recordar nuestros sueños hemos de relajar la operación racional de la memoria para permitir el acceso a las características peculiares del mundo onírico: incongruencias, narrativa inconexa e incluso temas que normalmente se perciben como tabús morales.

La clave para recordar los sueños es querer recordarlos. Un mecanismo de defensa de la mente consciente nos protege automáticamente contra los recuerdos que pueden resultar chocantes o inquietantes. No es que manipulemos conscientemente nuestros sueños, pero nuestro proceso de recordarlos puede actuar como censor, de manera que distorsionamos involuntariamente nuestros recuerdos como medida de protección. Como detectó Sigmund Freud, la amnesia onírica puede ser una defensa represora del ego. Si podemos entrenar a la mente en una actitud más positiva hacia nuestros sueños, aceptando cualquier cosa extraña que encuentre con un espíritu de descubrimiento interior, podremos recuperar parte de ese contenido que, de otra manera, se nos escaparía.

La posibilidad de que estemos programados para excluir los sueños de nuestra conciencia es otro obstáculo psicológico que puede impedir que los recordemos. La represión, el mecanismo de defensa incorporado en la mente, está diseñado para evitar que los recuerdos, deseos o miedos demasiado dolorosos o perturbadores sean admitidos en la conciencia. Este tipo de material se puede asociar con traumas de la infancia o de la adolescencia, o con pensamientos o actos que nos han educado para pensar que nos convierten en seres malos y despreciables. Puede estar relacionado con impulsos socialmente incómodos como el sexo, o antiguas aspiraciones o esperanzas poco realistas que nos hemos visto obligados a reconocer que nunca alcanzaremos.

Éste es el tipo de temas que puede aparecer en los sueños, para acabar expulsado o bloqueado por la mente en el momento del despertar. Si somos capaces de trasladar esas experiencias a la conciencia, podremos aprender mucho de ellas. Buena parte de este material es mucho menos dañina y más natural de lo que puede parecer (aunque los demás lo hayan podido catalogar como malo antes de que fuéramos lo bastante mayores para formarnos nuestra propia opinión); el resto debe reconocerse y enterrarse.

Para atrapar los sueños tenemos que ser lo más pacientes y serenos que nos sea posible. El mejor pescador de caña se mantiene siempre en absoluta calma, pero está permanentemente atento

Entrenando la memoria para recordar los sueños

Recordar tu vida real y hacerlo con tu vida onírica son dos procesos completamente diferentes. Sin embargo, tu recuerdo de los sueños se beneficiará de cualquier mejora que hagas en tu memoria diurna. Utiliza las siguientes técnicas y ejercicios para lograr que tu capacidad de recordar sea mejor.

Cambio de habitación

Observa atentamente el contenido de la habitación en la que te encuentras, y sal de ella. Pídele a un amigo que haga algún pequeño cambio: quizá recolocar algún adorno o algún mueble pequeño, o añadir algo nuevo, como un bol con fruta o un jarrón. Después, vuelve a entrar en la habitación e intenta descubrir el cambio. Con la práctica, deberías ser capaz de detectar incluso la diferencia más mínima.

La casa de la memoria

Entrénate recordando la lista de la compra, en lugar de escribirla. Existe una manera de hacerlo basada en técnicas de memoria muy antiguas, practicadas en la Antigua Grecia y Roma. Pongamos que tienes que recordar diez cosas. Lo que debes hacer es identificar diez puntos o habitaciones mientras caminas por tu casa, empezando con la puerta de entrada. Si no tienes

bastantes habitaciones, utiliza zonas del jardín; por ejemplo, el cobertizo y el pudridero. Fija esos puntos en tu mente, en un orden concreto y lógico. Después repasa tu lista de la compra y sitúa cada cosa en cada punto o habitación sucesiva, visualizando las distintas cosas en sus respectivas ubicaciones. Utiliza asociaciones surrealistas para conectar lo que debes comprar con esa parte de la casa. Por ejemplo, si estás en la puerta de entrada y lo primero de tu lista es la pasta de dientes, imagina que te lavas los dientes utilizando como espejo el buzón de la puerta. Sigue recorriendo la casa hasta colocar cada elemento de la lista en algún lugar concreto. Después, en la tienda, cuando llegue el momento de recordarla, imagínate que estás recorriendo tu casa de la misma manera. Pregúntate qué has colocado en cada lugar. Los recuerdos deberían inundarte.

Aunque no podemos utilizar los ejercicios y técnicas de memoria (consulta los libros del prodigio de memoria Dominic O'Brien para saber más sobre ellas) directamente para recordar los sueños, éstas tienen efectos beneficiosos sobre el trabajo onírico. Usándolas, mantienes tu memoria ágil y fuerte, y aumentas su capacidad, igual que el ejercicio físico hace que estés en forma.

y es muy diligente cuando ve que se acercan los bancos de peces. Cuando un sueño penetra en la conciencia, el pescador de sueños debe lanzar el anzuelo rápidamente a la memoria antes de que ésta vuelva a sumergirse en las turbias profundidades de la mente subconsciente.

Puedes ayudar a tu memoria guardando un diario de sueños junto a la cama. Si una mañana descubres que recuerdas con especial viveza tus sueños, intenta averiguar por qué: ¿pueden ser responsables algunas variables como la suavidad de las almohadas, la temperatura de la habitación o algún cambio en tu rutina nocturna? Experimenta para dar con las condiciones idóneas que te permitan tener sueños memorables.

Los sueños ofrecen una vía hacia el autoconocimiento. Entonces: ¿por qué los olvidamos? Casi con toda seguridad, las tensiones y exigencias de la vida cotidiana, las ansiedades que regresan a la conciencia al despertar, mitigan los recuerdos de nuestros sueños. Esos adeptos al hinduismo o al budismo de los que se dice que nunca abandonan el estado consciente (véase página 46) recuerdan con facilidad el contenido íntegro de sus sueños. Esta claridad podría parecer fruto de su dominio de la concentración a través de técnicas de meditación. De manera si-

milar, podemos aprender a despejar la mente de tensiones innecesarias y avanzar en el camino de agudizar nuestra conciencia sobre nuestra rica vida interior.

Otras teorías sugieren que la forma en que despertamos permite que nuestros recuerdos de los sueños se disipen durante el estado hipnopómpico (de adormecimiento). O que dormimos demasiado y cubrimos los momentos de sueño con actividad onírica con períodos de profunda inconsciencia.

Probablemente, la razón predominante de por qué olvidamos nuestros sueños es que no los percibimos como algo a lo que merezca la pena prestar atención. En contraste con otras culturas o épocas, el estilo de vida occidental contemporáneo no reconoce el poder de los sueños. Sería impensable para un pastor de renos lapón o para un miembro de la tribu xhosa decir que no ha soñado nunca o que suele olvidar sus sueños. Les habrán enseñado su relevancia desde niños, sobre todo como una vía para acercarse al mundo de los espíritus. No obstante, la mayoría de los occidentales se siguen criando en un ambiente que considera que los sueños no sirven para nada en especial y que no deben tomarse demasiado en serio.

La transferencia de material del mundo onírico sub-

Un sueño vívido, enraizado en la infancia

Los sueños de la infancia suelen ser muy memorables, porque están profundamente arraigados y son perturbadores. Algunas veces esos sueños desplazan a otros, menos dramáticos, hasta echarlos de nuestra mente, hasta que los exorcizamos mediante una interpretación minuciosa. Aquí el soñador es una atleta, exitosa y decidida en la pista, pero mucho menos hábil en el manejo de sus relaciones y su vida social en general.

El soñador describe su sueño

«Era verano y yo estaba en una carretera muy amplia que se extendía hasta el horizonte. Podía sentir el calor del sol en la nuca. Entonces veía que alguien se acercaba a lo lejos y me daba cuenta de que, aunque venían corriendo, se movían a una velocidad terriblemente lenta. Yo estaba clavada en mi sitio y todo se hacía mortalmente frío. Entonces, sin saber cómo, estaba sentada a lomos de un caballo, pero éste no dejaba de comer hierba y se negaba a moverse. Lo golpeaba con mis espuelas, pero se hundían en sus costados y salía algo horrible. Después, de repente, estaba persiguiendo a alguien, decidida a atraparlo y darle una lección por provocarme esas pesadillas. No sé si era un hombre o una mujer, pero yo corría por un largo pasillo con el techo muy alto, con unas ventanas también muy altas y polvorientas. La criatura entraba corriendo en una habitación al final del pasillo, y yo pensaba: "ya te tengo"; pero cuando entraba en la habitación la puerta se cerraba de un portazo, la criatura giraba su horrible cara hacia mí y lanzaba un chillido victorioso. Me desperté sudando y temblando.»

La interpretación

Ésta es una de las pesadillas extrañamente «reales» que han acuciado al soñador desde la infancia. Normalmente empiezan con un hombre o una mujer corriendo a una amenazante lentitud. Como atleta, la soñadora puede normalmente «resolver» sus problemas corriendo más rápido que sus oponentes, pero en su sueño es incapaz de escapar. Ella misma lo interpreta en relación con su incapacidad para tratar con los demás. El caballo puede representar la fuerza de sus emociones, que le impiden formar una relación estable. Sólo surge «algo horrible». El caballo/pasillo es un símbolo de su disfunción emocional: las altísimas ventanas le impiden ver su vida desde una perspectiva más amplia. El horror claustrofóbico final significa que «yo misma me meto en dificultades; soy mi peor enemiga».

consciente a la vida consciente y cotidiana es un proceso delicado. Se puede ver desbaratado por una mente consciente que se niega a reconocer que ese ejercicio merece la pena. No obstante, en cuanto empezamos a querer recordar nuestros sueños, nos adentramos en un camino hacia el éxito seguro.

*U*n planteamiento relajado ante el recuerdo de los sueños, unido al tipo de alerta de un cazador ante cualquier signo de actividad onírica, no sólo puede revertir la amnesia, sino propiciar que durmamos mejor, tengamos unos sueños más tranquilos o incluso lúcidos (véanse páginas 55-64). Piensa en lo que realmente sientes sobre soñar e intenta eliminar cualquier asociación negativa que tengas, como la plaga de las pesadillas infantiles. Las actitudes negativas frente a la actividad onírica quizá impidan por ellas mismas el recuerdo de los sueños. Pueden existir motivos inconscientes profundamente arraigados que expliquen por qué olvidas que has soñado. Quizá temes el poder de los sueños desagradables. O puedes pensar que interesarte por ellos es ser demasiado indulgente, o que prestarles atención tal vez te haga menos eficaz en tu vida cotidiana.

Convéncete de que son una ayuda y de que empezarás a recordarlos; haz un esfuerzo para aceptar lo que tus sueños pueden enseñarte sobre ti mismo y ten presente la capacidad que tienen de ayudarte a convertirte en un ser humano más realiza-

do. Ese tipo de afirmaciones, dichas con confianza, pueden ser particularmente útiles justo antes de dormir. El subconsciente percibe inmediatamente cualquier duda de nuestra mente consciente, y demasiado a menudo responde a esa incerteza en lugar de al mensaje. Cree sinceramente que puedes recordar los sueños y descubrirás que tu memoria onírica se hace mucho más precisa.

En un nivel físico, prueba a dormir en una cama más dura o en otra habitación, o sencillamente cambia la posición de tu cama; estos cambios pueden ser suficientes para estimular un estado de alerta que la comodidad y el hábito debilitan con el tiempo.

Sobre todo, utiliza el poder de la visualización creativa para aumentar tus posibilidades de recordar los sueños. Antes de acostarte, intenta pasar un rato en tu dormitorio sentado en una silla. Limpia tu mente de pensamientos confusos. Después visualiza intensamente la experiencia de despertarte a la mañana siguiente. Imagina la escena con detalles muy vívidos: la luz que se cuela por tus párpados, tu primera visión de la habitación, la sensación de las sábanas o el edredón; lo normal en tu vida. Une a esta imagen compleja el recuerdo de tus sueños. Afirma que soñarás y que recordarás con toda seguridad lo que has soñado. Cuando llegue la mañana, aplaude mentalmente al subconsciente por su esfuerzo. La mente responde muy bien a la combinación de insistencia confiada y alabanzas.

Llevar un diario de sueños

El diario de sueños es un reconocido medio de autoexploración. Muchos grandes escritores tenían un cuaderno junto a la cama en el que anotaban todo lo que recordaban de las aventuras nocturnas de su subconsciente. Añade dibujos e interpretaciones y tendrás un fascinante cuaderno de trabajo sobre tu yo interior.

Cualquiera que sea el método que utilices para ayudarte a recordarlos, el diario de sueños es esencial. Guarda un cuaderno y un bolígrafo junto a la almohada, y escribe en él cada mañana en cuanto te despiertes. Haz los menos movimientos físicos posibles, pues incluso darte la vuelta en la cama puede hacerte olvidar los sueños. No dejes la escritura para más tarde, hasta los sueños más vívidos se disiparán rápidamente o se distorsionarán sus detalles.

Existen distintas maneras de llevar un diario de sueños. Algunos escritores sugieren que tenga columnas separadas para sucesos, personajes, colores y emociones, pero intentar categorizar los recuerdos puede ser otro modo de perderlos. Probablemente el mejor planteamiento posible es que el esquema sea sencillo y abierto. Utiliza un cuaderno mediano, no uno de bolsillo, porque es positivo que puedas volcar todo el material onírico en una página doble; de esa manera puedes anotar todo el sueño y tus primeras impresiones sobre él más fácilmente. Puedes probar a escribir los sueños en las páginas de la izquierda y dejar las de la derecha para las interpretaciones, comentarios, bocetos y cualquier análisis posterior.

Asegúrate de que cada anotación está fechada y que registras tantos detalles como sea posible; en ocasiones los aspectos aparentemente más insignificantes pueden ser los más reveladores. Escribe en presente: intenta revivir el sueño a medida que lo escribes y apunta con cuidado tus emociones. A continuación hay una anotación típica.

Lunes, 8 de octubre

Muy vívido, colores brillantes, me despierto con una sensación de frustración, incluso de rabia.

Estoy en una juguetería, rodeado de juguetes pasados de moda. Compro una caja de soldados de madera grandes con abrigos rojos, pero cuando los llevo al mostrador para pagarlos, el dependiente me dice que no están a la venta. Su cara está en sombras, pero puedo ver su ropa negra, con un cuello de puntas triangular. En lugar de los soldados, me pide que elija un libro de una gran estantería que no he visto hasta entonces. Sintiéndome decepcionado, cojo un libro al azar y lo hojeo. Está lleno de fotos. Una de ellas muestra una caja de soldados de madera. Estoy molesto, porque el hombre me ha engañado. Ni siquiera se molesta en saludarme.

Notas interpretativas

¿Trata sobre la infancia, siempre queriendo más juguetes de los que mamá y papá podían permitirse? ¿Por qué ese escenario anticuado? Una especie de museo de juguetes victoriano. ¿Puede tratar sobre los abuelos? Estaban muy contentos con mis estudios, y siempre me regalaban libros para mis cumpleaños y por Navidad, normalmente poco apropiados. ¿Tiene que ver con la idea de Sarah [la esposa del soñador] de que debería leer más? ¿A quién debe representar el dependiente de la juguetería? ¿A algún compañero de trabajo?

Tus dibujos de los sueños

Incluso si no estás dotado con habilidad artística, un dibujo a menudo puede atrapar la atmósfera de un sueño con más precisión que una anotación escrita. En cualquier caso, tomar notas inmediatamente después de despertar te obliga a realizar un ajuste mental que a veces puede interponerse entre tu sueño y tú. Todo depende de tu capacidad para la escritura. Algunas personas pueden hacer un esbozo sin perder contacto con la experiencia.

• Incluso un garabato apresurado en tu diario de sueños te ayudará a registrarlos y recordarlos. No obstante, para dibujos más detallados es buena idea tener un cuaderno de dibujo por separado.

• La habilidad artística no es esencial en el cuaderno de sueños: lo que realmente importa es que intentes sinceramente transmitir la sensación emocional y la atmósfera del sueño. El mismo proceso de esbozar tus sueños puede provocar que los recuerdes mejor.

• Simplifica tus dibujos, hasta el punto de que sean diagramáticos. Por ejemplo, es preferible dibujar a los seres humanos con palos. A menudo su vestimenta es más importante que sus rasgos, y la ropa no es difícil de dibujar. Los animales pueden representarse de manera parecida. Otros elementos comunes como árboles y trenes también son fáciles. No te preocupes por conseguir dibujar la perspectiva correctamente. Sin embargo, ten en cuenta la escala: una persona puede ser más grande que otra porque su presencia en tu vida es mayor. Si alguien habla en tus sueños, escribe sus palabras en un bocadillo, como si estuvieras dibujando un tebeo.

• El boceto resultante probablemente se parecerá al dibujo de un niño. No te preocupes por eso: recuerda que los niños están más cerca de la vida interior del subconsciente que nosotros, ya que han tenido menos tiempo para la imposición de una capa cultural.

• Como alternativa a una simple representación pictórica, podrías intentar resumir tus sueños en forma de diagrama. Para ello, coloca el elemento más significativo o inusual en el centro de la página y ubica cualquier símbolo secundario alrededor de él. Utiliza flechas para indicar movimiento o acción. Examinar el diagrama como un todo puede ser un buen punto de partida para la interpretación.

Cómo estimular los sueños

Todos poseemos la habilidad de soñar imaginativa y vívidamente. Si nuestra vida onírica parece estéril, podemos utilizar muchas técnicas para estimular su florecimiento. Con algunos ajustes en el dormitorio, como cambiar de sitio los muebles o variar la temperatura, además de utilizando la visualización, es posible enriquecer nuestra vida onírica. Con el tiempo, podemos aprender incluso, mediante la autosugestión, a guiar nuestras mentes subconscientes hacia territorios de nuestra propia elección.

Las circunstancias que rodean la manera en que duermes tienen un efecto crucial en las posibilidades de que sueñes. Para empezar, es aconsejable que evites el alcohol o los estimulantes justo antes de acostarte; bebe algo relajante, como una bebida de cacao, si te apetece. Por otro lado, asegúrate de que tu dormitorio sea un entorno agradable y cómodo, decorado quizá con objetos (adornos, fotografías, recuerdos, etcétera) que tengan relevancia personal para ti. Si tus sueños te resultan escurridizos, intenta cambiar algo en la habitación o dormir en otra posición.

Los sueños son esencialmente experiencias visuales, así que para realizar todo su potencial revelador es muy útil cultivar el arte de la visualización. Para muchas personas, esto significa redescubrir una habilidad perdida desde la infancia. Quizá pensemos que miramos el mundo de manera perceptiva, pero en muchos casos no es así: en vez de eso, nos fijamos en él superficialmente, con apenas la mitad de nuestra atención, confiando únicamente en el hábito y los automatismos para ir tirando.

Como ejercicio introductorio, prueba a observar, sin pestañear, un objeto o una escena. Cierra los ojos, pero conserva la imagen en tu mente, recordando tantos detalles como puedas; obsérvala mientras permanece en tu imaginación. Si descubres que la imagen es un tanto vaga, abre los ojos y vuelve a fijarte en los detalles. Después cierra los ojos otra vez y vuelve a intentarlo. Si este ejercicio te resulta demasiado complicado, elije un objeto sencillo, como una vela encendida, y después ve trabajando en visualizaciones cada vez más complejas a medida que domines el método más básico. Entrenando nuestro subconsciente de esta manera y practicando ejercicios de visualización antes de dormir, podemos ayudarle a soñar sobre temas o imágenes particulares. Cuando dormimos, esos temas pueden surgir de manera vívida y memorable.

Para incubar un sueño concreto, tienes que visualizar claves previamente seleccionadas con un cuidado especial; por ejemplo, la arquitectura de una casa o un paisaje significativo, o la cara de un ser querido. Puedes incluso plantearte colocar claves en forma de objetos junto a la cama. Mediante estos mecanismos mentales podemos, por ejemplo, incubar un sueño sobre alguien que está lejos de nosotros; puedes ayudarte a lograr resultados colocando una foto de esa persona junto a la cama, o un anillo, o una bufanda, o cualquier objeto que hayáis utilizado los dos, como un tablero de ajedrez, una cámara, un libro o un viejo folleto teatral.

*L*a meditación, a través del cultivo de la concentración y la receptividad, y dejando espacio para las «filtraciones del subconsciente», puede ayudarnos a tener experiencias oníricas más reveladoras y satisfactorias, además de a allanar el camino para recordar más vivamente nuestros sueños a la mañana siguiente. Es más, el estado meditativo puede estimular los sueños lúcidos (véanse páginas 55-64).

La meditación profunda produce un estado mental parecido al del sueño. La respiración se ralentiza, el pulso cardíaco disminuye, como el consumo de oxígeno, y las pautas que produce nuestro cerebro se hacen más regulares. Esto proporciona un espacio mental libre de estímulos, un foro para la imaginación creativa. Se pueden producir incluso visiones fantásticas, similares a las de la hipnagogia (véanse páginas 50-54). En la fase REM la mente sueña activamente, mientras que el cuerpo está aquietado, otra característica de la meditación. Algunas personas, en un nivel de espiritualidad avanzado, pueden meditar en lugar de dormir.

La meditación permite que la mente se libre de las preocupaciones inmediatas. Si no has meditado nunca, empieza con una simple meditación respiratoria. Siéntate cómodamente en una habitación en silencio. Relaja tu cuerpo tensando y destensando varios grupos musculares por turnos, empezando por los dedos de los pies y subiendo hacia la cabeza. Concentra tu atención en la respiración, tomando conciencia de tus fosas nasales y experimentando las sensaciones de inspirar y expirar. Si

tu atención se dispersa, vuelve a concentrarte contando mentalmente uno cuando inspiras, y dos cuando expiras. No te preocupes si tu pensamiento se sigue dispersando: la práctica diaria hará que cada vez te sea más sencillo controlar tu atención.

Otras técnicas pueden ayudarte a concentrarte y alcanzar un estado meditativo. Puedes decir una palabra o una frase (mantra), repetida y rítmicamente, que no tenga connotaciones para ti. O puedes recitar un verso de una poesía o una plegaria, o visualizar una imagen, quizá una forma geométrica como los mandalas utilizados en la meditación oriental, que simbolizan la integridad. Los auténticos mandalas suelen ser demasiado esotéricos en su simbolismo para poder ser utilizados por nadie que no sea un meditador experto. No obstante, eso no impide que intentes meditar con formas geométricas abstractas, incluso las más complejas. No te preocupes por el simbolismo: sencillamente lleva la imagen a tu mente y déjala allí, con tus ojos abiertos. Sutilmente, este proceso te ayudará a abrir tu mente y hacerla más receptiva a experiencias como los sueños.

Más concretamente, si meditas con una imagen que ya haya aparecido en tu vida onírica, puedes llegar a estimular sueños que desarrollen la idea que esa imagen personifica.

Como hemos visto en relación con el arte de recordar los sueños (véanse páginas 126-133), una técnica muy valiosa para perfeccionar la vida onírica es la «visualización creativa», que está basada en la idea de que dándole una forma visual imaginaria a nuestras esperanzas y deseos, podemos ayudar a realizarlos. Durante una meditación respiratoria puedes visualizar tu yo consciente desembarazándose de tu cuerpo y cruzando la habitación para sentarse en una silla frente a ti. Entonces puedes imaginar a ese yo consciente avanzando hacia el espacio de la mente subconsciente y abriendo las puertas que conducen a tus sueños, que para entonces parecen mostrarse diáfanos. En todo momento controlas los actos de tu conciencia fantasma a medida que hace sus descubrimientos. Es muy posible que ese control lo absorba subliminalmente tu vida onírica, de manera que podrás decidir si quieres soñar algo, con la razonable seguridad de que ese sueño se producirá.

Puertas de cuerno y marfil

Los antiguos griegos creían que los dioses enviaban los sueños verdaderos a través de unas puertas de cuerno, mientras que los sueños menos significativos emergían de unas puertas de marfil. Antes de dormir, el soñador le pedía al dios o diosa de su elección tener sueños propicios. Tú puedes hacer un ejercicio similar, utilizando a los dioses griegos como representaciones de tus energías psíquicas. Evoca en tu mente la imagen de las puertas de cuerno y elige uno de los dioses; quizá Apolo, dios de las artes, o Afrodita, diosa del amor. Imagina que esa deidad te envía sueños de sabiduría, armonía interior y bienestar.

Contactando con el subconsciente

A medida que progresas en tu trabajo con los sueños, sumergiéndote en los símbolos y arquetipos oníricos, y descubriendo cosas sobre tu yo interior, el subconsciente se convierte, de alguna manera, en tu compañero. Actúa a la vez como objeto y aliado en tu investigación. Tu objetivo es persuadirlo para que te ofrezca los beneficios de su entendimiento profundo mediante sueños ricos y reveladores.

Sin embargo, al hacer esto debes tener presente que tiene su propia manera de funcionar, muy distinta de la mente consciente. Esta última generalmente es racional, lógica y lineal, busca pautas y relaciones, se alimenta de coherencia y previsibilidad, piensa principalmente en términos de palabras y puede interrogarse fácilmente sobre lo que ha aprendido. El subconsciente, por otra parte, es mucho más indómito en su manera de operar. Tiende a ser testarudo y voluntarioso, y a comportarse de una manera incoherente e imprevisible. En ocasiones se niega obstinadamente a colaborar: todos conocemos la manera en que nuestra mente consciente puede eliminar la ansiedad, mientras que nuestras emociones, impulsadas por el subconsciente, siguen con sus preocupaciones.

Sería poco realista esperar que el subconsciente nos responda con una actitud razonablemente dócil. Incluso un largo período de trabajo

constante por nuestra parte puede no producir, aparentemente, ninguna revelación profunda, o ni siquiera sueños, para acabar recompensándonos cuando menos lo esperamos con los frutos que estábamos buscando. Es muy importante ser paciente y no titubear en la creencia de que tu subconsciente acabará entrando en acción.

Sin embargo, el subconsciente sí que se parece a la mente consciente en que responde bien a las alabanzas. Debes hacerte su amigo, hacerle saber lo mucho que lo valoras. Gratifícalo verbalmente y recibe con calidez los sueños que te da, y no olvides agradecerle cualquier mejora que detectes en tu vida onírica. Pregúntale cómo puedes ayudarle y espera en silencio las respuestas que pueda darte.

Nunca contemples este tipo de actos como meras fantasías. Al final pueden convertirse en una ayuda eficaz para tu integración personal, y producir un amplio abanico de beneficios psicológicos, además de mejoras en tus sueños.

La mejor manera de acercarse al subconsciente es mediante la sencillez y la repetición. Dale instrucciones claras y sin ambigüedades, como

«voy a recordar mis sueños», o «voy a soñar sobre mi cambio de carrera profesional», o incluso «voy a volar en sueños», por ejemplo. Repite esas afirmaciones en varias ocasiones a lo largo del día.

Por la noche, escucha música que denote o represente el estado de ánimo que quieres experimentar; lee poesía romántica o mística, visualizando sus símbolos y examinando las profundas metáforas que encuentres. Mira y escucha mientras tu mente aprende a absorber las impresiones. Al expresarlas en palabras resiste la

Estimular sueños creativos

Muchos escritores, pintores y músicos utilizan su vida onírica como fuente de inspiración. Probablemente este proceso tiene algo de realización personal. La emoción generada por un sueño que «quiere» convertirse en arte alerta al subconsciente sobre un filón rico y gratificante de nuestro yo. Es como si el subconsciente encontrara un nuevo patio de recreo; inevitablemente volverá a él.

Prácticas chamánicas

Los chamanes inducen sueños para alcanzar revelaciones profundas del mundo espiritual, que pueden utilizar para sanar a los enfermos, guiar a los cazadores hasta su presa o descubrir lo que le depara el destino a su tribu. En sus tiendas o chozas, o fuera de ellas, realizan rituales especiales para facilitar la transformación en otra esfera. Crear tu propio ritual del sueño neochamánico es una buena manera de profundizar en tu relación con el subconsciente.

• El incienso es un medio seguro, agradable y práctico de crear humo para un ritual inofensivo que estimule la imaginación creativa. Enciende una barrita de incienso y dirígela hacia los cuatro puntos cardinales, que representan los cuatro elementos: mentalmente, conecta el este con el aire, el sur con el fuego, el oeste con el agua y el norte con la tierra. Eleva la barrita de incienso hacia el cielo (que en las tradiciones chamánicas representa al padre) y después hacia la tierra (que representa a la madre).
• Imagina tu propia visualización y forma las palabras que acompañan a cada movimiento, pidiendo que te envíen sueños desde las cuatro direcciones, y desde el cielo que hay sobre ti y la tierra que tienes a tus pies.

tentación de reducirlas al nivel del pensamiento racional y lineal.

Contemplar temas arquetípicos en la literatura, como la historia de deseo y hechizo narrada por Keats en su poema «La Belle Dame sans Mercy», puede producir beneficios en nuestra vida onírica.

También puede ayudarnos pensar en el subconsciente como la fuente de tu vida psicológica y ver la mente consciente como el tipo de revestimiento que filtra al subconsciente mediante el aprendizaje y la experiencia. Cuanto más rígida e inflexible se hace la mente consciente, más intensamente evita que la energía del subconsciente emerja a la conciencia.

También podemos estimular que los distintos aspectos de la mente trabajen conjuntamente empleando una simple metáfora visual. Visualiza la mente consciente como un portero serio y puritano que mantiene cerrada la puerta por la que pretende, vanamente, colarse el subconsciente. Después, imagina que abre la puerta y le da la bienvenida al subconsciente como si fuera un hermano al que hace tiempo que no ve, y observa cómo los dos aspectos de la mente coinciden en que ambos tienen mucho que aprender del otro. Puedes estar seguro de que a partir de ese momento trabajarán conjuntamente y en armonía.

La inspiración de los sueños puede ayudarnos a hacer tareas creativas esenciales: jugar con nuestras ideas, ordenarlas por tamaños y recolocarlas hasta que formen un conjunto coherente.

Sueños a la vista: una parábola

*I*magina que vas al teatro a ver una obra, pero que tienes una mala butaca, alejada del escenario y situada detrás de una columna. Tienes una visión limitada y sólo puedes percibir fragmentos de la acción. Descubres que no acabas de entender la obra. La semana siguiente vuelves al mismo teatro. La obra esta vez es distinta, pero tu butaca es la misma. Vuelves a intentarlo, quizá sólo es cuestión de mala suerte. Pero todas las veladas resultan igual de decepcionantes. Sientes la tentación de rendirte, jurándote no volver a pisar ese teatro.

Sin embargo, otros espectadores que han acudido a las mismas obras pero han gozado de una vista mejor sobre lo que estaba sucediendo insisten en que ha merecido la pena y te describen la belleza y el interés de lo que han visto.

Si has seguido los consejos de este capítulo, te habrás proporcionado una butaca de primera fila en el teatro nocturno de los sueños. Ahora ya estás listo para hacer algunos descubrimientos significativos sobre ti mismo.

Derribando el muro mental

Mientras dormimos, nuestro yo soñador viaja libremente por el mundo interior de nuestro subconsciente. La visualización siguiente, basada en técnicas antiguas empleadas tanto en la tradición oriental como en la occidental, está diseñada para abrir tu mente consciente a la creatividad libre del mundo onírico.

1. Imagínate mirando hacia fuera por una ventana desde una torre de piedra. Ves dos tipos de terreno distinto, con un gran muro de piedra que los separa. Uno de los terrenos es el paisaje familiar de la vida cotidiana. El otro es el del mundo onírico, donde no existen las leyes de la naturaleza y la lógica.

2. Imagina que abres una brecha en el muro con el poder de tu pensamiento, como si una tormenta lo hubiera derruido. A través de ese agujero los átomos y las moléculas del paisaje onírico empiezan a colarse en lo cotidiano. Es como una invasión de las energías de los sueños.

3. Ahora imagina que el muro entre los dos paisajes se derrumba por completo. Lo que descubres es un terreno único repleto de maravillas y sorpresas. Tú vives en tu torre, pero puedes apreciar los paisajes que se abren frente a ti.

Sueños compartidos

Los sueños son experiencias muy personales y se necesitan ciertas agallas para comentar sinceramente su simbolismo con otras personas. El esfuerzo, no obstante, merece la pena. La colaboración de otra persona en tu interpretación puede, por su mera presencia, hacerte descubrir cuestiones sorprendentes. Y si posee cierta habilidad, puede ayudarte a sacar a la luz revelaciones significativas.

La mayoría de nosotros le hemos contado, en un momento u otro, un sueño a otra persona. Las motivaciones que hay detrás de ese tipo de relato son muchas y variadas: podemos describir nuestros sueños para impactar o entretener, o quizá buscamos perspectivas nuevas en una experiencia onírica que nos parece significativa, o, por último, podemos querer que nos confirmen nuestra propia interpretación. Sin embargo, existe otra función, más básica, ejercida por el relato de los sueños: ayudarnos a un entendimiento más real de lo que realmente sucede. Eso nos obligará a hacer el trabajo de descripción. Tenemos que revivir el sueño con la mayor precisión posible.

Compartir un sueño con un amigo o compañe-ro de trabajo también puede abrir todo un mundo de revelaciones sobre nuestra vida interior, ya que nos oímos a nosotros mismos traduciendo el sueño a un relato. Nuestras propias ideas sobre su significado, combinadas con las de nuestro amigo, pueden llevarnos hacia direcciones imprevisibles a medida que se desarrolla el diálogo. Es bueno tener esa conversación lo antes posible después de la experiencia onírica, para retener las sensaciones más vívidas y los estados de animo más intensos. Intenta pensar en tu sueño como una noticia fresca, recién salida de la imprenta de tu imaginación.

Cuando escuches a un amigo explicándote un sueño, recuerda que puede exponer cuestiones muy sensibles. Incluso si se cuenta con un espíritu jovial, la verdadera motivación puede ser la de entablar un diálogo íntimo o buscar tus consejos sobre una cuestión preocupante. Por contra, si el narrador eres tú, no intentes disfrazar el diálogo como una broma, si lo que buscas es una reacción sensible y prudente.

Tus sueños son una parte muy personal de tu vida, por lo que deberías pensártelo dos veces antes de utilizarlos para entretener a meros conocidos. Después de observar la manera en que sus pacientes relataban sus sueños durante el psicoanálisis, Sigmund Freud identificó un proceso que denominó «revisión secundaria». Con esto se refiere a la tendencia del soñador a distorsionar los sueños a medida que los recuerda, para hacerlos más coherentes e imponer un orden ficticio sobre el flujo del subconsciente.

Prepárate para hablar de tus sueños alcanzando un acuerdo de mutua honestidad. Deja claro que presentarás tu sueño en todo su desaliño, sin saltarte los aspectos más ásperos. Evita la tentación de intentar construir puentes lógicos mediante la imaginación consciente.

Empieza relatando el sueño, intentando recordar todo lo que puedas. Después, explica tus reacciones emocionales al sueño y su escenario. ¿Te comportaste como habría hecho tu yo consciente? Si el sueño era inacabado, ¿cómo te habría gustado que terminara? Si era insatisfactorio en algún sentido, ¿qué habrías cambiado o mejorado? Entonces puedes generar asociaciones directas para las imágenes y los sucesos oníricos más potentes, e incluso mantener una conversación sobre las posibles interpretaciones generales.

Cuando escuches a otros, lo importante es ayudar al soñador a recordar su sueño con el mayor detalle posible. Utiliza preguntas abiertas del tipo: «¿cómo te sentiste sobre tal suceso o personaje?» o «¿cómo te habría gustado que terminara el sueño?», para ayudar a tu interlocutor a desvelar nuevas interpretaciones. Siéntete libre para sugerir tus propias ideas, pero expresándolas siempre como preguntas. Por ejemplo: «Eso a mí me sugiere esto y aquello; ¿tiene algún sentido?». No olvides nunca que estamos hablando del sueño de la otra persona y que, en definitiva, sólo él o ella puede interpretarlo adecuadamente.

Encuentros en sueños

La idea de quedar con un amigo en un sueño puede parecerte extremadamente fantasiosa, aunque, por supuesto, ese mismo concepto se ha incorporado a más de una película de ciencia ficción de Hollywood. Sin embargo, a alguien con un alto nivel de conciencia de sí mismo y control mental, los encuentros en sueños deben de parecerle perfectamente posibles, siempre que estén preparados para hacer ese esfuerzo.

Una prueba para comprobar tu control de los sueños es quedar con alguien en ellos y compartir con esa persona el mismo sueño. Esto puede parecer altamente improbable, pero las personas que están conectadas emocionalmente pueden tener sueños muy parecidos. Esto puede deberse a que comparten muchas de las experiencias cotidianas que proporcionan a la mente soñadora su materia temática, pero en ocasiones el sueño compartido tiene un contenido bastante inesperado y se puede corroborar comparando detalles concretos.

Algunas hermandades místicas occidentales y tradiciones espirituales orientales animan activamente a sus miembros a compartir sus sueños como parte del proceso de realización de su propia naturaleza. Aunque el cuerpo soñador suele abandonarse a sus propias divagaciones por el mundo onírico, sin dirección ni objetivo, esto puede evitarse. Una manera de controlar las energías del cuerpo soñador más eficazmente es atribuirle tareas concretas, como puede ser, por ejemplo, encontrarse con un amigo.

Oliver Fox, un investigador y escritor inglés, se puso de acuerdo con dos amigos para encontrarse en sueños en un prado cercano. Aquella noche, Fox soñó que se encontraba allí con uno de sus amigos, pero no con el otro. Al día siguiente el amigo que había aparecido en el sueño le relató un sueño similar, mientras que el amigo ausente no recordaba siquiera haber soñado.

Merece la pena persistir en la idea de compartir los sueños, aunque no tengas éxito al principio. Si lo logras, resulta fascinante comentar las diferencias y similitudes con la persona que lo ha compartido contigo.

Directrices para un encuentro onírico

Trabaja con tu pareja, un amigo cercano o algún pariente que esté interesado en intentarlo, y que como mínimo tenga la mente abierta a la posibilidad de conseguirlo. Las personas con vínculos emocionales más cercanos albergan más posibilidades de éxito que unos simples conocidos.

1. Dedica algún tiempo a planear y preparar tu encuentro en sueños. Es bueno empezar planeándolo al menos una semana antes de la noche en cuestión, para permitir que tu subconsciente se aclimate a la idea y, con un poco de suerte, asuma el plan sin dudarlo.

2. Decidid juntos un lugar para el encuentro que tenga asociaciones emocionales agradables, pero no demasiado intensas, para ambos. Dedica tiempo a «sintonizarte» con la otra persona, hablando sobre el lugar elegido, comentando vuestros recuerdos compartidos y disfrutando de la sensación de mutua harmonía. Es de gran ayuda mantener ese tipo de conversaciones durante varios encuentros o llamadas telefónicas.

3. Cuando sientas que estás preparado, visualiza con tu compañero de sueños el lugar que queréis visitar. Describiros la escena el uno al otro; cuando escuches, introduce la escena en tu ima-

ginación, rellenando los detalles y comentando con el otro lo que veis. Esta etapa de la operación se realiza mejor con un contacto personal relajado en vez de por teléfono.

4. Después de varias sesiones preparatorias como éstas, decidid encontraros en el lugar acordado en una noche determinada y a una hora concreta, y ten seguridad en que así será. Deja bien claros todos los detalles de la cita y repítelos interiormente tan frecuentemente como puedas, sobre todo antes de dormir. Si tu compañero de sueños es la persona que duerme contigo, es bueno acurrucarse junto a ella y decirle «nos vemos dentro de un ratito», aparte de «buenas noches». Si no es así, mandaros el mismo mensaje de despedida por teléfono la noche en cuestión.

5. Por la mañana, quedad para poder contaros el sueño lo antes posible. Comparad los dos sueños con atención a los detalles y buscad las correspondencias.

6. Ten paciencia y prepárate para intentar este experimento varias veces. El derrotismo y el escepticismo son dos grandes obstáculos para su éxito.

El arte de la interpretación

El directorio simbólico de este libro (véanse páginas 158-447) pretende ser una herramienta de amplio alcance para la interpretación de los sueños. Antes de usarla, lee este capítulo, que trata sobre algunos de los principios básicos de esa práctica. No existen reglas inflexibles, pero hay planteamientos que han resultado útiles a muchas personas.

«Leídas correctamente, las imágenes [oníricas] nos dicen quiénes somos en lugar de quiénes creemos que somos. Nos hablan de nuestro impacto real en los demás, no sobre cómo querríamos que fuera ese impacto.»
Montague Ullman

Los sueños son una conversación entre los niveles subconsciente y consciente de la mente, que hablan idiomas ligeramente diferentes. Aunque la parte consciente puede pensar que entiende lo que el subconsciente le dice en sueños, puede, igual que un traductor inocente e inexperto, convertir en un batiburrillo informe su verdadero significado.

Aunque el lenguaje de los sueños es en algunos aspectos coherente para todos nosotros, tenemos idiosincrasias personales que limitan la utilidad de los diccionarios oníricos dogmáticos, que otorgan significados concretos a determinados sueños sin explorar posibles alternativas. Los sueños que emergen del subconsciente personal (sueños de nivel 2) tienen una especial tendencia a utilizar imágenes y asociaciones de la propia trayectoria vital del soñador y de su mundo interior subjetivo.

La interpretación acertada de los sueños depende del aprendizaje de unas pocas y sencillas técnicas, así como del estudio especial de tus propios sueños para desvelar sus muy personales mensajes. Otras personas pueden hacer sugerencias sobre su significado, pero sólo tú puedes vivir tu mundo interior, y eres la máxima autoridad en la interpretación de la información que tu subconsciente intenta transmitir.

La mejor manera de analizar los sueños es mediante los temas recurrentes que se detectan en un diario de sueños. Tanto si el análisis se concentra en esos temas como si lo hace en potentes sueños individuales, una buena manera de empezar es separar el material onírico en distintas categorías: por ejemplo, escenario, objetos, personajes, sucesos, colores y emociones. No deberías ser demasiado riguroso con este proceso: las categorías son capaces de solaparse y los propios recuerdos pueden ser vagos o confusos. Pero intenta no olvidar los detalles aparentemente más irrelevantes, ya que pueden ser los elementos que contengan mayor significado.

Empieza seleccionando algo de la categoría que te parezca más relevante y aplícale el proceso de asociación directa de Jung. Escribe el objeto (o lo que sea) en el centro de una hoja de papel, o una página de tu cuaderno, retenlo mentalmente, y anota todas las imágenes e ideas asociadas que se te ocurran. Vuelve siempre al estímulo original. Intenta asegurarte de que cada asociación es concreta:

si en el sueño había un coche rojo, puede ser su color, en lugar del hecho de ser un coche, lo que tenga más relevancia simbólica. Cuando no se te ocurran más asociaciones, guarda el papel y pasa al siguiente símbolo onírico del que quieras ocuparte, y así sucesivamente, hasta haber cubierto todas las categorías deseadas.

Jung sugería que la asociación directa se hace más sencilla si el soñador se imagina que está describiendo cada elemento a alguien que nunca antes ha visto algo similar. También abogaba por elaborar asociaciones directas, conectándolas con cualquier reacción o respuesta emocional que puedan surgirle al soñador respecto a la imagen onírica original.

Si de los principales elementos de un sueño no surgen demasiadas asociaciones, puede que el sueño esté operando en el nivel 1, conteniendo poco o ningún significado simbólico, actuando simplemente como un recordatorio literal de la relevancia de determinados sucesos de la vida del soñador. En el mejor de los casos, puede proporcionar claves sobre la solución a problemas que han estado agobiando al soñador en el nivel consciente.

Algunos consejos para la interpretación de sueños

Las siguientes directrices no son exhaustivas, sino que pretenden ofrecer algunos puntos de vigilancia o consejos en los que puedes confiar para aumentar las posibilidades de interpretar acertadamente tus sueños. Utiliza estos puntos para iniciarte o para liberar los bloqueos imaginativos que inevitablemente se darán, incluso en el analista más experto.

Similitudes

Si el significado de un sueño se te escapa, pregúntate a qué se parece. El ejemplo típico es, por supuesto, la interpretación freudiana del lápiz como un pene y el túnel como una vagina.

Observa lo ingenioso del simbolismo del lápiz, algo típico de las asociaciones realizadas por el subconsciente. El lápiz tiene una forma apropiada para la asociación, pero también tiene el carboncillo: una sustancia creativa que se gasta en el encuentro entre lápiz y papel (masculino y femenino). El túnel también tiene un doble significado: tiene forma vaginal y admite visitantes enérgicos, los trenes (el pene). Ten presente que las similitudes oníricas no tienen por qué ser sexuales. Una bola del mundo se parece a una pelota de playa; un lazo, a una carretera; una cometa de un niño, a un pájaro.

Juegos de palabras

La mayor parte de nuestra actividad mental interior se produce por medio del lenguaje, por lo que no sorprende que éste tenga presencia en los sueños, aunque su papel esté disimulado. Por ejemplo, si en un sueño aparece un elemento, su referente puede no ser el elemento en sí, sino algún tipo de asociación lingüística, en especial si esa asociación la realizó alguien de una manera que te impactó.

Si aparece un nombre también debes prestar atención a sus posibles resonancias lingüísticas. Por ejemplo, Despeñaperros incluye «despeña», con la connotación trágica que implica, y «perros», un animal que puede simbolizar la fidelidad, docilidad o, en ocasiones, agresividad. La mente soñadora genera puntuales juegos de palabras.

Función/operación

Cuando aparece un objeto en sueños, piensa siempre en su función y su forma de operar en todas las maneras que se te ocurran. Por ejemplo, las tijeras incluyen la connotación de los dos filos que nunca pueden separarse. Quizá sugieran de algún modo equilibrio o inseparabilidad.

No obstante, si el sueño tiene resonancias más profundas para el soñador, puede estar operando en el nivel 2 y utilizando el simbolismo. Aquí es donde la interpretación se hace realmente interesante, ya que empezamos a encontrar a la mente subconsciente comunicando sus mensajes más profundos.

Si la asociación directa jungiana no consigue revelar esos significados, la libre freudiana puede resultar útil y permitir que la mente siga libremente un tren de pensamiento e imágenes provocado por el elemento onírico individual, con una idea que emerge espontáneamente de otra. Jung se quejaba de que este tipo de asociaciones de estilo libre alejaban demasiado al soñador del sueño original, pero el método de Freud puede revelar recuerdos, impulsos o emociones significativas reprimidas que la asociación directa es incapaz de alcanzar.

Un sueño que le parece misteriosamente importante al soñador merece la pena ser explorado en busca de símbolos arquetípicos (véanse páginas 103–107), que en el caso de estar presentes sugieren que se trata de un sueño de nivel 3. Para estos «grandes» sueños, Jung recomendaba, como medio para lograr desenmascarar su significado, el proceso de amplificación (véase página 108), que nos obliga a trazar conexiones entre los símbolos del sueño y los arquetipos relacionados en la mitología y las leyendas populares.

Jung subrayaba que el analista siempre debería evitar imponer una posible interpretación del sueño al soñador: el significado sólo se descubre si proporciona una revelación interior autogenerada, bienvenida o no, que parezca cierta. Las interpretaciones siempre deben simplemente «actuar» sobre el soñador, poniendo su vida de nuevo «en acción».

Resolución de problemas

Solemos pensar que la razón y la lógica son las herramientas obvias para descubrir la respuesta a un enigma. Pero la experiencia nos dice que podemos progresar en nuestro pensamiento sin saber de dónde ha llegado. Los sueños pueden proporcionarnos soluciones inesperadas.

Es de sobra conocida la recomendación de consultar los problemas con la almohada. Aunque el ego consciente está inactivo mientras dormimos, una parte de la mente sigue funcionando, procesando información, almacenando recuerdos, en ocasiones desenredando incluso los problemas emocionales o morales más complejos. Sin las trabas de las convenciones de la mente consciente, el subconsciente tiene libertad para adoptar perspectivas no ortodoxas que pueden proporcionar el avance por el que tanto nos hemos devanado los sesos.

En ocasiones, las respuestas las dan los propios sueños. Un famoso ejemplo es el del químico alemán Friedrich Kekulé, quien aseguraba que su revolucionario descubrimiento de la estructura molecular del benceno, en 1961, se le había ocu-rrido en sueños. Mientras trabajaba duramente en el tema, se quedó dormido y soñó con moléculas que bailaban ante sus ojos, formaban patrones y después se unían como una serpiente que se muerde la cola en una representación onírica del llamado «anillo de benceno».

A veces podemos obtener una demostración del poder para resolver problemas de la mente soña-dora si visualizamos un anagrama o un puzle mate-mático no resuelto cuando nos estamos quedando dormidos. Darle la instrucción a la mente de que trabaje en el rompecabezas, justo antes de caer en el sueño, puede estimular su solución onírica.

La respuesta puede llegar de manera literal, no filtrada por el simbolismo. El químico ruso Dimitri Mendeleev, después de muchos intentos infructuosos para disponer en tablas los elementos

según su peso atómico, soñó con sus respectivos valores y descubrió que todos excepto uno eran correctos. Ese descubrimiento le condujo a la publicación de su tabla periódica en 1869.

Cuando los sueños ofrecen soluciones simbólicas en lugar de literales, la interpretación puede resultar más compleja. El científico Niels Bohr identificó el modelo de un átomo de hidrógeno en 1913 después de un sueño en el que estaba en el Sol y veía los planetas conectados a su superficie por unos finos filamentos que se enredaban sobre su cabeza. Las soluciones numéricas, en particular, pueden aparecer en forma simbólica, utilizando quizá asociaciones ubicadas en las profundidades del subconsciente personal. Por ejemplo, el número tres puede estar representado por un viejo taburete de tres patas de la infancia del soñador.

Uno de los descubrimientos oníricos más asombrosos, que incluía la visita de un fantasma en sueños, fue el de H. V. Hilprecht, un profesor de asirio de la Universidad de Pensilvania. En 1893, Hilprecht estaba intentando descifrar las inscripciones de unos dibujos de dos fragmentos de ágata que se creía que provenían de anillos datados del 1300 a. J.C., extraídos de las excavaciones de las ruinas del templo de Nippur, en el actual Iraq. Desanimado por la falta de resultados, se acostó y soñó que se le aparecía un antiguo sacerdote babilónico para informarlo, con todo lujo de detalles, de que los fragmentos no pertenecían a distintos anillos, sino que formaban parte de un único cilindro que los sacerdotes habían cortado para hacer pendientes para una estatua. Si se colocaban juntos, le dijo el sacerdote, se podía leer fácilmente la inscripción original. Hilprecht se despertó y confirmó que su sueño estaba en lo cierto, y así obtuvo la prueba definitiva, al examinar los fragmentos del museo de Estambul.

Los sueños pueden ayudarnos con los problemas personales tanto como con los intelectuales. Para pedirle ayuda a tu subconsciente sólo debes tener el tema en la mente antes de irte a dormir, sintiéndote relajado y confiado en que no tendrás que preocuparte por la solución durante la noche: tu mente durmiente hará todo el trabajo y podrá revelarte la solución por la mañana, ya sea a través de una respuesta plenamente formada, ya sea por medio de una enterrada en un sueño. Al despertarte, puedes descubrir que simplemente «sabes» la solución. Si no es así, búscala en tus sueños, donde puede aparecer simbólicamente, o como un juego visual o verbal, por lo que quizá necesites interpretarlo.

Hemos visto cómo trabajando con los sueños, y en particular con su simbolismo, durante un período de tiempo podemos alcanzar un nuevo nivel de conciencia. Muchos de los fantasmas que nos acechan pueden eliminarse gracias al faro del autoconocimiento, y ésa es la razón por la que un psicoanalista pasará tanto tiempo ayudándonos a sumergirnos en nuestras experiencias pasadas. Si sacamos a la luz nuestras ansiedades, podemos librarnos de su poder, o, como mínimo, asegurarnos de que el dolor que provocan disminuye considerablemente.

Las ansiedades que pueden solucionarse de esta manera son las más arraigadas, los problemas crónicos de nuestras vidas. Normalmente apenas dedicamos tiempo alguno a pensar conscientemente sobre esos problemas, motivo por el que son tan peligrosos para nuestra paz mental a nivel subconsciente. No obstante, también hay muchas ansiedades que son concretas, temporales, y que están plenamente presentes en nuestro entendimiento consciente. Por supuesto, podemos pasar horas dándoles vueltas en nuestra cabeza. Cuestiones relacionadas con la guardería de los niños, el equilibrio entre nuestra vida laboral y personal, nuestra prosperidad económica, incluso los planes para las vacaciones, entran dentro de esta categoría. A menudo nuestras preocupaciones giran en torno a un dilema: hay argumentos de ambos lados y no somos capaces de decidir qué es lo mejor que podemos hacer.

De la misma manera que los sueños pueden ofrecer respuestas brillantes a acertijos intelectuales, también son capaces iluminarnos sobre cuál es el mejor proceder en una situación personal concreta. En la página opuesta se dan algunas directrices para utilizar los sueños de esta forma, como si fuera un sabio oráculo.

El brillante oráculo onírico: tu asistente vital interior

Someter tus problemas personales a la sabiduría oculta del mundo onírico es algo que realmente merece la pena. Busca respuestas rápidas por todos los medios. Pero si no las encuentras, interpreta el sueño como un paso más en el proceso de autoexploración que estás llevando a cabo mediante tu trabajo onírico.

Enmarcar la pregunta

Explícate el dilema a ti mismo de la manera más clara posible. Escríbelo y precisa las palabras hasta que te parezcan adecuadas. Después intenta convertir el dilema al lenguaje simbólico. Por ejemplo, si no estás seguro de viajar o quedarte en casa (un ejemplo muy simple), piensa en una imagen para cada alternativa, quizá una chimenea y un tren.

Explorar las asociaciones

En algún momento del día, piensa en las diversas implicaciones de cada posible proceder; reflexiona sobre todo lo que significa la chimenea y todo lo que significa el tren. Pero no le des vueltas a estos pensamientos, probablemente bastante incómodos, justo antes de dormir; pues alterarían tu noche y posiblemente enturbiarían cualquier posible respuesta que el subconsciente pudiera

tenerte preparada. De hecho, es preferible hacer ese tipo de análisis unos días antes de que sometas la cuestión a tus sueños.

Visualizar la cuestión

Antes de irte a dormir, retén las imágenes en tu mente y pregúntale a tu subconsciente si será tan amable de darte su opinión sobre el mejor proceder posible. Piensa en las imágenes que has elegido, de manera relajada, sin emoción, antes de meterte en la cama o cuando estés tumbado esperando que el sueño te atrape. No pienses en tu dilema, sólo en los símbolos visuales que has elegido.

La mañana siguiente

Al despertar, apunta cualquier sueño que hayas tenido, como sueles hacer. Pero antes de someterlo a la interpretación detallada que haces normalmente, plantéate sólo si has recibido una respuesta a tu pregunta. ¿Ha aparecido alguno de los dos símbolos en el sueño? Si lo han hecho ambos, ¿qué relación había entre ellos? Si sólo ha aparecido uno, ¿tu sueño te estaba diciendo que lo evitaras o que fueras a por él? Si no apareció ninguno, ¿eligió tu sueño su lenguaje propio y distinto para responder a tu pregunta?

Manejar las pesadillas

Las pesadillas son un especie de aparición: el fantasma de un miedo o trauma que acecha nuestros sueños y puede aterrorizarnos, y que deja sus residuos hasta mucho después de que nos hayamos despertado. Las pesadillas puntuales no son demasiado preocupantes, pero las habituales necesitan un trabajo serio, empezando con un análisis profundo de sus símbolos oníricos.

Históricamente, se creía que las pesadillas estaban causadas por las visitas nocturnas de los demonios: unos seres monstruosos que descendían sobre nuestras almas durmientes para satisfacer su sed. Sin embargo, en los tiempos modernos, la idea más generalizada es que las pesadillas nos obligan a enfrentarnos y lidiar con los sucesos, acciones o reacciones que nos resultan particularmente molestos o conmovedores en nuestra vida cotidiana.

Durante una pesadilla, los traumas a los que nos enfrentamos suelen parecer terriblemente reales. Podemos vernos atrapados en un combate contra un animal o persona letal, ser incapaces de salvar a algún ser querido del peligro, o incluso perpetrar actos violentos. Estos escenarios hacen que nuestro yo soñador viva las emociones con las que hemos estado luchando o hemos evitado

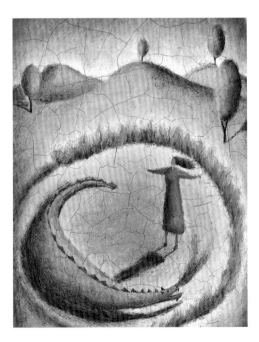

en la vida real. Nos permiten dejar al descubierto miedos y frustraciones, de manera que, debido a las presiones sociales, pueden ser difíciles o imposibles dentro de los confines de la vida cotidiana.

Cuando la pesadilla se desarrolla, el pulso y el ritmo respiratorio del soñador pueden duplicarse. Frente a un peligro grave, el soñador suele despertarse, utilizando la conciencia como una forma de huida. Pero a menudo el sueño se queda remoloneando en nuestra mente, y el soñador retiene una sensación inquietante aún después de que se haya producido. Las pesadillas también pueden «acecharnos», volviendo noche tras noche hasta el punto de que podemos temer irnos a dormir, o nos quedamos en un estado de hipnagogia, suspendidos en los márgenes del sueño.

Soluciones rápidas para las pesadillas

La preocupación por las pesadillas puede convertirse en una pescadilla que se muerde la cola: si tememos activamente encontrarnos con el monstruo o el dentista, dedicamos energía a su visualización, la misma que en un contexto positivo se comporta como un eficaz estímulo onírico. La respuesta a este problema radica en intentar no contrarrestar ese síndrome (por ejemplo, imaginando un paisaje apacible antes de dormir); en vez de eso, debemos aceptar que la imagen de la pesadilla se puede manifestar y hemos de procurar intentar encontrar la manera de que sea menos amenazante si lo hace.

Transformar al monstruo mediante la visualización, justo antes de dormir, puede ser clave para el éxito. Representa a la criatura de tus sueños tan vívidamente como te sea posible, e imagínala, con la misma intensidad, domesticada por el poder superior de la sabiduría o la iluminación. Puede ayudarte imaginar la sabiduría de forma humanizada, como un ayudante de sueños, una figura que introduces conscientemente en ellos. Por ejemplo, puedes visualizar a Perseo, el héroe griego que rescató a la doncella Andrómeda de una malévola serpiente marina. En algunas pesadillas no hay un enemigo claro, pero puedes hacer progresos visualizando un ayudante de sueños que te haga entender que la amenaza no es real.

CLAVES PARA
LOS SÍMBOLOS
Oníricos

Los sueños son un diálogo que mantenemos con nosotros mismos, en un lenguaje simbólico que envía mensajes entre los niveles subconsciente y consciente de nuestras mentes. Nosotros somos los autores y actores de nuestros sueños, y finalmente los mejores jueces de su significado. Recuerda que ninguna interpretación ofrecida por esta guía o por ningún extraño puede ser correcta a no ser que tú, el soñador, la reconozcas como auténtica.

Temas

Cada uno de nuestros sueños tiene relevancia para nosotros mismos y nuestras relaciones. Igual que tenemos una personalidad propia en la vida cotidiana, también disponemos de nuestras propias características en la vida onírica, y esos aspectos del yo deben reconocerse en cualquier interpretación de sueños. No obstante, recopilando y comparando las experiencias de distintos soñadores, podemos identificar genéricamente los tipos de sueños que se relatan más a menudo, y los actos y sucesos que se dan más frecuentemente en ellos. Estos temas oníricos predominantes parecen emerger de nuestras preocupaciones más comunes, la divisa habitual de nuestro mundo onírico.

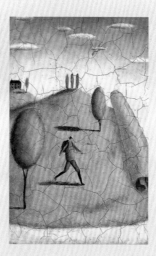

Identidad y destino

Si tememos perder el rumbo en nuestras vidas, esto puede provocar la aparición de sueños en los que nos encontramos atrapados en medio de una niebla o de brumas bajas, o vagando por un paisaje desprovisto de todos los puntos de referencia con los que nos orientamos normalmente. Si nuestro viaje onírico está plagado de ansiedades, puede que no estemos preparados para abandonar los confines seguros de la mente consciente, y debemos evaluar la situación antes de acercarnos a nuestro «verdadero yo». Si intentamos abrirnos camino a empellones, sólo conseguiremos desorientarnos aún más; un ejemplo de sueño que se expresa mediante una metáfora obvia. Pero si la ruta del sueño se hace cada vez más clara y el objetivo llega frenéticamente y demasiado pronto, quizá sea el momento de buscar un nuevo camino.

Siempre que sepamos descifrarlo, un plano o mapa es el símbolo por excelencia de un rumbo seguro y predecible; sin embargo, si nos resulta incomprensible, a nuestra desorientación pueden seguirles la frustración y el pánico. Los mapas pueden representar el autoconocimiento, pero la incapacidad de interpretar sus signos puede hacer que corramos el peligro de convertirnos en un terreno ignoto para nosotros mismos.

Los miedos en relación con la pérdida de identidad pueden provocar la aparición de sueños en los que el soñador es incapaz de recordar su nombre cuando se lo preguntan o, de repente, de mostrar documentos identificativos vitales cuando se los piden. Una de las pacientes de Freud, que sufría una grave crisis de identidad, soñó que la paraba un policía mientras caminaba por la calle. El agente le pedía su documento de identidad. Cuando ella se lo mostraba, quedaba horrorizada al descubrir que en el carné estaba su foto, pero que donde debía estar su nombre se leía la palabra «histeria».

Perderse

Los laberintos en los sueños suelen estar relacionados con el descenso del soñador hacia su subconsciente. Pueden representar las complejas defensas erigidas por el ego consciente para evitar que los deseos subconscientes emerjan a la luz. Perdidos entre árboles gigantes o juncos altos, podemos sentir que nuestro progreso se ve impedido por obstáculos insuperables. Como en el cuento de Hansel y Gretel, que muchos recordamos de nuestra infancia, esa sensación puede evocar un profundo anhelo de la figura reconfortante de una madre.

Perder el control

La ansiedad sobre la pérdida de rumbo en la vida puede originar sueños sobre perder el control de un coche o la aparición de un tren descarrilado. De manera similar, los miedos de pérdida de identidad personal pueden provocar experiencias en las que el soñador busca desesperadamente la calle o la carretera correcta en una ciudad extraña.

Máscaras y disfraces

Éstos representan la manera en que nos presentamos ante el mundo exterior e incluso ante nosotros mismos. Si el soñador es

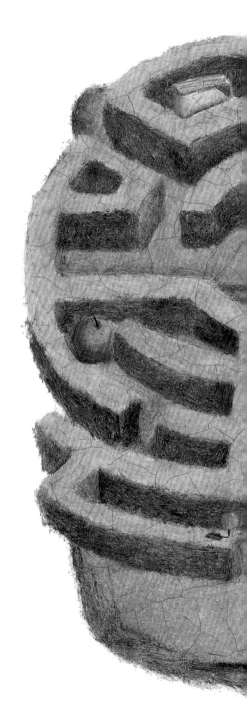

incapaz de quitarse una máscara, o los demás le obligan a llevarla, esto sugiere que su yo verdadero está cada vez más oscurecido. Llevar un velo sobre la cabeza indica el deseo del soñador de hacerse invisible: un deseo introvertido de desaparecer del mundo exterior.

Imágenes distorsionadas

Mirar en el espejo y ver reflejada la cara de otra persona es el clásico sueño causado por una crisis de identidad: la repentina sensación de no saber quiénes somos. La cara en el espejo puede darnos claves sobre la naturaleza del problema de identidad. Si tiene los ojos cerrados, normalmente indica la renuencia a afrontar la realidad.

Derivas

Una balsa sin timón y a la deriva puede ser motivo de alarma, y despertar miedos de falta de rumbo y control en nuestras vidas. Por otra parte, como dijo Rabí Najman de Bratslav, no saber adónde vamos puede ser en ocasiones la mejor manera de descubrir nuestro verdadero yo.

Una balsa también puede ser una imagen totalmente positiva y representar un medio de supervivencia y la toma de conciencia de que somos capaces de navegar por nuestro mar de problemas en vez sentirnos abrumados por él.

Cambio y transición

Nuestras mentes conscientes a menudo no perciben la conmoción psicológica y emocional que sigue a los grandes cambios de nuestras vidas. Sin embargo, la mente subconsciente suele estar más enterada de ellos. Hoy en día, algunos psicólogos creen que en los dos años que siguen incluso a acontecimientos positivos, como el matrimonio o un ascenso, somos más proclives no sólo a alteraciones psicológicas, sino también a dolencias físicas que pueden aparecer como síntomas de malestar.

Si en nuestras mentes conscientes nos sentimos nerviosos e inseguros frente a un cambio, nuestros sueños pueden llenarse de imágenes reconfortantes de nuestra vida anterior y nuestro viejo entorno familiar. Por contra, la mente soñadora puede mostrar la ansiedad subyacente a una transición concreta con una sensación de extrañeza exagerada, acompañada quizá de cierto pavor. El sueño puede centrarse en el peor escenario que imaginamos que el cambio podría

traernos. Este tipo de sueño perturbador se puede convertir en algo positivo si leemos con exactitud su significado: reconocer los miedos indicados en el sueño es el primer paso para encontrar la manera de lidiar con ellos.

En ocasiones el sueño utiliza códigos para destacar la necesidad de un cambio o su inevitabilidad. Estos temas pueden aparecer en los sueños como un intento de cambiar objetos viejos o estropeados en una tienda, o como el acto de redecorar nuestros hogares, cambiarnos la ropa o comprar libros o CD nuevos para sustituir los que habíamos comprado anteriormente. Los sueños de cruzar una carretera, un río o un puente pueden indicar los riesgos que comportan los cambios o simbolizar su naturaleza irrevocable, inevitable.

La técnica junguiana de la amplificación puede revelar asociaciones con imágenes míticas de transición, como la del héroe griego Hércules cruzando el río Estigia: a un lado se encuentra la tierra de los vivos; al otro, la muerte, la entrada al inframundo y los terrores que el héroe debe afrontar para completar su aventura. El viaje de Jonás, su naufragio y el trayecto en el interior de la ballena por mares tormentosos también contiene una imaginería arquetípica similar, sugiriendo el peligroso cruce de un umbral, evocando el pasado que dejamos atrás y el futuro que se extiende misteriosamente frente a nosotros.

Destrucción y ruina

Las imágenes de destrucción pueden estar relacionadas con cambios vitales en los que se produce
una ruptura radical con el pasado. Una casa en
ruinas puede trasmitir la noción de la familia rota
que quedará tras un divorcio; los árboles caídos tal
vez simbolicen una mudanza a una ciudad nueva
o una familia arrancada de sus raíces por tener
que emigrar.

Puente

El puente marca la frontera entre el presente cómodo y el futuro impredecible. Cruzarlo es señal
de nuestra habilidad para avanzar; nuestra fuerza
oculta para soportar el trayecto vital, especialmente ante sucesos difíciles, como un cambio de
casa, el abandono de la pareja o la pérdida de un
trabajo.

Objetos que cobran vida

Si los objetos inanimados cobran vida en un sueño,
es probable que un potencial interior desconocido
hasta entonces esté a punto de desarrollarse. Si la
metamorfosis es aterradora, esas energías interiores quizá necesiten manifestarse y canalizarse de
maneras más aceptables.

Transformación

Los sueños en los que cambian las estaciones o en los que el soñador se metamorfosea (por ejemplo, de niño a anciano) indican transformaciones interiores profundas. El sueño puede utilizar la transformación para pasar de un símbolo a otro, pero en ocasiones es el cambio en sí lo que parece ser significativo. Un sueño en el que, por ejemplo, el protagonista cambia de sexo puede representar la aceptación del aspecto masculino o femenino del yo. Los hombres lobo se han instalado en la conciencia popular gracias a las películas y las leyendas populares, y no es extraño que esos monstruos mutantes aparezcan en nuestros sueños, para reflejar ansiedades muy arraigadas y de diverso tipo.

Entorno extraño

Si un entorno extraño hace que el soñador se sienta perdido, temeroso o arrepentido, la mente soñadora puede intentar decirle que aún no está preparado para dejar atrás su viejo estilo de vida: es demasiado pronto para dominar unas circunstancias nuevas. Por otra parte, una sensación de excitación acompañando al sueño sugiere que el soñador está listo para el cambio y que debe aprovechar cualquier oportunidad que se le presente. Soñar que nos encontramos a nosotros mismos en una casa o una oficina extraña suele representar una ansiedad sobre el verse colocado en un papel nuevo y poco habitual.

Éxito y fracaso

La manera en que reaccionamos ante el éxito y el fracaso dictará en gran parte el curso futuro de nuestra vida. Estas dos caras de la misma moneda están entre las preocupaciones más comunes de nuestros sueños, igual que en nuestras vidas. Podemos disfrutar del éxito y sufrir el fracaso en nuestro trabajo o en los negocios, además de en situaciones más sutiles, como las discusiones, o en las relaciones. Por ejemplo, una futura entrevista de trabajo es un estímulo común de sueños sobre el éxito y el fracaso. Sean nuestras ansiedades las que sean, solemos creer en lo más hondo del corazón que los fracasos pueden superarse, aunque es incluso más segura la certeza de que el éxito tiende a ser breve.

Luchando contra los griegos, el príncipe persa Jerjes soñó con una corona de olivos cuyas ramas se extendían sobre el mundo pero desaparecían repentinamente: un presagio muy preciso sobre los terrenos conquistados que no tardaría en perder. Muchos otros monarcas, generales y estadistas han tenido sueños proféticos de fracasos. El rey Ricardo III de Inglaterra soñó con unos espíritus malignos antes de su derrota en la batalla de Bosworth. La noche antes de Waterloo, Napoleón soñó con una procesión de figuras cargadas con símbolos de sus victorias, seguidas de manera inquietante por una figura encadenada y con grilletes. Otto von Bismarck, primer ministro de Prusia, soñó que su país subía al poder antes de que creciera y se convirtiera en el corazón de una nueva Alemania unificada. No obstante, la mayoría de los sueños sobre éxitos o fracasos están menos conectados con sucesos reales que con el estado mental del soñador.

Los sueños de fracaso suelen contener situaciones como llamar al timbre de una puerta o golpearla sin recibir respuesta, o encontrarse sin dinero para pagar un taxi o saldar una deuda, o perder un enfrentamiento o discusión.

El éxito en los sueños puede estar indicado por el resultado favorable de una transacción, acompañada a menudo de una sensación de satisfacción o incluso de júbilo. Las verjas o vallas suelen representar un reto concreto que tiene planteado el soñador en su vida cotidiana, y saltar el obstáculo puede simbolizar no sólo la posibilidad de éxito, sino también la confianza de la que depende éste, y que el soñador debe esforzarse por alcanzar.

Los sueños de nivel 3 (véanse páginas 65-70) a veces reflejan el éxito en un nivel más profundo de crecimiento y transformación personal. La amplificación de los sueños de nivel 3 puede revelar asociaciones con temas clásicos, como la historia del guerrero griego Belerofonte, quien capturó a Pegaso, el caballo alado, y subió al monte Olimpo para reclamar un sitio entre los dioses. Pegaso lo tiró. Tras caer, de vuelta a la Tierra, el guerrero pasó el resto de sus días como un paria vagando por la llanura Aleya. Estos arquetipos nos recuerdan los peligros de exceder nuestros límites naturales.

Premios

Los trofeos tienen un valor que va
más allá de su precio material; igual
que el valor de una copa no es intrínseco, sino que depende de lo que
contenga. En los sueños, incluso si la
naturaleza del premio no se aprecia,
la sensación de triunfo suele ser inconfundible.

Problemas de comunicación

La incapacidad de hacerse oír o de
explicarse bien sugiere un sentimiento de falta de adaptación. Llamando
la atención del soñador sobre estos sentimientos, el sueño indica la
necesidad de afrontarlos en la vida
cotidiana. La incapacidad de hacerse
entender al hablar por teléfono quizá
sugiera la debilidad de las ideas del soñador.

Fama

Los sueños de una gloria repentina en medio del
aplauso de amigos, familia o extraños pueden sugerir que el soñador está necesitado de atención
o que le falta confianza y autoestima.

Ganar una carrera

Esto indica el reconocimiento de cualquier tipo de
potencial relevante en nuestro interior. La mente
subconsciente puede estar animándonos a actuar
con valor o confianza. Llegar segundo o tercero
en una carrera puede sugerir que el soñador ha
subestimado las dificultades que implica rendir al
más alto nivel.

Miedo y ansiedad

La ansiedad es probablemente el estado emocional más comúnmente expresado en nuestros sueños. En la vida cotidiana, la conciencia es capaz de distraerse de las cuestiones problemáticas, pero, al dormir, todas las dudas, preocupaciones y miedos que enviamos al trastero de nuestra mente entran en el escenario de nuestros sueños, piden ser reconocidos y llenan la mente de símbolos inquietantes con una potente carga, y con estados de ánimo oscuros y atormentados. Estos sueños no sólo indican lo profundamente arraigadas que pueden estar nuestras ansiedades, sino que también nos recuerdan la necesidad de ocuparnos de la fuente de esas preocupaciones, ya sea afrontando un reto externo concreto, ya sea aprendiendo a temer menos los aprietos de la vida.

Las ansiedades con las que nos enfrentamos en nuestros sueños no tienen por qué ser muy graves. Incluso las más triviales saldrán a la superficie: ¿he puesto el corcho de la botella de vino? ¿Me perderé ese programa de televisión? No obstante, debemos ser conscientes de que un tema o imagen aparentemente superficial tal vez sea un símbolo de otras preocupaciones más arraigadas.

Los sueños de ansiedad son reconocibles por la carga emocional que encierran. Normalmente, el soñador tiene la sensación de ocuparse de varias tareas a la vez, o de intentar terminar un trabajo interminable. Otros sueños de ansiedad incluyen caminar por un barro espeso, moverse en una agonizante cámara lenta, arrastrarse por un túnel estrecho (un símbolo que a menudo representa la ansiedad del nacimiento), asfixiarse por humo, observar con impotencia que alguna cosa que apreciamos es destruida o intentar sujetar los fragmentos de algo roto y muy apreciado por el soñador frente a unos vientos fuertes. Si la ansiedad proviene de la falta de adaptación social, el sueño puede contener momentos de vergüenza pública, como derramar una bebida, una incompetencia grotesca en una pista de baile abarrotada u olvidar los nombres de invitados importantes al intentar presentarlos. Por otra parte, merece la pena examinar atentamente estos sueños para ver si esa aparente ineptitud contiene algún elemento desafiante, para expresar nuestra sensación de frustración frente a las opresivas ataduras de las convenciones sociales. Un sueño clásico es aquél en el que aparece una hoja de examen que parece incontestable: los traumas de nuestra etapa en el colegio pueden acecharnos en la edad adulta y convertirse en una imagen de los sentimientos de inferioridad. El soñar que estamos desnudos o mal vestidos para determinada ocasión tal vez surjan de algún momento de vergüenza reciente,

de la incomodidad social en general o de alguna otra vulnerabilidad de la vida cotidiana. Los sueños en los que se producen caídas también puede ser un reflejo de inseguridad.

La mente soñadora no siempre evita el melodrama; cosas como un paseo hasta el patíbulo, caer en manos de captores malvados o ser obligado a cometer algún crimen terrible pueden reflejar problemas relativamente triviales. El sentido de semejantes formas de terror es imprimir al tema la necesidad de llevar a nuestra conciencia (como preludio para afrontarlos) los deseos y energías reprimidos de naturaleza más poderosa.

Tomen la forma que tomen, los sueños de ansiedad no pretenden atormentar al soñador, sino atraer su atención hacia la urgencia de identificar y ocuparse de las fuentes de la citada ansiedad, que pueden provocar un caos en el subconsciente si las descuidamos demasiado. Los sueños de ansiedad también ofrecen la posibilidad de exorcizar nuestros miedos a través de su interpretación y comentario. Analizando los temas que destacan nuestros sueños, evitamos que nos acose esa preocupación que vaga libremente y que puede ensombrecer tanto nuestra vida cotidiana como la onírica.

Ahogarse

Los sueños en los que uno se ahoga o está force-jeando bajo el agua pueden representar el miedo del soñador a ser engullido por las fuerzas ocultas de las profundidades más remotas de su mente subconsciente.

Ser perseguido

Los sueños en los que uno es perseguido por una presencia invisible pero terrorífica suelen in-dicar que algunos aspectos del yo reclaman ser integrados en la conciencia. El miedo del soñador acostumbra a disiparse si es capaz de darse la vuelta, encarar al per-seguidor y obtener algunas pistas sobre lo que representan los sím-bolos en el nivel consciente.

Vergüenza social

La clave para entender los sue-ños en los que somos incapaces de actuar de manera competente en público es comprender el estado de profunda vergüenza. Tanto si el so-ñador aparece vestido de forma inapropiada (o desnudo), como si es incapaz de realizar una tarea sencilla (como servir café de una cafetera) o de comportarse adecuadamente con los demás (por ejemplo, presentarlos por su nombre), el mensaje subyacente es la incomodidad psicológica.

Intentar correr

Una de las ansiedades oníricas más comunes es intentar correr pero descubrir que tus piernas no se mueven del sitio. Otros sueños similares son los de caminar por barro espeso o moverse a una velocidad lenta y exasperante. Investigaciones re-cientes sugieren que estos sueños pueden tener su origen en los mecanismos del cerebro que evitan que realice-mos las acciones de nuestros sue-ños mientras dormimos, cosa que nos impide que nos pongamos a correr en la cama o que provo-quemos un caos en la habitación.

Espacios estrechos

El angustiante escenario onírico de estar confinado en un espacio pequeño puede ser en ocasiones una protesta interior constructiva, e indicar que existe una lu-cha de energías creativas que buscan expresarse. Quizá estemos ansiosos porque algo o alguien, un trabajo tedioso o un jefe tiránico, está poniendo freno a nuestras energías.

Optimismo y bienestar

Los sueños felices u optimistas pueden darse en cualquier momento, incluso cuando estamos soportando la pesada carga de la vida con toda su crudeza. Estos sueños pueden dejarnos exaltados y contentos no sólo con nuestra vida cotidiana, sino también con el mundo en general. Pueden presentarnos a seres más elevados o llevarnos a volar por el mundo onírico, abriendo nuestra mente a la infinidad del espacio y el tiempo.

En ocasiones, los sueños optimistas contienen símbolos de buena suerte o paz, tanto si son imágenes personales del soñador como si son un amuleto o un color de la suerte, o símbolos culturales de buenos augurios como los tréboles de cuatro hojas, las palomas o las ramas de olivo. Algunas personas interpretan estos sueños como profecías de un éxito futuro; otros creen que

marcan el inicio del camino hacia la plenitud, aunque no haya ninguna garantía de alcanzar el objetivo.

Los sueños de buena suerte o bienestar suelen contener configuraciones del número de la suerte del soñador. Si, por ejemplo, ese número es el tres, puede soñar con que elige entre tres caminos o que recibe tres regalos. Aún más potentes son las visiones del arco iris, el símbolo arquetípico de la esperanza y la reconciliación. El soñador puede que esté viendo cómo se forma uno sobre su casa (un símbolo del yo), o inundando de luz las colinas lejanas (un símbolo de logro). En los sueños de nivel 3 (véanse páginas 65-70), el soñador puede incluso verse bañado por la luz del arco iris, lo que sugiere el bautismo a una nueva fase de crecimiento y desarrollo personal.

Como en la vida cotidiana, los colores de los sueños pueden representar estados emocionales o espirituales de carácter individual. El azul, por ejemplo, se suele asociar con la melancolía, pero también puede representar las aguas profundas y contemplativas de la mente subconsciente; mientras que el rojo no representa sólo la furia, sino también (dependiendo del contexto) la pasión impulsiva por el fuego.

Trabajándolos mediante la técnica de la amplificación, los sueños que indican bienestar y optimismo pueden producir asociaciones con los campos elíseos, el paraíso de la mitología clásica. El simbolismo propio de la tradición cristiana está repleto de relatos que hacen referencia a edades doradas paradisíacas, desde el Jardín del Edén hasta la Nueva Jerusalén de la Revelación, una era de bienestar espiritual que durará mil años.

Miel y abejas

Los judíos creían que en la tierra prometida abundaban la leche y la miel; para los griegos y los romanos la miel era el alimento de los dioses. Las abejas estaban dotadas de una sabiduría especial. Su aparición en sueños se puede entender como un buen auspicio, con connotaciones de paz y prosperidad.

El Jardín del Edén

Como la tierra de la leche y la miel, el Jardín del Edén es un antiguo paisaje mítico de bienestar y felicidad; pero, como paraíso perdido, también nos advierte del peligro de la complacencia. Aun así, incluso si imaginamos que nos expulsan del jardín, como a Adán y Eva, el paisaje enorme e inexplorado que queda ante nosotros puede ofrecernos una emocionante perspectiva nueva de retos y oportunidades.

Luz

Para Jung, la aparición de luz en los sueños «siempre se refiere a la conciencia». Esos sueños confirman que revelaciones profundas están alumbrando la mente consciente del soñador, como si estuviera a punto de «ver la luz».

Autoridad y responsabilidad

Las personas que ocupan puestos de autoridad y responsabilidad en la vida real a menudo narran sueños que reflejan su estatus. Esos sueños pueden contener episodios como ocuparse de urgencias, sentarse a un escritorio y atender consultas sobre todo tipo de decisiones desde todas partes, o mostrar símbolos de autoridad, como collares ceremoniales.

En ocasiones, los sueños de autoridad y responsabilidad se fusionan con los de ansiedad. El soñador da órdenes que nadie obedece o sufre un repentino rechazo en las urnas o por parte de sus superiores. Esas imágenes atraen la atención hacia los sentimientos de inseguridad del soñador e indican su necesidad de ser más íntegro en su vida pública. Los sueños de autoridad y responsabilidad también pueden revelar frustraciones y resentimientos respecto a la excesiva dependencia de los demás: esos sueños cumplen un objetivo dual y permiten que esos sentimientos se expresen de manera inofensiva y atrayendo la atención sobre el papel excesivamente forzado que el soñador se ve obligado a desempeñar en su vida cotidiana.

Al amplificarlos, los sueños de autoridad y responsabilidad pueden revelar nexos clásicos; por ejemplo, asociaciones con el relato de la *Eneida* del héroe romano Eneas. Al escapar de las llamas de Troya, Eneas cumplió su responsabilidad respecto a su familia con gran valor, poniendo a salvo a su padre y su hijo. No se trató de una tarea sencilla, ya que tuvo que cargar a su padre, el anciano Anquises, a la espalda, al mismo tiempo que llevaba a su hijo, Ascanio, de la mano.

to de responsabilidades. El sueño puede ayudar al soñador a ver que no está lidiando de manera suficientemente eficaz con el trabajo que tiene pendiente.

Llevar un sombrero alto

Las coronas y los sombreros altos son símbolos tradicionales de autoridad, ya que elevan a su portador por encima de sus pares y compañeros. Soñar que nos quitan de un golpe una corona o un sombrero alto tal vez simbolice ansiedades que se relacionen con la pérdida o la impropiedad del estatus del soñador.

Estos arquetipos clásicos pueden recordar al soñador la importancia psicológica y el heroísmo intrínseco de afrontar las propias obligaciones y responsabilidades en la vida, y de utilizar el poder de la propia autoridad para lograr el bien de los demás.

El montón de papeles

Soñar con un escritorio abarrotado de interminables montones de papeles es un típico sueño de ansiedad de las personas con autoridad; sugiere la práctica imposibilidad de manejar las crecientes demandas y el estrés que acompañan al aumen-

Figura monárquica o presidencial

En los sueños, las figuras de los reyes y las reinas suelen estar relacionadas con la autoridad paterna. Una interpretación freudiana de los sueños sobre cenar o incluso tener relaciones sexuales con algún miembro de la realeza es la de que representan la clásica satisfacción de deseos, dejando aflorar un deseo arraigado de intimidad que sustituye a la realeza por la madre o el padre. Si un jefe de Estado o gobierno, como por

ejemplo un presidente o primer ministro, aparece como un amigo que busca consejo, el sueño puede estar expresando la necesidad de experimentar una relación más cercana y de mayor confianza con un padre u otra figura de autoridad importante, o el deseo de recibir un puesto de responsabilidad.

Parlamentos

Las sedes de gobiernos, como por ejemplo el Congreso de los Diputados en Madrid o el Capitolio en Washington, tal vez representen el deseo de tener poder sobre la gente que conocemos. Las escenas de alboroto o caos en la cámara de deliberaciones pueden indicar una crisis en nuestra autoridad personal en el trabajo, o una agitación interior que se deriva de distintas opciones entre las que nos vemos forzados a elegir.

Tomar el control

Cuando soñamos con que tomamos el control de la situación en medio de una catástrofe, podemos estar expresando la aspiración de ejercer mayor responsabilidad, ya sea en el trabajo o en la vida personal. También podríamos sentir que nuestras cualidades de liderazgo no son todo lo apreciadas que deberían serlo.

El juez

Si en un sueño somos el juez, se sugiere una valoración de nuestra capacidad de juicio; quizá deberíamos seguir a nuestros instintos en algún tema que nos preocupa. Si, por el contrario, estamos ante un juez como acusado, sin saber por qué estamos allí, quizá nos estemos sintiendo perseguidos por las fuerzas de la autoridad moral o cívica.

Relaciones

Cuando nos enfrentamos al análisis de los sueños referentes a relaciones es de particular importancia recordar que la intención de la mente soñadora no es duplicar la realidad, sino comentarla. De este modo, el subconsciente utiliza frecuentemente a los personajes de los sueños como símbolos, en lugar de intentar representar a la gente real con la que el soñador tiene relación en su vida cotidiana.

Como revela la asociación directa, en los sueños un completo extraño puede estar representando características de una esposa o marido, mientras que la pareja puede simbolizar algún aspecto del soñador. El sueño está más preocupado por transmitir eficientemente su mensaje que por retratar a las personas tal como son. El soñador ya está familiarizado con las apariencias cotidianas, y el trabajo de la mente soñadora es atraer la atención sobre aquellas cosas que son menos obvias o que se nos han pasado por alto, presentándose como una pantalla en la que pueden revelarse nuestros verdaderos sentimientos

hacia las personas que nos importan y nos son más cercanas.

De ahí que en el curso del análisis del sueño, un amigo transformado en un extraño puede estar revelando una ambivalencia fundamental en los sentimientos del soñador hacia la amistad en general. El rechazo repentino de un ser querido tal vez quiera indicar el rechazo del soñador de alguna parte de su propia naturaleza. Por su parte, la separación de los hijos puede sugerir la pérdida de ideales muy apreciados o el fracaso de las ambiciones personales.

Otras veces, en cambio, los personajes de los sueños sí parecen estarse representando a sí mismos, con la intención de atraer la atención hacia aspectos no reconocidos de nuestra relación con ellos. Por ejemplo, los sueños frecuentes sobre miembros de la familia pueden mostrar un exceso de dependencia respecto a ella, quizá una necesidad excesiva de protección emocional o económica, o la incapacidad de romper con las ataduras familiares.

Alguien que ha sido padre o madre reciente-mente suele tener sueños ansiosos, como por ejemplo que se le cae el niño de la cuna o que lo pierde entre la multitud. Estos sueños no los convierten en malos padres. En realidad son una expresión de inquietud muy natural e in-dican la conciencia de la gran responsabilidad que recae sobre sus espaldas.

Incluso la aparición de objetos inanimados puede representar relaciones en nuestros sueños. Una paciente de Freud le contó que había soñado una vez que le prestaban un peine, y se dedujo que aquel obsequio revelaba su ansiedad respecto a su matrimonio interracial.

La incapacidad de contactar con alguien por teléfono puede sugerir la pérdida de intimidad en una re-lación, mientras que los sueños de calor o frío intensos tal vez reflejen una pasión ardiente o una fría indife-rencia hacia la pareja.

Durante la amplificación, los símbo-los de un sueño de nivel 3 pueden ofrecer asociaciones con temas míticos como el amor entre las deidades egipcias Isis y Osiris. Se dice que Isis, el símbolo de la maternidad en el Antiguo Egipto, había amado a su hermano y marido Osiris desde el vientre materno. Igual de intenso fue el amor, en la mi-tología griega, de Orfeo hacia Eurídice. Él era un juglar, vinculado con los dioses Dionisio y Apolo; su música domaba a los animales salva-jes, los ríos y las tormentas e incluso persuadió a los señores de la muerte para que le dejaran recuperar a Eurídice del reino de los muertos. Éstos le dijeron a Orfeo que podía llevarse a su amada de vuelta a la tierra de los vivos, siempre que no mirara hacia atrás al salir del Inframundo. Pero no pudo resistirse y, al girar-se para verla, la perdió para toda la eter-nidad. Incluso después de ser asesinado y despedazado por los ménades por negarse a seguir honrando a Dionisio, su cabeza siguió cantando y lamentando la muerte de su amada. Otro arquetipo que a veces se manifiesta mediante la am-plificación es el de la Gran Madre, la bruja, símbolo de lo devorador, pu-nitiva y terrorífica; un símbolo que se encuentra en los mitos y los cuentos de hadas de todo el mundo. El folklore ruso, por ejemplo, cuenta las andanzas de una vieja arpía malvada llamada Baba Ya-ga, quien vive en una cabaña de madera que vaga de un lado a otro sobre patas de pollo danzarinas y que secuestra y encierra a los niños pequeños, convir-tiéndolos en sus esclavos.

En ocasiones la Gran Madre puede propor-cionar orientación, aunque en los cuentos po-pulares buscar su ayuda puede ser peligroso y se deja claro que no debería intentarlo nadie excepto los puros de espíritu.

Igual que la bruja puede simbolizar el aspecto destructivo de la madre, el gigante u ogro puede simbolizar el del padre. Hay cuentos populares y leyendas sobre gigantes en todo el mundo, desde el filisteo Goliat del Viejo Testamento hasta el malvado Ravana del relato épico hindú Ramayana, o Fionnmac Cumhail, el legendario líder de una banda de guerreros irlandeses llamados fiannas.

Los sueños sobre gigantes malvados pueden ser una respuesta subconsciente a una lucha de poder con una figura de poder autoritaria, quizá un jefe o familiar. En otros casos, podría indicar una relación problemática con la pareja. Podemos sentir que nuestras necesidades en una relación no se toman lo bastante en serio o que no tenemos la suficiente influencia sobre las decisiones importantes. Si ése es el caso, quizá es momento de dar un paso adelante y dejar claros nuestros deseos de manera más explícita.

Telaraña

La araña, que atrapa a víctimas inocentes en su telaraña y acaba devorándolas, suele simbolizar a la madre devoradora, quien se come a sus hijos mediante su posesividad o su poder para despertar la culpa en ellos. La propia telaraña es también una imagen onírica común y puede reflejar un miedo subconsciente al compromiso y la inseguridad respecto a las relaciones íntimas en general. También podemos sentir que estamos atrapados en un enredo emocional concreto y que necesitamos liberarnos antes de ser devorados psicológicamente por nuestra pareja.

Reparar cosas

Reparar un aparato como una radio o una nevera suele indicar la necesidad de trabajar en una relación para evitar que se deteriore. Un aparato roto o desmantelado también puede tener el mismo significado.

Plumas

Las plumas, aparezcan o no en el sueño como aves, suelen representar un regalo, expresando el deseo de mostrar afecto o ternura a alguien cercano al soñador. Las plumas también pueden tener connotaciones fálicas. Pero las plumas que flotan sueltas en el sueño representan afecto y ternura, quizá en forma de un ofrecimiento pacífico o un gesto afectivo.

Hotel

En sueños, los hoteles suelen representar «impermanencia», un punto de transición en una relación, o un cambio, o incluso una pérdida de identidad personal. A veces sugieren el precio que hay que pagar para mantener una relación, tanto económico como emocional. En ocasiones pueden simbolizar el potencial de un encuentro furtivo.

Pájaros

Los pájaros pueden adoptar algún significado asociado con las cualidades que solemos atribuirles: por ejemplo, un ave de presa, un cuco ladrón de nidos o una urraca ratera pueden representar la amenaza del adulterio, mientras que el arrullo suave de una paloma sugiere reconciliación o la necesidad de suavizar una relación demasiado problemática.

Fuego

Éste es un símbolo onírico potente y ambivalente. El fuego destruye, pero también limpia y purifica. En los sueños puede señalar un nuevo inicio o representar emociones inquietantes, quizá las llamas de la pasión o la envidia.

Extrañas parejas

La preocupación por una pareja inadecuada, ya sea la tuya, ya sea la de un amigo, la mente soñadora puede simbolizarla emparejando objetos inapropiados. Por ejemplo, puedes ver a un conejo montado en una bici o a un hombre llevando una jaula de pájaros como sombrero.

Agua derramándose por unas manos en cuenco

Correr con las manos en forma de cuenco y llenas de agua para dársela a alguien que está muriendo de sed puede simbolizar una sensación desesperada de amor perdido cuando una relación personal íntima se acerca a su fin. Otro significado similar puede surgir del sueño de polvo de oro escurriéndose entre tus dedos.

Acto compasivo

Ayudar a alguien que tiene problemas, aunque parezca ser un completo extraño, suele representar el afecto que sentimos por alguien cercano. Por contra, si soñamos que somos nosotros los que recibimos el acto compasivo, quizá estemos manifestando una necesidad de afecto. Algún detalle del sueño o la asociación directa pueden utilizarse generalmente para identificar a la persona en cuestión.

Riña familiar

Una discusión con un miembro de la familia o la pareja a menudo indica algo que no tiene relación con problemas en el seno de esa relación. Por ejemplo, unos niños que salen corriendo de tu casa pueden representar una pérdida de ambición profesional.

Teléfono equivocado

Llamar por error, repetidamente, a una persona o que te salte un contestador puede indicar un colapso en la comunicación con alguien importante en tu vida.

Sexualidad

Para Freud, la sexualidad subconsciente está detrás de gran parte de nuestro comportamiento consciente. Descubrió que la imaginería sexual es la principal fuerza impulsora del simbolismo onírico. Creía que muchos actos violentos, como los que implican apuñalamientos o tiroteos, están asociados con la violación: la conexión obvia es la invasión brutal del cuerpo. Interpretaba las preocupaciones por partes asexuadas del cuerpo como deseos ocultos de una actividad sexual anómala. Los freudianos suelen asociar la mutilación con la castración, y pegarse a uno mismo o a otros, en especial niños pequeños, con la masturbación. Montar a caballo o en bici, cortar madera o tomar

parte en cualquier actividad rítmica denota el acto sexual. El mismo significado puede atribuirse a las olas que rompen en la playa, viajar en tren y la inserción de un objeto en otro, como una llave en la cerradura. Las cosas desinfladas, como un globo pinchado, pueden hacer referencia a la impotencia; las puertas o ventanas cerradas se interpretan como símbolos de la frigidez.

Jung, sin embargo, veía esta imaginería desde una perspectiva distinta, proponiendo que podría estar relacionada con los temas arquetípicos de la fertilidad y la creatividad. Aunque los psicólogos modernos siguen aceptando que la sexualidad puede ser una parte significativa de nuestra vida onírica, son pocos los que se aferran al repertorio reduccionista de Freud sobre los símbolos oníricos sexuales. Suelen preferir el planteamiento de Jung, que amplifica la sexualidad hacia el marco más amplio de la mitología universal. Éste descubrió que las escenas eróticas de la arquitectura hindú, lejos de ser expresiones puras de deseos animales, celebraban la unión mística entre la tierra y el cielo, lo mortal y lo divino, la materia y el espíritu. Representan una integridad en la que hombre y mujer se convierten en una entidad única y perfecta.

El erotismo de los sueños sexuales puede derivar simplemente del contexto, atmósfera y color de nuestros paisajes oníricos. Cuando el acto sexual ocurre explícitamente, Jung creía que se debía tanto al deseo del soñador de vivir en paz y con comodidad con un ser querido como a la liberación de tensiones sexuales. Muchos símbolos sexuales tienen sentido tanto en términos junguianos como freudianos, y su verdadero significado puede ser una fusión de ambos. Por ejemplo, mientras que Freud veía el subir o bajar por escaleras como un símbolo del acto sexual, para Jung era un arquetipo que representa el vínculo entre lo espiritual y lo físico.

Ten siempre presente la posibilidad de una interpretación no sexual: subir unas escaleras puede ser una expresión de ambición, o quizá el reconocimiento de un crecimiento personal; caerse por las escaleras, por otra parte, podría indicar ansiedad por haber sobrestimado tus habilidades.

del soñador respecto al poder, la dominación y la obediencia en una relación.

Plumas y velas

Las plumas y velas suelen simbolizar al pene. Pueden aparecer en sueños como símbolos generales del Ánimus (véase página 103) y la masculinidad.

Terciopelo o musgo

En el análisis freudiano de lo sueños, el terciopelo y el musgo suelen representar el vello púbico. Otros interpretes de sueños ven en ellos símbolos de un deseo más general de ternura o las comodidades de la naturaleza.

Látigo

Aunque los látigos en los sueños a veces son símbolos con la carga negativa de la sumisión, más generalmente pueden representar la conciencia

Copa

Un símbolo sexual femenino clásico. Los freudianos ven el beber de una copa como una representación del sexo oral con una mujer. Incluso desde la perspectiva jungiana, las copas se asocian con el Santo Grial, y en consecuencia con la virgen portadora del Grial y la feminidad.

Cornucopia

El símbolo del cuerno de la abundancia es una imagen sexual ambigua: si se representa derramando sus riquezas, es obvio que es masculino; si en el sueño nos sumergimos en el cuerno para darnos un festín con sus dones, es femenino.

Zapatos

Determinada gente que relata haber visto zapatos en sus sueños los asocian con la sexualidad, ya que otros objetos, o partes del cuerpo, pueden entrar en ellos. Los zapatos de mujer pueden representar en ocasiones la sexualidad femenina dominante, que tal vez provenga de la experiencia del niño con los pies de su madre. Los zapatos también pueden denotar autoridad y dominio.

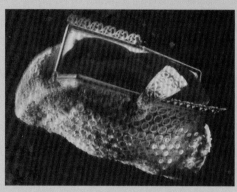

Bolso

El bolso es un símbolo sexual femenino muy común en el mundo onírico. Puede representar tanto los genitales femeninos como el útero. Dado que el bolso puede cerrarse y abrirse, en ocasiones representa el poder de las mujeres de dar o negar sus favores.

Sombreros y guantes

La mente soñadora utiliza a menudo los sombreros, las gorras, las boinas y los guantes para representar los genitales femeninos, ya que cubren partes del cuerpo.

Explosión

Las explosiones suelen denotar sueños sobre orgasmos. Los fuegos artificiales pueden simbolizar una sensación de bienestar y satisfacción sexual, mientras que explosiones más destructivas tal vez indiquen impulsos sexuales no expresados. El daño causado por una explosión, deliberada o accidental, puede estar relacionado con el daño que creemos que puede producirse si actuamos movidos por nuestros impulsos reprimidos, ya sea a nosotros mismo, ya sea a nuestra pareja.

Accidente de avión

Los estudios han demostrado que las mujeres suelen conectar los accidentes de avión con la

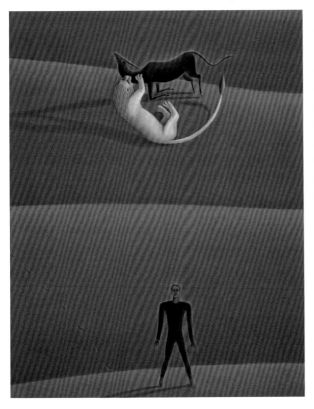

Dominación

Los sueños en los que un miembro de la pareja domina al otro pueden no ser abiertamente sobre el sexo, aunque pueden tener connotaciones sexuales. Si en el sueño somos el dominador, puede que nos sintamos inseguros en una relación personal íntima y lamentemos nuestra falta de control. Además, podemos estar ocultando una sensación de falta de adaptación sexual. Cuando el sueño no incluye actos eróticos sadomasoquistas explícitos, puede sugerir el goce secreto de los juegos de poder o fantasías sexuales reprimidas que tememos que le resulten inaceptables a nuestra pareja. Según Freud, los sueños sobre dominación expresan un deseo incestuoso de contacto íntimo con el padre o la madre.

Iglesia

violación o con el miedo a la violación. Para los hombres puede estar conectado con la ansiedad de la impotencia. Volar, por supuesto, es una fobia común, y el sueño puede provenir de la anticipación angustiada de un viaje.

Soñar con una iglesia tiene una potente combinación de simbolismo sexual y religioso. Un campanario muy alto es un símbolo masculino y fálico, y puede representar la sexualidad masculina o la autoridad patriarcal. Soñar con iglesias quizá posea connotaciones espirituales. Si no podemos entrar en la iglesia, tal vez hayamos encontrado un obstáculo en nuestro camino espiritual. Cuando soñamos con una iglesia con un chapitel afilado apuntando al cielo y un pórtico arqueado, el simbolismo es tanto masculino como femenino. Quizá refleje un vínculo íntimo con la pareja o un conflicto interior entre nuestros impulsos animales y nuestra fe.

Hacer el amor

Los sueños en los que estamos haciendo el amor con alguien que nos atrae sexualmente son un clásico ejemplo de la satisfacción de deseos freudiana, sobre todo si se da el caso de que nuestro deseo sexual es ilícito. Para muchos junguianos y otros analistas, soñar con hacer el amor puede no tener nada que ver con el sexo, sino que simple-

mente tal vez indique una necesidad intensa de expresión creativa o la necesidad de integrar los aspectos más opuestos del yo.

Besos

La perspectiva jungiana sostiene que la imagen de besarse «deriva mucho más del acto de la nutrición que de la sexualidad». En esta interpretación, el placer de un beso onírico surge de los recuerdos infantiles de cuando mamábamos del pecho de nuestra madre.

Rosa roja

Las rosas son un símbolo tradicional del amor romántico. Sin embargo, Freud pensaba que las rosas rojas representaban los genitales femeninos o la sangre de la menstruación.

Chorro de agua

Cualquier objeto del que salga un chorro de agua, como por ejemplo un grifo abierto o una botella de champán recién abierta, suele ser un símbolo de la eyaculación. También puede anunciar un nuevo estallido de creatividad.

Cama

La cama a menudo es el escenario de las aventuras sexuales y puede ser un símbolo muy cargado de significados cuando aparece en nuestros sueños. Si la cama está sin hacer, tal vez indique que estamos siendo descuidados en nuestro comportamiento sexual. No obstante, si la cama está muy bien hecha, podemos estar sintiéndonos inhibidos por los convencionalismos. Soñar con buscar una cama puede sugerir que tenemos dificultades para aceptar nuestra sexualidad.

Emociones

Todos nuestros sueños suelen tener un estado de ánimo propio, que puede ser más memorable, e igual de significativo, que el contenido del sueño en sí. De manera quizá un tanto sorprendente, ese estado de ánimo no tiene por qué concordar con la actitud del soñador: por ejemplo, un hombre soñó que una mujer, por la que sentía un amor no correspondido, le suplicaba que la besara. Aquello satisfacía sus anhelos, pero descubrió que en su sueño, que estaba cargado de una sensación premonitoria, no conseguía darle el beso. El estado de ánimo del sueño había afectado a sus actos, igual

que la banda sonora de una película es capaz de manipular las emociones del espectador, incluso más que los el desarrollo de la trama.

Los estados de ánimo oníricos a veces son capaces de ser tan penetrantes que tienden a prolongarse durante un tiempo después de que nos hayamos despertado, incluso cuando olvidamos rápidamente lo acontecido en el sueño. Después de un sueño perturbador solemos despertarnos con una «resaca del sueño»; es decir, una sensación vaga de ansiedad. Por contra, un buen sueño puede subirnos el ánimo y permitirnos empezar el día sumergidos en un halo de bienestar.

La interpretación precisa de los sueños nos obliga principalmente a reconocer las emociones que se agitan en nuestro interior en la vida cotidiana, ya que esas emociones normalmente nos arrastran en direcciones concretas que van contra la lógica de la razón o la moralidad. La tensión generada por este conflicto puede ser extrema, aunque la mente consciente no la tenga presente. Los sueños son capaces ayudarnos mucho a atraer la atención hacia las cosas que más nos afectan emocionalmente.

Todos conocemos el carácter irracional de nuestras emociones. Saber que nuestra pareja amada va a comer con un compañero de trabajo atractivo puede ser suficiente para despertar nuestros celos. Puede tenernos preocupados hasta que volvemos a ver a nuestra pareja esa noche y nos tranquilicemos, ya que no ha pasado nada negativo. Incluso esas ansiedades tan triviales es posible que emerjan en nuestros sueños, quizá porque dos tipos de emociones se están reforzando mutuamente: los celos y el miedo. La ira, de manera parecida, suele mezclarse con la frustración.

Algunas emociones las proyectamos hacia otras personas o situaciones externas; otras, como la vergüenza y el bochorno, las interiorizamos. Ambos tipos pueden consumirnos, devorando nuestra felicidad y nuestro bienestar personal.

Ira y frustración

La ira es una potente emoción que la mente consciente suele rechazar, reprimir o entender mal: de ahí que surja tan frecuentemente en sueños. No siempre es negativa. La ira puede representar aspectos valiosos del desarrollo psicológico como el coraje, la determinación, el liderazgo y la autoafirmación, y se asocia también con el efecto purificador de la indignación justificada. Incluso en sus formas más negativas es posible que sea muy valiosa cuando aparece en sueños, porque en ellos su absurdo o su carácter destructivo se hacen mucho más aparentes. Es más, los sueños indicarán en ocasiones zonas hacia las que deberíamos dirigir nuestra ira de manera más apropiada.

Íntimamente conectada a la ira, la frustración es también un tópico habitual en los sueños. Podemos encontrarnos perdiendo un tren o no llegando a una cita, buscando en vano un sitio para aparcar o para dejar nuestro equipaje, o siendo incapaces de leer un mensaje importante o de convencer a alguien de la verdad de nuestro argumento. En todas estas situaciones, el sueño puede estar recordándole al soñador la necesidad de descubrir la causa de su frustración o el deber de ocuparse más eficazmente de ella si sus causas son conocidas.

La amplificación de los sueños de frustración puede ofrecer conexiones con arquetipos como la historia de Sísifo, un mortal griego castigado por los dioses con la obligación de subir una roca a una colina durante toda la eternidad: siempre que alcanzaba la cima, la roca volvía a caer rodando hasta el valle, por lo que se veía obligado a empezar de nuevo. Estos arquetipos míticos pueden ayudar al soñador a aceptar la frustración o a reconocer la inutilidad de rebelarse contra los «dioses» del subconsciente.

Celos y envidia

Los celos y la envidia son algunas de las emociones humanas más destructivas y pueden arruinar hasta la mejor de las situaciones. Abundan metáforas como que los celos «te devoran», y nuestros sueños suelen basarse en ellas cuando tenemos problemas para asimilar la buena suerte o el éxito del otro.

Sentimientos contenidos

Un sueño puede llamar la atención sobre la ira o la frustración reprimida con imágenes como un gas envasado o una sustancia volátil, o la ira, desatada con llamas fuera de control. La ira no reconocida hacia determinadas personas a veces emerge en sueños en los que el soñador prepara un veneno o borra sus caras de las fotografías. Soñar con decapitar a un ser querido es habitual cuando los malentendidos han comprometido la relación: el sueño no retrata literalmente la decapitación de la pareja, sino que simbólicamente está eliminando la fuente de un problema vigente.

Tareas fallidas

Varias tradiciones espirituales destacadas frustran deliberadamente a sus iniciados, encargándoles tareas absurdas e interminables para eliminar el dominio orgulloso y tenaz que el ego ejerce sobre la conciencia. En sueños, las tareas aparentemente sin sentido (como construir castillos de cartas) pueden cumplir un objetivo parecido o recordar al soñador que la habilidad de vivir con las inevitables frustraciones es un signo de madurez.

Presa desbordada

Cualquier cosa que sugiera una fuerza controladora que cede antes las feroces energías contenidas en su interior es posible que sea una imagen potente de ira y frustración reprimida más allá del punto del autocontrol. Una inundación que bloquea un camino conocido puede representar la frustración del soñador, y tal vez sugiera la necesidad de encontrar una alternativa y una ruta quizá preferible. De esta manera, el soñador recuerda que a menudo existe más de una manera de lidiar con las frustraciones.

Pérdidas y separaciones

La necesidad de seguir viviendo, que le sirve a la mente para soportar los duelos, en ocasiones implica que no tengamos el tiempo suficiente para lamentar la muerte o partida de un ser querido. En esas situaciones, nuestros sueños pueden hacer ese proceso por nosotros. Las imágenes de pérdidas, que a menudo acechan a la mente consciente durante días después del sueño, forman parte del proceso de curación, por muy desagradables que puedan parecer en ese momento.

Perder una posesión muy apreciada también suele provocar una sensación real de duelo y nuestros sueños pueden querer enfatizar ese aspecto. Recuerda que los sueños utilizan a menudo emociones extremas para destacar las inquietudes psíquicas. Aunque el objeto más personal y querido palidece en su insignificancia ante la aflicción de perder a un ser querido, nuestros sueños no temen utilizar los mismos símbolos y temas para expresar nuestra sensación de pérdida.

Aunque la muerte es la forma de pérdida más extrema, podemos separarnos de las personas por muchas otras razones. Cuando una importante relación íntima termina, en divorcio o separación, los sentimientos que tenemos son de hecho muy similares a los del duelo. También es posible sentir la pérdida cuando un buen amigo o un familiar se traslada a un lugar alejado o si una relación de amistad pasa por un momento complicado por

culpa de alguna diferencia de opiniones o algún malentendido.

Las pérdidas de todo tipo en ocasiones se encuentran representadas en los sueños con la búsqueda desesperada de una cara amiga en medio de la multitud, o por el simbolismo de las cenizas o el polvo. Los sueños pueden estar imbuidos de nostalgia, ofreciéndonos imágenes agradables o conmovedoras de nuestra vida o una ocupación pasada. Alguna parte de la mente subconsciente necesita revivir esas experiencias una y otra vez como válvula de seguridad emocional hasta que finalmente sea completamente capaz de aceptar la pérdida que se ha producido.

En ocasiones, el duelo onírico parece mirar al futuro en lugar de hacia el pasado. El soñador puede ver a su ser querido en circunstancias felices, o ser visitado y tranquilizado por él. Esos sueños son capaces de dejar en la mente consciente una sensación de bienestar, incluso de júbilo, y en muchos casos son tan realistas que el soñador se convence de la existencia de vida después de la muerte.

La amplificación (véase página 108) puede proporcionar vínculos con historias provenientes de la tradición clásica, como la soledad de la ninfa Eco, quien en respuesta a sus llamadas de amor sólo recibía el eco de su voz. El soñador quizá descubra que estos precedentes arquetípicos son útiles como punto de referencia para encontrar argumentos para lidiar con las pérdidas.

Bolso vacío

El descubrimiento repentino de un bolso o bolsillo vacío puede indicar la pérdida no sólo de un ser querido (por una muerte, divorcio o separación), sino también del afecto, la tranquilidad y la seguridad que se derivaba de su presencia.

Alejamiento de un ser querido

La mente soñadora suele utilizar la distancia como símbolo de duelo. Se puede ver a un ser querido que se aleja en la distancia o que se despide con la mano desde la cumbre de una colina remota, o tal vez saliendo por una puerta o portal. Los sentimientos de pena que acompañan a esta imagen suelen mezclarse con el resentimiento; sobre todo si el fallecido nos ignora cuando intentamos llamar su atención. Si, por otra parte, soñamos que un ser querido se despide de nosotros alegremente antes de desaparecer en la lejanía, quizá sea señal de que nuestra pena se está disipando a medida que nos acostumbramos a la pérdida.

Casa sin luces

En los sueños, las casas suelen representar al soñador o las cosas que dan a su vida estabilidad y sentido. La lúgubre imagen de una ventana a oscuras sugiere la extinción no sólo del ser querido, sino también de aspectos vitales de la vida consciente del soñador.

Cenizas o polvo

Solemos asociar las cenizas y el polvo con la desaparición de nuestras vidas de una persona, objeto o experiencia que apreciamos. Recordando las palabras que se dicen en los funerales cristianos, las cenizas son un símbolo potente tanto del crematorio como de la tumba. Igual que los funerales se celebran tanto para ayudar a los vivos con su pena como para llorar la pérdida del muerto, un sueño en el que aparezcan cenizas puede simbolizar el entierro de una experiencia dolorosa o difícil.

Perder a alguien entre la multitud

El escenario de perder de vista a alguien querido en medio de una gran acumulación de gente es un sueño comúnmente asociado al duelo. Podemos descubrir simplemente que ya no está con nosotros o vivir la traumática experiencia de ver como la masa de gente lo aleja de nuestro lado. No es extraño que el sentimiento de pérdida venga acompañado de una sensación de resentimiento y abandono.

No poder entrar

Encontrarte ante una puerta, sin que seas capaz de encontrar las llaves o entrar de otra manera, puede representar la barrera aparentemente insuperable de la pena. Tomando conciencia simplemente de la existencia de ese obstáculo, el sueño quizá marque el inicio del proceso de curación. A partir de ese punto, podemos ser capaces de imaginar maneras de abrir la puerta a un futuro más allá del dolor.

Emociones incongruentes

Sentirse intensamente triste, molesto o enfadado en lo que debería ser un acontecimiento feliz, como por ejemplo una fiesta de cumpleaños, puede sugerir que necesitamos encontrar tiempo fuera de las distracciones de la vida cotidiana para expresar nuestra pena. Si experimentamos una felicidad inapropiada en un escenario en que en el mundo real normalmente sería triste, el sueño tal vez esté indicando un estado de negación, un rechazo subconsciente a afrontar la pérdida. Sin embargo, sentir júbilo en un suceso onírico como un funeral, puede indicar un estado mental muy positivo: la fe en una existencia más allá de la tumba, quizá, o la aceptación de la muerte como una parte necesaria de la vida.

Contrariamente, el sueño podría señalar un estado de negación: para protegernos emocionalmente del desgarrador dolor de la pérdida, nos negamos de manera subconsciente a aceptar la realidad de la muerte.

Perder un objeto

El sueño de perder una posesión apreciada o valiosa quizá represente el sentimiento de pérdida que sentimos cuando alguien que jugaba un papel importante para nosotros deja de formar parte de nuestra vida. También puede ser un sueño de ansiedad relacionado con un objeto que realmente hayamos perdido o indicar que una parte de nuestro yo ha cambiado y progresado.

Fe y espíritu

Muchos sueños pueden ser esencialmente espirituales. Con los sentidos corporales entumecidos ante estímulos externos, la mente goza de libertad espiritual, de manera parecida al alma que abandona el cuerpo en el éxtasis religioso.

Carl Jung fue el primero en reconocer las maneras en las que los sueños pueden promulgar la búsqueda espiritual. Se dio cuenta de que la exploración de la verdad espiritual y religiosa, más allá de nuestras vidas cotidianas y materiales, es una de las energías más fuertes de nuestra psique, nacida directamente del inconsciente colectivo: ese enorme almacén genético de mitos y símbolos que proyecta imágenes arquetípicas a nuestras mentes conscientes, sobre todo en sueños.

La religión y espiritualidad, más que ningún otro tema, se expresan en los «grandes» sueños del nivel 3. El «mensaje» suele transmitirse mediante revelaciones oníricas que arrojan repentinamente una luz cristalina sobre el pasado o que iluminan el camino futuro del soñador. La mente soñadora puede encontrar imágenes arquetípicas que transmiten mensajes profundos sobre nuestras necesidades y rumbo espirituales. Jung llamó a uno de estos arquetipos Espíritu, lo contrario de la «materia», que en los sueños puede aparecer personificado como

un fantasma o representado de manera más abstracta como una sensación de infinidad o amplitud. También es frecuente que aparezca en sueños espirituales el Anciano Sabio, como un guía hacia la espiritualidad o un maestro de verdades. Otros arquetipos pueden adoptar la forma de símbolos o iconos religiosos. A veces se producen experiencias trascendentales, dejando al soñador con sensaciones profundas de exaltación y paz interior.

Los sueños de nivel 1 y 2 suelen mostrar el mundo espiritual en términos más inmediatos y prácticos. Los sueños en los que aparecen sacerdotes u otros cargos religiosos relevantes pueden representar la autoridad de la Iglesia establecida; mientras que los profetas del Viejo Testamento, los santos cristianos, los avatares hindúes o los bodhisattvas budistas tal vez simbolicen aspectos de la identidad espiritual del soñador, aspiraciones o sus reacciones subconscientes a las instituciones espirituales.

Sueños que estaríamos tentados de interpretar en términos sexuales, como escalar montañas o árboles, pueden retratar, de hecho, el progreso espiritual. Una iglesia, cuyo chapitel elevado era considerado un símbolo fálico por Freud, tal vez, en realidad, represente el yo purificado o la riqueza y misterios de las enseñanzas espirituales. El imponente vuelo de un águila puede simbolizar aspiraciones espirituales, mientras que su caída a tierra quizá nos advierta de los peligros del orgullo espiritual.

La amplificación de los sueños espirituales podría centrarse de manera muy útil en una de las historias de creación o reencarnación, o en una búsqueda de iluminación. La historia de Siddharta Gautama, quien se convirtió en Buda o «el Iluminado», nos cuenta cómo creció y fue educado como príncipe, protegido de cualquier sufrimiento, pero abandonó esa vida para buscar la iluminación. Otro ejemplo es el mito nórdico de Odín, quien renunció a un ojo para beber de la fuente de la sabiduría y así poder guiar al mundo en la agitación del Ragnarok, la batalla del final de los tiempos.

Mediante las experiencias vividas a través de los sueños espirituales, podemos regenerar nuestra capacidad de maravillarnos y, de este modo, recuperar la sensación de la profundidad que puede existir bajo la superficie de las cosas.

Buda

Buda enseñó que la verdad se encuentra en el interior, no en el exterior. Su aparición en sueños suele servir para recordar al soñador la necesidad de encontrar quietud en el centro de su propio ser.

Deidades hindúes

El hinduismo es una religión con muchas deidades de simbolismo complejo y multifacético. Brahma es el origen del cosmos, Vishnu es su protector y Shiva (véase debajo) es el destructor de demonios y creador de vida. Su aparición expresa pasiones perturbadoras, pero también gran amor, creatividad y la liberación de energías.

Shiva

Las religiones orientales han penetrado en la cultura occidental, por lo que pueden abrirse camino hasta nuestros sueños. Por ejemplo, la deidad hindú Shiva Nataraja, el señor de la danza, puede aparecer como el aspecto dual de la divinidad: es

tanto destructor como creador, paradójicamente temible y benigno, y danza dentro de un círculo de fuego que purifica y libera.

Ser de luz

Fundamental en la interpretación de los sueños jungiana, el ser de luz es la imagen arquetípica que personifica un principio espiritual universal común a todas las culturas y religiones. Suele aparecer una figura bañada en luz o rodeada de un halo brillante; un símbolo generalizado de energía divina que el ego consciente acepta con facilidad.

La Virgen María

La Virgen María personifica el principio divino femenino que aparece en todas las religiones del mundo como símbolo de pureza. En sueños, a menudo representa un amor o compasión supremo o completamente altruista, y el poder que gobierna los cielos mediante la piedad y la santidad en vez de a través de la autoridad y la fuerza.

Sacerdote

Un sacerdote, rabino, pastor u otra persona religiosa tal vez represente la autoridad de la Iglesia. Esa figura también puede simbolizar a un padre que nos transmite su sabiduría moral y espiritual como a sus hijos; quizá estamos buscando certezas morales simples.

Jesucristo

Los sueños sobre Jesús pueden darse en momentos críticos de nuestras vidas, como cuando estamos cerca de la muerte, o en situaciones en las que las cuestiones personales o espirituales se convierten en una preocupación primordial. Una de las imágenes más potentes es la de Jesucristo en la cruz, un símbolo multifacético de vida, muerte, resurrección, sacrificio y salvación.

El Cielo

El Cielo puede aparecer como un paisaje idealizado o como lo hace en el arte religioso: cielos que refulgen de luz y que se ilustran con Dios rodeado de ángeles y querubines. Otra representación común del Paraíso es un jardín precioso. Éste puede ser un intenso sueño de satisfacción de deseos o un mensaje tranquilizador en un período de duelo.

Ángeles

En la tradición cristiana los ángeles son mensajeros celestiales que llevan la palabra de Dios a los humanos. Un sueño sobre la Anunciación, cuando el arcángel Gabriel le dijo a María que daría a luz al niño Dios, es factible que se dé en un momento de transición espiritual; por su parte, la imagen del arcángel Miguel liderando a las huestes celestiales contra Satán es un símbolo de luz que emerge de las fuerzas de las tinieblas, quizá indicando la presencia de un «demonio» personal que debemos superar.

Profetas y santos

Las figuras sagradas representan nuestras aspiraciones religiosas. En nuestros sueños pueden ofrecernos guía o animarnos en nuestra búsqueda personal de iluminación o realización espiritual.

El Juicio Final

Soñar que estás delante de Dios puede ser una imagen del Juicio Final. Quizá debamos ocuparnos de algún aspecto negativo de nuestra psique antes de poder entrar en el plano espiritual.

El vuelo del águila

Un águila o un cóndor majestuoso que surca los cielos es un símbolo onírico común de las aspiraciones espirituales, pero su caída repentina al suelo puede advertirnos de los peligros de enorgullecernos de nuestro progreso espiritual.

El yo y los otros

Los símbolos relacionados con nosotros mismos y nuestras interacciones con los demás se integran frecuentemente en nuestros sueños. El subconsciente emplea comúnmente los símbolos corporales de manera simbólica para indicar una relevancia metafórica subyacente y obvia. En el caso de los órganos físicos, el significado puede estar relacionado con su forma (como en la perspectiva freudiana) o con su función; por ejemplo, la lengua es necesaria para la articulación clara de ideas o emociones. De manera similar, cuando una persona aparece en sueños, quizá sean sus asociaciones simbólicas y no tanto su verdadera identidad lo que nos proporcione la clave para interpretar el significado de lo que estamos soñando.

El cuerpo y sus funciones

En las culturas antiguas egipcia, griega, romana y medieval europea, el cuerpo se utilizaba como metáfora del mundo espiritual. Está visión se refleja en la máxima acuñada por el dios filósofo Hermes Trismegisto, «lo que está arriba es como lo que está abajo», y en la idea bíblica de que Dios creó al hombre a su imagen y

semejanza. Los sueños también pueden conectar el cuerpo con el reino espiritual. La condición corporal del soñador o de otros personajes que aparecen en los sueños de éste puede reflejar rasgos de la psique del soñador, o tal vez los distintos niveles de progreso espiritual.

Más claramente, los sueños pueden aludir al cuerpo como una advertencia para tratar problemas de salud, o como una vía para expresar sensaciones sobre la dieta o el ejercicio. Para los primeros investigadores de la materia, los sueños del cuerpo podían revelar el futuro. Artemidoro (170 d. J.C.) escribió que para un hombre soñar que está bien afeitado podía indicar «vergüenza inminente y problemas»; mientras que Thomas Tyron, un intérprete de sueños inglés del siglo XIX, insistía en que soñar con que tenemos el ombligo más grande de lo normal era un presagio de un aumento en la riqueza familiar, o que verse la propia espalda en sueños predecía mala suerte o (quizá de manera más evidente) la llegada de la vejez.

Freud asociaba los sueños de excreciones y aseo personal con la fase anal del desarrollo psicosexual. El niño pequeño experimenta una satisfacción erógena con la excreción, y esa experiencia, si los adultos no la tratan con cuidado durante la enseñanza del aseo personal, puede dejar en el individuo una permanente sensación de vergüenza, asco y ansiedad sobre las funciones naturales.

Izquierda y derecha

Para los junguianos, que nuestros sueños se centren sobre el lado derecho de nuestro cuerpo suele hacer referencia a aspectos de la vida consciente, mientras que el lado izquierdo representa al subconsciente. La izquierda está tradicionalmente ligada a la mala fortuna y falta de formalidad (siniestro significa «izquierda» en latín), y los sueños que se concentran en la mano o el lado izquierdo del cuerpo pueden reflejar nuestras reservas, conscientes o no, sobre algún individuo o empresa. Por contra, el lado derecho se asocia con la confianza (de ahí los hombres «hechos y derechos») y la buena suerte, y los sueños que se centran en el lado derecho pueden tener sus raíces en una sensación de optimismo.

Huesos

Los huesos es posible que representen la esencia de las cosas. Ser despellejado o cortado hasta el hueso puede significar una repentina visión interior, pero a veces también un ataque profundo contra la personalidad del soñador. Los huesos rotos tal vez sugieran debilidades fundamentales, mientras que el esqueleto se asocia con la muerte.

Ojos

Los ojos son ventanas simbólicas al alma y proporcionan claves sobre el estado de salud espiritual del soñador. Los ojos brillantes sugieren una vida interior saludable. Los apagados o cerrados, por otra parte, tal vez apunten a sentimientos de ansiedad, bloqueo emocional o falta de comunicación.

Corazón

El corazón carga con el significado arquetípico de centro de nuestra vida emocional, y en particular es un símbolo del amor. La sangre puede denotar la pulsión de nuestra fuerza vital; si es derramada, su sacrificio y pérdida. El corazón es capaz de reflejar nuestra necesidad de amor incondicional, cuidados y seguridad emocional. Si está roto o mal formado, puede apuntar a inseguridades en nuestros sentimientos hacia alguna persona cercana.

Cara

Casi nunca nos vemos la cara como la ven los demás: en las fotografías el color puede no ser real y en el espejo la imagen está invertida. Ver nuestra propia cara puede, por tanto, alertarnos de la necesidad de plantearnos quiénes somos de verdad y de deshacernos de la máscara que solemos mostrar a los demás. Una imagen onírica de una cara también puede asociarse con una suerte de juegos de palabras oníricos; quizá tengas que «encarar» una situación difícil. O tal vez sientas que alguien tiene «dos caras».

Cabeza

La cabeza suele simbolizar una figura de autoridad, como nuestro padre. Desde detrás, puede significar un padre emocionalmente distante; o, si ha muerto, un sentimiento de pérdida. La cabeza también puede representar nuestro intelecto y la capacidad de pensamiento racional; quizá no estamos respondiendo lógicamente a una situación.

Boca

Para Freud, soñar con una boca representa, a veces, una fijación en una etapa inicial de desarrollo psicosexual, marcada por características inmaduras como candidez o agresiones verbales. Sin embargo, la boca es también un símbolo de comunicación y expresión personal, y su aparición en sueños puede relacionarse con una creatividad no explorada o con emociones no verbalizadas.

Dientes

Artemidoro interpretaba la boca como el hogar: los dientes del lado derecho eran sus habitantes masculinos; los del izquierdo, los femeninos. Los dientes (cayéndose, rotos, etcétera) son el foco de muchos sueños de ansiedad; esto no sorprende, ya que la boca es la única parte de la cabeza donde podemos sentir algo cuando dormimos. Soñar con que se te caen los dientes puede indicar miedo de perder la juventud o la vitalidad, y por extensión, la energía sexual. Pero si soñamos que perdemos los dientes de leche, tal vez estemos ante un símbolo optimista de la transición a una nueva etapa de nuestra vida.

Espalda

Si en un sueño alguien nos da la espalda, quizá es que nos sentimos abandonados o decepcionados por alguien o algo de nuestra vida. Si vemos la espalda de un pariente, quizá sintamos que no nos han prestado el suficiente apoyo y cuidado. Si un grupo de gente está de espaldas a nosotros, el sueño puede ser una respuesta a una sensación de exclusión.

Sangre

Fundamentalmente, la sangre simboliza la vida misma, pero es un símbolo complejo con muchos significados potenciales distintos. Si la sangre brota de repente, puede representar emociones violentas o la sensación de que alguien o algo nos está quitando la vida. Quizá estamos haciendo un gran esfuerzo en una relación o en el trabajo y no está siendo valorado. La sangre derramada también puede indicar dolor, sufrimiento o lesiones, tanto físicas como emocionales; si aparece como una mancha, quizá es que en nuestro interior sufrimos una culpa profundamente arraigada. La sangre también puede asociarse con la menstruación y, por tanto, con la renovación de la sexualidad femenina. En los varones es posible que apunte a un miedo respecto a los atributos físicos de la mujer o incluso el miedo a una agresión sexual.

Nariz

Para los freudianos, una nariz prominente es un símbolo fálico. El sueño habitual de «Pinocho», con una nariz que crece como castigo por mentir, suele interpretarse como una revelación de culpa sobre un comportamiento no del todo honesto, sobre todo en materia sexual. Por contra, un sueño en el que la nariz tiene un papel destacado puede estar animándonos a «hacer lo que nos diga nuestra nariz» y seguir nuestros instintos.

Orejas

Cuando en nuestros sueños aparecen orejas, quizá éstas nos estén reclamando que prestemos más atención al mundo que nos rodea. Tal vez estamos tan atrapados en nuestra vida interior que no hemos percibido las palabras o el comportamiento de los que nos rodean. Quizá intenten decirnos algo importante.

Pelo

A menudo es un símbolo de vanidad, pero también puede expresar la feminidad de una mujer o la fuerza y asertividad de cada sexo. En la historia bíblica de Sansón y Dalila, aquél pierde su fuerza cuando le cortan el pelo. Para mucha gente la pérdida de pelo es un signo evidente de una juventud que escapa. Sin embargo, también hay connotaciones positivas: afeitarse la cabeza puede representar un nuevo inicio o la renuncia de los hábitos mundanales. Por otro lado, además, las cabezas rapadas se asocian normalmente con monjes.

Piel

La piel representa la apariencia que mostramos al mundo exterior. De este modo, una piel suave e inmaculada puede indicar un anhelo poco realista por la perfección, mientras que las cicatrices e imperfecciones tal vez expresen un sentimiento de falta de adaptación personal. Las heridas y cicatrices también suelen representar experiencias emocionalmente dolorosas, y el sueño puede revelar nuestra actitud hacia ellas, dependiendo de si las ocultamos o si, por el contrario, las mostramos con orgullo.

Manos

Las manos representan la acción, sea ésta buena o mala. Lavarnos las manos tal vez sugiera que queremos evitar la responsabilidad y evoca la imagen de Poncio Pilatos lavándose las suyas para indicar su inocencia respecto de la muerte de Jesucristo. Ser incapaz de limpiar una mancha de nuestras manos quizá esconda un sentimiento de culpa no redimida. Una mano abierta y extendida a menudo simboliza generosidad o la mano de un amigo, mientras que, por el contrario, una mano cerrada en un puño representa ira, agresión o fuerza.

Brazos

Los brazos suelen ser un instrumento de castigo o un recurso reconfortante. Pueden estar cruzados defensivamente o abiertos a las oportunidades. Los brazos alzados tal vez sugieran autoridad o conflicto, incluso con una connotación bélica. Si soñamos con unos brazos extendidos, quizá estamos anhelando contacto físico o que nos reconforten. Los brazos que nos rodean pueden representar la necesidad de ser consolados.

Uñas

Soñar con arañarle la cara a un amigo o compañero de trabajo no significa necesariamente que queramos hacerle daño. En vez de eso, podemos estar expresando el deseo de arañar la superficie de su personalidad para conocer a la persona de verdad.

Piernas

Las piernas representan los fundamentos, tanto si sentimos que son sólidas como si no nos aguantamos sobre ellas. También pueden indicar el impulso de dar un paso adelante, en una relación o en nuestra carrera.

Barriga

Desde la Antigüedad, una barriga redondeada ha sido símbolo de fertilidad femenina, por razones obvias. Para la mujer, soñar con un vientre redondeado puede simbolizar los sentimientos maternales, mientras que para ambos sexos suele indicar el deseo de regresar a la protección cálida del útero. También se dice que el abdomen representa nuestros «instintos viscerales», así como nuestra intuición.

Pechos

El pecho de una mujer sugiere el amor incondicional de la madre y puede expresar el deseo de ser alimentado o alimentar. Como fuente de todo alimento, y en consecuencia de la propia vida, durante nuestros primeros meses, los junguianos interpretan que los pechos representan el deseo de una renovación y regeneración espirituales. Un sueño sobre pechos también puede ser de satisfacción de deseos sexuales.

Glúteos

Los glúteos grandes tal vez representen la sexualidad femenina o, más simplemente, el deseo sexual frustrado.

Funciones corporales

La excreción suele representar la ansiedad del soñador respecto a la vergüenza pública, o su impulso urgente por expresar o aliviar su yo, tanto por razones creativas como catárticas. La menstruación puede tener connotaciones similares y suele asociarse con una repentina liberación de energía creativa. Soñar con buscar sin éxito un lavabo puede indicar un conflicto entre la necesidad de expresarse en público y el miedo a hacerlo; mientras que soñar con encontrar un lavabo ocupado indica celos respecto a la posición o creatividad de otra persona. Provocar el derramamiento de un lavabo señala un miedo a perder el control emocional o cierta incapacidad para encauzar la energía creativa.

Lavarse y bañarse

Lavarse puede ser un potente símbolo de purificación y renovación. Muchas religiones distintas tienen rituales de aseo, desde el rito cristiano del bautismo hasta el acto de lavarse los pies antes de entrar en un templo. Los jungianos interpretan los sueños de lavarse como una representación de un acto de purificación o rejuvenecimiento que se realiza antes de embarcarse en una nueva etapa de la vida o alcanzar un nivel más elevado de conciencia. Más mundanamente, un sueño que se

centra, concretamente, en lavarse el pelo se puede asociar con nuestro deseo de librarnos de nuestra pareja, un amigo o un compañero de trabajo, mientras que limpiarse enérgicamente el cuerpo simboliza, a menudo, la necesidad obsesiva de librarnos de la responsabilidad de un acto del que nos avergonzamos o que sentimos que es moralmente reprobable.

Frotarse con una toalla

Frotarse el cuerpo con una toalla puede simbolizar la masturbación, que a su vez, en muchas ocasiones, indica frustración sexual. La masturbación también puede asociarse con sentimientos de culpa o vergüenza si nuestros padres o profesores manejaron la sexualidad adolescente con más torpeza que sensibilidad.

Falta de privacidad

Que el soñador esté ansioso porque un lavabo está falto de privacidad puede indicar miedo a la exposición pública o una necesidad de mayor expresión personal. En términos freudianos, el soñador puede sentirse frustrado al no encontrar una oportunidad adecuada para expresarse. Por otra parte, los soñadores que alardean de su aseo pueden revelar una tendencia al exhibicionismo. Además, el sueño tal vez sea una expresión de ira por no recibir una mayor estimación pública o gratificación económica por un esfuerzo creativo o profesional.

Nacimiento y resurrección

Las experiencias humanas universales del nacimiento, la muerte y el envejecimiento aparecen a menudo de manera destacada en nuestros
sueños. Todos formamos parte de ese ciclo continuo, que no sólo engloba el gran progreso de
nuestra existencia y del mundo que nos rodea,
sino también los ciclos concretos que se dan
durante nuestra vida: el principio y el fin de las
relaciones, o el paso de las estaciones y las fases
de la luna. En la concepción jungiana del inconsciente colectivo no existe finalidad, sino un
ciclo constante de cambio. En nuestros sueños,
como en nuestros mitos, la muerte puede que no
sea un final, sino una parte más de un proceso
completo de crecimiento y transformación. De
la misma manera que la vida nace de la muerte en el mundo material (muchas religiones del
mundo celebran la muerte y el renacimiento del
año), nuestras energías psicológicas y espirituales también están recreándose constantemente.

Preocupado por la existencia en todos sus aspectos, el inconsciente colectivo actúa como una especie de canal por el que las energías mentales y espirituales nuevas o renovadas pueden acabar desembocando en el mundo consciente.

Los sueños a menudo muestran renacimientos y renovaciones devolviendo al soñador a su infancia. Es posible, por tanto, que el sueño de volver a ser niño refleje preocupaciones adultas (como la necesidad de romper con una rutina y empezar de nuevo o el advenimiento de una nueva inspiración), en lugar del deseo de revivir nuestros años formativos. De manera similar, si soñamos que somos más viejos de lo que realmente somos, la edad puede que, simplemente, sea un símbolo de sabiduría, rigidez mental o enfermedad física. Por otro lado, si otra persona aparece en nuestros sueños más joven o más viejo de lo que es, es posible que eso refleje envidia de su vitalidad o de su gran experiencia.

La resurrección (el regreso a la vida de personas, animales o árboles muertos) es un clásico arquetipo onírico, asociado normalmente con el inicio de una nueva vida en la que se superan las viejas ideas. Por otra parte, esos sueños también pueden estar advirtiéndote del retorno de problemas que no se enterraron adecuadamente en su momento.

Huevo

En muchas tradiciones mitológicas, el huevo se describe como el origen del cosmos y de toda la existencia. Descubrir un huevo, un bebé, un pájaro recién salido del cascarón, o cualquier otra forma de nacimiento, puede indicar la emergencia de nuevas posibilidades en la vida del soñador y también destacar la necesidad de cuidados atentos.

Nacimiento

El nacimiento, tanto del propio cuerpo como de otros, suele asociarse con nuevas ideas y soluciones. A veces es un simple sueño de satisfacción de deseos, pero en ocasiones es una indicación clara de las posibilidades reales que esperan que las exploremos. El nacimiento también puede simbolizar un nuevo despertar espiritual en el interior del soñador, aunque es importante recordar que como recién nacidos somos vulnerables y dependemos de los demás.

Semilla

Los sueños en los que aparecen semillas o bulbos pueden significar la germinación de nuevas ideas o el principio de una nueva etapa en nuestra vida. Cosas muy grandes pueden nacer a partir de un principio muy pequeño, siempre que sean criadas en el entorno adecuado.

Desnudez y atuendos

La tradición occidental ofrece dos interpretaciones asombrosamente diferentes de la desnudez: por una parte, inocencia infantil; por otra, un apego profano e ilícito a los placeres de la carne. Después de caer en desgracia en el Paraíso, Adán y Eva cubrieron sus cuerpos desnudos; la vergüenza había penetrado en su conciencia, y el mundo ya nunca volvería a ser el mismo.

En los sueños de nivel 3, la desnudez (como el arquetipo del Niño Divino, véase página 106) en ocasiones representa la naturaleza espiritual del soñador, o su auténtico yo. En sueños de nivel 1 y 2, puede tener gran variedad de significados, que van desde la vulnerabilidad, el derribar barreras, el superar la vergüenza y el amor por la verdad. Una ansiedad excesiva por la desnudez propia o de otros puede sugerir el miedo a la honestidad o la franqueza en las relaciones, o la incapacidad de aceptar e integrar las propias energías sexuales. Para Freud, la desnudez también podía representar la añoranza de la inocencia infantil perdida, o una expresión del exhibicionismo sexual reprimido del soñador, normalmente fruto de actitudes paternas punitivas hacia el soñador durante las etapas más exhibicionistas de la infancia.

Las vestimentas también son ambivalentes. Pueden tomar la forma de prendas brillantes de luz vestidas por santos, dioses y ángeles, o representar la vanidad terrenal, el impulso para engañar mediante las apariencias u ocultar la vergüenza o imperfecciones.

Aunque la ropa cubre la desnudez, según sea su corte, su forma o su función atrae la atención sobre lo que pretende ocultar. Los sueños sobre sujetadores o pantalones pueden, por tanto, representar pensamientos sobre pechos o genitales, o sobre masculinidad, feminidad o sexualidad.

La ropa, en especial de colores alegres, a menudo hace referencia a aspectos positivos del crecimiento espiritual o psicológico del soñador, pero cuando es demasiado elaborada puede sugerir cierta tendencia a la ostentación más mundana. Puesto que la ropa es capaz de hacer que el que la lleva parezca más alto o delgado, rico o pobre, de lo que realmente es, también puede simbolizar autoacusaciones de hipocresía: un chaleco chillón, por ejemplo, a veces representa nuestro conocimiento íntimo de que nos hemos creado una «persona falsa» y, mediante esa máscara, estamos engañando a los demás.

La mujer desnuda

Venus y otras diosas clásicas eran representadas a menudo total o parcialmente desnudas. Esa desnudez divina se utilizaba como símbolo de amor y belleza sagrada; en el caso de las nueve musas, representaba la verdad divina del arte. La desnudez en una mujer poderosa, como Diana, la diosa romana de la caza, puede ayudar a sugerir el Ánimus, el principio activo de la mujer. Para los freudianos la desnudez femenina suele ser una expresión de deseo sexual. Para la mujer puede indicar tendencias lésbicas o el deseo de exhibirse.

Desnudez

Los sueños en los que otra persona o nosotros aparecemos desnudos pueden tener muchos significados distintos y para interpretarlos es importante observar atentamente el estado de ánimo del sueño y el contexto en que se da la desnudez. En términos generales, suele indicar un anhelo por la inocencia perdida; la falta de conciencia infantil que recuerda a Adán y Eva en el Jardín del Edén. La desnudez también puede ser un signo de franqueza y honestidad, indicando la aceptación del propio yo o la voluntad de afrontar los hechos tal como son. En un sueño de ansiedad, sin embargo, esa misma franqueza en ocasiones se traduce en una sensación de vulnerabilidad.

Aceptar la desnudez

El hecho de aceptar la desnudez apunta a un aprecio por la libertad y la naturalidad. Aunque los freudianos interpretan los sueños en los que aparecen otras personas desnudas como un sueño de satisfacción de deseos, también pueden indicar la habilidad de ver más allá de las defensas de los que nos rodean y de aceptarlos tal como son. Si aceptamos con entusiasmo la desnudez de las personas que encontramos en sueños, puede que estemos frustrados con el comportamiento afectado y las personalidades artificiales con las que nos encontramos en nuestra vida cotidiana.

Desnudez en los niños

La desnudez en los niños suele representar inocencia, aunque a veces se asocia con el arquetípico del Niño Divino (véase página 106). Si el soñador intenta cubrir la desnudez del niño, esto puede indicar mojigatería, artificio o una incomodidad general con la autoexpresión.

Asco ante la desnudez de otro

Sentirse desasosegado o asqueado por la desnudez de otra persona sugiere ansiedad, disgusto o aversión al descubrir la verdadera naturaleza que se esconde tras sus pretensiones. Cuando el cuerpo no tiene nada inherentemente ofensivo, el sueño puede mostrar la renuencia a dejar que los demás sean ellos mismos. Por otra parte, responder con asco a la desnudez de los demás tal vez indique que somos cautos o no queremos iniciar una relación íntima emocional o física con alguien.

Los otros no se preocupan por la desnudez del soñador

Soñar que estás desnudo en un lugar público entre otras personas a las que no les importa o que no prestan atención tal vez sugiera que no te preocupa lo que los demás piensen de ti. También puede indicar que debemos descartar por infundado cualquier temor a ser rechazados si mostramos nuestro verdadero yo, psicológico, espiritual o físico. Quizá necesitamos aprender a aceptarnos a nosotros mismos tal como somos u ocuparnos de traumas emocionales pasados.

El hombre desnudo

Los freudianos interpretan los sueños en los que aparece un hombre desnudo bajo la misma perspectiva que los sueños con mujeres desnudas, indicando un deseo heterosexual u homosexual o, si el soñador es hombre, inclinaciones no manifestadas hacia el exhibicionismo. Para los junguianos, el hombre desnudo idealizado ha de asociarse con imágenes clásicas de los dioses griegos y romanos, y puede expresar un amor profundo por la cultura, la belleza y el arte, o la aspiración de objetivos espirituales más elevados.

Ropa ajustada o suelta

La ropa demasiado ajustada o que constriñe (sobre todo en atuendos formales como los trajes) suele indicar que el soñador se siente inhibido o restringido por su papel público o profesional en su vida diaria. Más extrañamente, sugiere que tiene ideas que van más allá de su posición o que apuntan más alto de lo que puede llegar en las circunstancias del momento. La interpretación freudiana se fija en su naturaleza reveladora y entiende que la ropa ajustada representa una preocupación con los pechos o los glúteos, cuya forma revelan.

Por contra, llevar ropa suelta puede indicar el deseo de liberarse de las restricciones e inhibiciones de la moralidad y los convencionalismos sociales. Sin embargo, su falta de forma sugiere que el soñador intenta ocultar la suya verdadera y, por extensión, que no quiere que su naturaleza sea evidente a los ojos de aquellos que le rodean.

Capa

La capa, un símbolo particularmente ambivalente, puede simbolizar ocultación o secretismo ilícito, misterio y lo oculto, o ternura protectora y amor. La psicología freudiana siempre tiene la tendencia de relacionarla con una forma de envolver la sexualidad femenina.

Kimono

Los kimonos se asocian con Oriente y, en especial, con Japón. Podemos sentir alguna conexión cultural con el Lejano Oriente o quizá, si el kimono parece una vestimenta incongruente, nuestro sueño tal vez esté apuntando a algún aspecto de nuestra persona que nos hace sentir extraños.

Jersey deshilachado

Un sueño en el que una prenda de lana se deshilacha tal vez quiera llamar nuestra atención hacia una sensación de creciente desilusión, tanto con un individuo como con un plan o ideal que apreciamos. La asociación directa jungiana se puede utilizar para identificar qué representa el jersey para nosotros.

Sombrero

Los sombreros poseen varios significados distintos: Jung creía que simbolizan el pensamiento y que el tipo de sombrero que llevamos en sueños es, por tanto, muy significativo. Si cambiamos de sombrero o compramos uno nuevo, quizá estamos en una etapa de desarrollo personal en la que estamos abiertos a nuevas ideas y dispuestos a renunciar a creencias antiguas, ya superadas.

Cinturón

Los cinturones sujetan la ropa y, en consecuencia, pueden representar la corrección social y la necesidad de mantener las apariencias. Los sueños de ansiedad en los que aparece un cinturón que no funciona bien suelen reflejar preocupaciones sobre mantener nuestra imagen pública y no transgredir las normas del comportamiento socialmente aceptable. Los cinturones también son una atadura y constriñen, y soñar con que nos lo soltamos puede representar el deseo de escapar de los confines de nuestras inhibiciones o de las que nos han impuesto el código moral o los convencionalismos de la sociedad en que vivimos.

Turbante

Para los musulmanes y los sijs, los turbantes representan estatus y pertenencia a una comunidad concreta. Poseen connotaciones de dignidad y de autoridad masculina dominante. Para personas que no forman parte de grupos religiosos o étnicos portadores de turbante, esa prenda se puede asociar con lo desconocido y lo exótico., con nuevos horizontes o experiencias.

Botas

Según el contexto, un sueño en el que las botas tienen un papel destacado puede estar llamando nuestra atención sobre la necesidad de eliminar una influencia negativa de nuestra vida, o reflejar un cambio de estatus o de fortuna. Las botas de cuero y tacón alto o acordonadas también pueden tener connotaciones de dominación sexual, mientras que las botas para caminar, que nos protegen los pies y nos proporcionan estabilidad y sujeción cuando andamos por terrenos complicados, a veces aluden a que necesitamos mantenernos con los pies en el suelo durante episodios complicados de nuestra vida.

Pieles

Vestir pieles en sueños puede apuntar a delirios de grandeza o nostalgia de glorias pasadas. Utilizado para forrar las togas de los jueces y de la realeza, el armiño blanco es un símbolo tradicional de pureza moral y puede representar tanto una inocencia infantil como la aspiración a una posición de responsabilidad moral o social. Para los freudianos, las pieles son un símbolo del vello púbico, aunque un sueño en el que el soñador está envuelto en una cómoda prenda de piel también puede estar indicando el deseo de regresar a la calidez y seguridad del útero materno.

Armadura

Soñar con que llevas puesto un ropaje pesado o armadura indica que estamos demasiado a la defensiva en nuestra vida. La mente soñadora puede estar indicando que con algo más de confianza en nosotros mismos, franqueza y comodidad social, no tendríamos que tomar medidas tan extremas para protegernos de los peligros que percibimos en el mundo exterior.

Ropa interior

La ropa interior puede representar actitudes subconscientes y prejuicios, sentimientos que preferimos mantener «tapados». Su color y estado nos dan claves importantes sobre las cualidades concretas a las que se aluden. La sensación de vergüenza por ser visto en ropa interior en un lugar abarrotado de gente tal vez indique la renuncia a mostrar esas actitudes en público.

Vestido o falda

Se ha convertido en normal que las mujeres occidentales vistan pantalones en lugar de falda, así que la aparición de un vestido o una falda puede indicar la necesidad, tanto para hombre como mujer, de integrar y expresar los aspectos femeninos de la psique. Algunos vestidos tienen connotaciones particulares; un sueño en el que llevamos un precioso tra-

je de fiesta quizá nos esté animando a explotar y mostrar nuestras mejores cualidades personales.

Anillos

Como símbolo del matrimonio, los anillos pueden simbolizar el compromiso y la satisfacción. También pueden ser un emblema del ciclo continuo de la vida, con connotaciones de eternidad.

Pantalones cortos

Los pantalones cortos representan juventud e inexperiencia, así que un sueño en el que los llevemos puestos puede indicar que no nos sentimos preparados para un reto al que nos enfrentamos.

Gente

A lo largo de la vida encontraremos, probablemente, a mucha gente en nuestros sueños. Algunos son representaciones directas de una persona
que conocemos y con la que quizá tenemos algún
vínculo, en cuyo caso el sueño trata posiblemente sobre nuestra relación con ese individuo; otros
representan, de manera más abstracta, cualidades
concretas, deseos o temas arquetípicos; aún otros
simbolizan aspectos del propio soñador. La eco-
nomía condensada del simbolismo onírico es tal
que en ocasiones un solo personaje puede cumplir las tres funciones en el trascurso de un único
sueño.

A menudo se requiere de un análisis detallado
antes de identificar la función exacta de un personaje onírico; pero, como sucede en otras áreas del
trabajo con los sueños, existen ciertas tendencias
evidentes.

Jung estableció que un compañero onírico que
aparece con varias formas en distintos sueños,
pero se reconoce como el mismo personaje, representa aspectos del verdadero yo del soñador.
Reflexionando en nuestra vida cotidiana sobre el
comportamiento de este personaje en las diversas
circunstancias del sueño, logramos un entendimiento profundo no solo del yo, sino también de
cómo éste se muestra a los demás.

Por contra, Jung mantenía que la aparición frecuente de un personaje onírico que es todo aquello que el soñador no quiere ser representa al arquetipo de la Sombra; el lado oculto y reprimido
del yo (véase página 105). Sin embargo, no todas
las facetas de la Sombra son negativas: al recono-
cerla admitimos nuestros aspectos más oscuros y
los integramos en la conciencia; si ignoramos a la
Sombra, por otra parte, nuestra naturaleza más
oscura puede aparecer una y otra vez en nuestros
sueños, mostrándose de forma cada vez más destructiva.

Cuando hombres o mujeres muy atractivos o
poderosos aparecen en nuestros sueños, suelen
ser representaciones de los arquetipos del Ánimus y el Ánima (véase página 103), los principios
masculino y femenino que coexisten dentro de
todos nosotros en el nivel del inconsciente colectivo. Esas figuras nos animan a cultivar los
aspectos masculinos o femeninos de nuestra personalidad, aquellos que sean más débiles en esta
etapa de nuestra vida, y a buscar fuerza en sus
cualidades.

Gigantes

En los sueños de los adultos, los gigantes pueden representar recuerdos de la infancia, cuando todos los adultos se alzaban imponentemente sobre el soñador. Para los niños, en ocasiones representan realidades presentes, como el lado temible del padre. Pero aunque los gigantes oníricos son impresionantes, no todos ellos son hostiles. Algunos simbolizan el cuidado y protección que los fuertes pueden dar a los débiles. Si te ves a ti mismo como un gigante tipo Gulliver, rodeado de gente diminuta, tal vez se esté apuntando hacia sentimientos de superioridad o a una intensa conciencia de uno mismo. Quizá estés inflando en exceso tus inseguridades.

Anciano

El hombre viejo suele ser la representación del arquetipo del Anciano Sabio (véanse páginas 103-104). Puede ofrecernos guía, identificando, por ejemplo, el proceder más indicado para una situación difícil. No obstante, si aparece enfermo y débil, puede simbolizar el miedo a envejecer o a la muerte, o en el caso de los soñadores varones, la ansiedad que provoca la impotencia.

Vieja arpía

La vieja arpía aparece en la mitología y las leyendas populares de culturas de todo el mundo. Íntimamente relacionada con el arquetipo jungiano de la Gran Madre devoradora (véase página 106), la vieja arpía puede ser tanto una figura favorable como hostil, pero en ambos casos representa nuestra sabiduría interior latente. Para los freudianos, la arpía suele representar la ansiedad de la castración o las cuestiones no resueltas con nuestra madre.

Mendigo

Los mendigos pueden aparecer en nuestros sueños para recordarnos la naturaleza quimérica de nuestras aspiraciones materiales o quizá como símbolo de una baja autoestima. Están en lo más bajo del escalafón social y dependen completamente de los demás para mantenerse; no obstante, sus vidas no están ligadas a la rutina diaria del trabajo ni a un lugar de descanso fijo. Es posible que un sueño en el que aparezca el símbolo del mendigo, o quizá un gitano, represente el deseo de escapar de la monotonía y los confines de la vida cotidiana.

Testigo silencioso

Una persona que está presente en nuestros sueños pero que se niega o es incapaz de hablar suele representar un desequilibrio entre emoción e intelecto, en el que uno predomina sobre el otro y lo deja sin palabras o impotente.

Vándalo

El joven vándalo, que se niega a comportarse de acuerdo con las reglas sociales, suele representar el deseo de deshacerse de los viejos convencionalismos o inhibiciones que pueden estar restringiendo nuestro crecimiento personal. Por contra, puede ser también un símbolo de nuestro potencial destructivo, y en términos junguianos tal vez exprese parte de los impulsos del lado oscuro de la persona, la Sombra.

Viuda

Los freudianos ven a la viuda, quien ha perdido su marido y en consecuencia la energía masculina de su vida, como un símbolo de la ansiedad de la castración en los hombres. De manera más general, puede representar la muerte o una experiencia de gran pérdida.

Niño

Los sueños en que aparecemos como niños suelen rememorar la inocencia infantil perdida y el amor incondicional de nuestros padres. Los niños también pueden representar aspectos de nosotros mismos; quizá una sensación de vulnerabilidad o un lado juguetón de nuestra naturaleza que no solemos expresar, o el deseo de empezar de cero después de haber tomado un mal camino.

Familia

Cuando en un sueño aparecen todos los miembros de nuestra familia, quizá estemos anhelando la calidez y unión del hogar. El hecho de que podamos verla pero que, sin embargo, no formemos parte del grupo señala con frecuencia hacia un sentimiento de enajenación.

Madre

La madre es un símbolo onírico complejo con muchas capas de significado. En un nivel universal y arquetípico, la madre naturaleza se relaciona con el renacimiento, la fertilidad y la continuidad. Ella da la vida y nutre, pero representa también la muerte y el regreso a la tierra que debe darse para que

surja nueva vida. Los junguianos consideran que el arquetipo de la Gran Madre (véase página 106) tiene un efecto profundo en nuestro crecimiento psicológico. Sin embargo, en la interpretación freudiana, la madre puede ser, o bien un objeto de deseo subconsciente, o bien una figura que representa la ansiedad de la castración. Los sueños sobre la figura materna pueden contener aspectos de ambas interpretaciones, o bien ser literales sobre la relación que tenemos con ella. Cómo interactuamos con nuestra madre en sueños quizá contenga claves sobre nuestra relación presente y acerca de los problemas resultantes de nuestra educación.

Padre

De la misma forma que hemos explicado en el caso de la madre, un sueño en el que nuestro padre ejerce un papel significativo puede simplemente estar ocupándose de aspectos de nuestra relación con él. Las emociones que experimentamos en el sueño (por ejemplo, ira, resentimiento o placer) son de vital importancia para interpretarlo correctamente. Sin embargo, los freudianos entienden estos sueños de manera explícitamente sexual, ya sea para expresar inseguridad sexual o deseo incestuoso, en función de si el soñador es hombre o mujer. Para los junguianos el padre representa al arquetipo del Anciano Sabio.

Gemelos

Los gemelos felices, que suelen representar diferentes aspectos de la personalidad del soñador, sugieren que aspectos opuestos del yo están integrados y en harmonía. No obstante, si soñamos con unos gemelos en conflicto, puede representar una agitación interior.

Hermano o hermana

Los sueños en los que aparecen nuestros hermanos pueden evocar recuerdos de rivalidad o celos fraternales. Aunque la intensidad de la competición puede ser impactante cuando aparece en nuestros sueños, tal vez surja completamente de nuestro almacén de experiencias recordadas y no significa necesariamente que la rivalidad persista en nuestra vida adulta.

Tío o tía

La mente soñadora a menudo utiliza a tíos y tías como sustitutos de nuestra madre o padre para expresar nuestros sentimientos subconscientes hacia uno de ellos o los dos. Los junguianos pueden interpretar al tío como una representación del Ánimus de una soñadora mujer, y a la tía como el Ánima de un hombre (véase página 103).

Abuelos

Nuestros abuelos pueden representar los arquetipos jungianos del Anciano Sabio y de la Gran Madre. También son capaces simbolizar la seguridad
del amor y el apoyo familiar. A menudo la relación que tenemos con nuestros abuelos es menos
complicada que la que mantenemos con nuestros
padres, y un sueño en el que aparezcan tal vez indique el anhelo de una relación igual de tranquila.

Amigos

Un sueño en el que nuestros amigos no nos reconocen o simulan no conocernos puede expresar
falta de confianza en uno mismo. También suele
hacer referencia a ciertas dudas que podemos albergar en torno a una relación concreta. O tal vez
mediante ellos la mente soñadora nos recuerde la
naturaleza efímera de la popularidad.

Público

Si soñamos que en una reunión pública somos
recibidos con aplausos entusiastas, puede que hayamos realizado un gran progreso en nuestra vida
cotidiana. Quizá hemos recibido por fin el reconocimiento que sentimos que merecemos. Por contra, el hecho de enfrentarnos a los abucheos de
un público enfadado puede reflejar sentimientos
de paranoia o baja autoestima.

Compañía

Un sueño en el que somos los anfitriones de una
fiesta o de una reunión tal vez indique un deseo
de atención o afecto por parte de nuestros amigos. También puede expresar la voluntad de volver
a contactar con amigos o familiares a los que sentimos que hemos descuidado. Si alguien que ya no

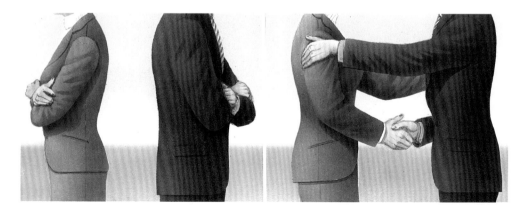

forma parte de tu vida, quizá una antigua pareja o un pariente fallecido, aparece en una reunión, la mente soñadora puede estar subrayando nuestra sensación de pérdida.

Jefe

Mientras que un sueño sobre nuestro jefe quizá refleje ansiedades surgidas en el trabajo, nuestro empleador puede representar también aspectos de la relación con nuestros padres. Si nos encontramos en un sueño pidiendo un aumento de sueldo, esto puede reflejar el deseo de recibir más atención por parte de nuestros padres o muestras de cariño más evidentes. Si, por otra parte, nos despiden, tal vez estemos ante una muestra del dolor frente al rechazo paterno. Los sueños en los que somos el jefe pueden surgir del deseo de una relación sexual dominante.

Extranjeros

Un individuo o un grupo de personas que hablan en un idioma ininteligible simbolizan a menudo aspectos del yo que nos cuesta entender o aceptar. Además, este sueño puede indicar

que tenemos dificultades de comunicación, ya sea en general, ya sea en relación con un problema en particular o un individuo en concreto.

Casero y casera

La imagen onírica de una casa se suele interpretar como una representación del yo. Soñar que otra persona es dueña de nuestra casa puede, por tanto, indicar que no nos sentimos con el control de nuestra vida. Quizá un padre o la pareja es demasiado dominante, o tal vez sentimos que nuestros actos están dictados por los acontecimientos en lugar de por nuestros deseos.

Oficios

Los oficios tienen mucha presencia en los sueños. Tanto si se centran en el nuestro como si lo hacen en el de otros personajes oníricos, esos sueños suelen estar relacionados con aspectos de la propia personalidad del soñador. El lugar de trabajo es una rica fuente de metáforas, que incluye tanto objetos como actos, de la que beben libremente los sueños para expresar sus propósitos especiales.

Por ejemplo, una visita al óptico puede indicar un planteamiento corto de miras respecto a las relaciones u otras cuestiones personales o profesionales. Podemos encontrarnos intentando vender periódicos a unos transeúntes que no nos prestan atención, una experiencia onírica que simbolice la incapacidad de alertar a los demás sobre una información importante y quizá la necesidad de un planteamiento completamente nuevo. El sueño de solicitar distintos empleos puede indicar una necesidad similar, haciendo hincapié quizá en que el soñador estará cada vez más frustrado si no adopta un rumbo más claro en su vida. A menudo nos encontramos soñando sobre un proyecto o cuestión presente, en cuyo caso el sueño puede apuntar a áreas en las que no estamos siendo productivos, o indicarnos que estamos utilizando mal nuestras habilidades, o que hemos dejado escapar nuevas oportunidades.

Incluso aquellos sueños que parecen simplemente repetir incidentes de la jornada laboral previa suelen estar cargados de claves sobre por qué las cosas salieron bien o mal, o de sugerencias acerca de cómo se puede lidiar de manera más acertada con las cosas en un futuro.

Burócrata

El sueño de tener que vérselas con la burocracia suele estar relacionado con la falta de emociones, ya sea en el soñador, ya sea en las personas que están en contacto con él. El sueño puede estar reclamando un acercamiento a los demás más personal y comprometido. Por contra, quizá destaque la incapacidad del soñador para entender problemas complejos o que es necesario prestar más atención a los detalles. De manera más general, los burócratas pueden simbolizar la maquinaria impersonal de un mundo que se opone a nuestros esfuerzos por alcanzar el éxito, ya sea en el trabajo o en proyec-

opone a nuestros esfuerzos por alcanzar el éxito, ya sea en el trabajo o en proyectos creativos, ya sea al resolver simplemente los penosos problemas del día a día.

tuales de soñar con dentistas sea el dolor de muelas. Cuando no tenemos problemas dentales, la interpretación freudiana es que los sueños en los que nos arrancan una muela son una expresión de la ansiedad de la castración. Jung, por otra parte, descubrió que cuando las mujeres sueñan que van al dentista, el sueño suele estar asociado con dar a luz; la mente soñadora convierte al dentista en una comadrona o partera simbólica.

Ingeniero

Podemos ver al ingeniero como un salvador que arregla los engranajes de nuestro mundo en épocas de dificultad. Trabajando en un sótano, en las profundidades de nuestro subconsciente, es capaz de impedir que los impulsos destructivos perturben nuestra vida consciente. Puede ser un buen amigo, un familiar querido o un consejero de confianza.

Dentista

No debe sorprender que uno de los motivos habi-

Constructor

Las casas suelen interpretarse como una representación del yo, y por ende una persona construyendo una casa representa a nuestro padre o alguien que haya tenido una influencia similar en nuestra vida. Si la casa no está acabada, el sueño puede ser una reflexión sobre nuestra infancia y la relación de dependencia que teníamos con nuestros padres.

Director

Dependiendo de la atmósfera y el contexto, un sueño en el que somos el director de una orquesta puede indicar, o bien el deseo de dictar los actos de los demás, o bien de ejercer más control sobre nuestros impulsos creativos. Las asociaciones religiosas de la música a veces implican que el sueño expresa un anhelo de guía espiritual.

Mecánico

Un mecánico rodeado de multitud de partes de coches quizá represente nuestra frustración con la tarea de mantener nuestra vida en orden. El trabajo aparentemente imposible de volver a montar un motor a partir de sus componentes, de encontrar las herramientas adecuadas y descubrir el origen del problema, se hace eco del reto que plantean los sucesos caóticos de la vida cotidiana.

Minero

Cualquier elemento subterráneo suele estar relacionado con la mente subconsciente, de ahí que el minero, trabajando bajo la superficie de la tierra, pueda representar el proceso de autodescubrimiento. De la misma manera que los minerales se transforman en metales preciosos al sacarlos a la superficie, la sabiduría que excavamos en nuestro subconsciente necesita ser examinada por la mente consciente para que nos pueda proporcionar revelaciones profundas y verdaderas.

Marinero

Debido a su conexión con el mar, y por tanto con el subconsciente, los marineros normalmente representan el lado más aventurero del soñador y el deseo de explorar terrenos desconocidos del yo interior.

Químico

Jung asociaba la antigua práctica de la alquimia con la transformación interior. El equivalente moderno del alquimista, el químico, puede simbolizar la búsqueda de realización espiritual del soñador.

Médico

Si en un sueño somos el paciente, el médico suele convertirse en el sujeto de lo que los psicoanalistas conocen como «transferencia», por la que redirigimos hacia el médico, por ejemplo, las emociones que rodean la relación con nuestros padres, pasada o presente.

Almirante

Los freudianos ven los barcos como un símbolo fálico. De manera similar, el sueño en el que somos un almirante de barco indica la necesidad de mayor control en una relación, o quizá el deseo de dominar sexualmente a nuestra pareja.

Fontanero

Las cañerías y válvulas de una casa pueden representar tanto nuestros órganos internos como los trabajos más secretos de nuestra mente y nuestras emociones. Un sueño en el que aparezca de manera prominente un fontanero tal vez revele preocupaciones sobre nuestra salud, o estar relacionado con un proceso de exploración y cura psicológica o emocional.

Enfermera

Nuestra interpretación de la imagen onírica de una enfermera depende de si nos vemos a nosotros mismos como paciente o como cuidador. En el primer caso, el sueño suele indicar el deseo de que nos mimen; en el segundo, tal vez estemos ante una expresión de nuestros instintos maternales.

Mortalidad

El inconsciente colectivo adopta una perspectiva a largo plazo en lugar de a corto plazo, asociando la muerte con el cambio en vez de con su irrevocabilidad. No obstante, a nivel individual, la muerte siempre nos ha desconcertado, aterrorizado y fascinado, y los sueños de nivel 1 y 2 (véanse páginas 65–70) que tienen su origen cerca de la superficie de nuestra mente consciente pueden estar plagados de ansiedades sobre nuestra propia muerte o la pérdida definitiva de seres queridos o amigos.

Los sueños terroríficos sobre nuestra propia mortalidad tal vez indiquen la necesidad de aceptar, en la vida consciente, nuestro inevitable destino. Los que versan sobre la muerte de otros, por su parte, pueden mostrar miedos más generales: la preocupación por la aniquilación de la personalidad o del yo, el pavor del juicio o la retribución divina, o por

el Infierno, o tal el vez el miedo por la forma de morir, etcétera.

La muerte en sueños a menudo contiene advertencias precognitivas sobre el futuro. Abraham Lincoln soñó con su propia muerte sólo unos días antes de ser asesinado: vio su cuerpo yacente con el traje mortuorio en una sala de la Casa Blanca. Sin embargo, muchos sueños de muerte no tienen ninguna relación con la mortalidad. Algunos están relacionados con aspectos de la vida psicológica del soñador, o con un cambio en las circunstancias vitales. Los símbolos de muerte también pueden llamar la atención sobre acontecimientos futuros irrevocables, como la jubilación, la pérdida del trabajo, un cambio de casa o el final de una relación íntima.

Leer la esquela de una persona en sueños, ver su tumba o asistir a su funeral, a veces, sugiere su despido de un trabajo o su destierro del afecto del soñador, o tal vez algún otro tipo de caída en desgracia.

Las imágenes oníricas relacionadas con la propia muerte del soñador a menudo tienen significados similares, aunque The Golden Dreamer, un libro publicado en 1840, interpretaba que anunciaban una boda inminente y el éxito en todas nuestras empresas.

Funeral

La imagen onírica de un funeral suele reflejar un momento de conclusión, como el final de una relación, en lugar de la muerte. Si es el funeral de un extraño, quizá estemos ante un recordatorio del paso del tiempo, de la naturaleza irrevocable del pasado o de la importancia de no crearse demasiados apegos emocionales.

Símbolos de muerte

Los cementerios medievales están repletos de memento mori (recordatorios de la muerte), y los eruditos de la época solían tener calaveras en su escritorio como objeto que les servía para reflexionar. Los relojes de arena y la figura de la segadora también son símbolos importantes. Los sueños en los que aparece esta parafernalia pueden recordarle al soñador que la vida sólo abarca un tiempo limitado en el que completar los proyectos, o puede apuntar a finales inminentes, como el de un matrimonio.

mente, la muerte o nuestro miedo a ella, a menudo también significa el final de una fase de nuestra vida y el principio de una nueva. En la interpretación freudiana, si la tapa del ataúd está abierta y echamos un vistazo a su interior, el sueño adquiere connotaciones de sexualidad femenina.

Entierro

Ser enterrado vivo tal vez represente sentimientos de claustrofobia, física o figurada. Más generalmente, el entierro puede sugerir la represión de nuestros instintos, ansiedades que preferimos ignorar o deseos que decidimos no expresar. A veces simboliza el carpetazo definitivo que se le da a una experiencia emocionalmente dolorosa.

Ataúd

Aunque la imagen onírica de un ataúd puede representar, obvia-

Tumba

Una tumba abierta es posible que parezca un morboso recordatorio de nuestra propia mortalidad. No obstante, también suele ser un símbolo muy positivo que nos Ánima a superar los aspectos menos gratificantes de nuestra vida y a adoptar nuevas formas de pensamiento y acción. De manera parecida, los jungianos ven en las tumbas una asociación con el arquetipo de la Gran Madre: la tranquilidad de la tumba proporciona un lugar seguro para el descanso, la regeneración o el renacimiento.

Cementerio

Un cementerio o camposanto no es sólo el lugar en el que lloramos y enterramos a nuestros muertos, sino que también nos ofrece un sitio para recordar. En nuestros sueños, el cementerio puede representar la unidad familiar, que reafirma la continuidad entre las generaciones pasadas y futuras.

Esquela

La experiencia de leer tu propia esquela es un sueño bastante habitual. Puede apuntar a ansiedades respecto a perder tu nivel social o ser despedido del trabajo. Si es la esquela de alguien que conoces, quizá albergues algún sentimiento en su contra no expresado.

Soga

La ejecución con una soga y otras como la guillotina eran interpretadas por los freudianos como un

símbolo de la ansiedad masculina de la castración, y por tanto como un miedo a la impotencia y a la pérdida de virilidad sexual. También puede sugerir el sentimiento de culpa por un crimen, real o imaginario.

Objetos

El mundo onírico está amueblado con muchos objetos, algunos que le son familiares al soñador, otros extraños e irreconocibles. Todos tienen significado potencial, pero a veces son los más extraños los que proporcionan las claves más ricas para la interpretación de los sueños. Sin embargo, no todas las asociaciones son oblicuas, y algunos poseen conexiones simbólicas obvias con la experiencia cotidiana. Una cámara, por ejemplo, suele representar el deseo de preservar o aferrarse al pasado, mientras que esconder objetos en lugares oscuros puede simbolizar el deseo de ocultar el propio yo. La función del objeto es normalmente su aspecto más importante, aunque, muy a menudo, la forma, el color y la textura esconden su significado.

Herramientas
e instrumentos

Los instrumentos útiles suelen aparecer en sueños sobre cometidos.
Pueden indicar ansiedad respecto
a nuestras habilidades o atraer la
atención sobre talentos aún no
explorados.

Clavos

Para los cristianos los clavos evocan a la crucifixión. Pueden ser
símbolos de sufrimiento y sacrificio. En otras culturas, no obstante,
se cree que tienen cualidades protectoras; por ejemplo, los romanos
clavaban un clavo en el muro del templo de Júpiter para ahuyentar los desastres.

Martillo

El martillo canaliza la fuerza bruta para clavar una
estaca en el suelo o un clavo en una pared o en un
pedazo de madera. Puede representar la fuerza de
voluntad y determinación, quizá en algún asunto
relacionado con un juicio moral o ético.

Tuercas y tornillos

Las tuercas y los tornillos a veces representan los
aspectos prácticos de un trabajo, y su aparición
puede destacar la necesidad de ir más allá de las
consideraciones teóricas. Los freudianos se centran en las connotaciones sexuales de sus formas.

Artefactos

El mundo está lleno de artefactos ingeniosos, desde relojes de cuerda hasta lo último en tecnología informática. Cualquiera de estos aparatos puede aparecer en nuestros sueños, tanto si los utilizamos habitualmente en nuestras actividades diarias como si no lo hacemos.

Paraguas

La lluvia puede parecernos extremadamente molesta cuando nos moja, pero a la vez hay que tener en cuenta que es esencial para la fertilidad de la tierra y, por supuesto, para el funcionamiento de toda la vida del planeta. Resguardarse bajo un paraguas en sueños tal vez indique que el soñador se está negando el acceso a las fuentes de alimentación y crecimiento físico o espiritual. El simbolismo sexual del paraguas depende de si está abierto (femenino) o cerrado (masculino).

Teléfono

Los teléfonos casi siempre representan comunicación, o bien la interrupción de ésta. Que no consigamos hacernos entender por teléfono puede sugerir debilidad en nuestra habilidad para transmitir nuestros pensamientos, sentimientos o ideas a los demás.

Reloj de pared o de pulsera

El tictac de un reloj imita el latido de un corazón. De ahí que un reloj acelerado pueda simbolizar emociones galopantes; y uno parado, falta de emoción. También evocan la naturaleza transitoria de la vida y el implacable paso del tiempo.

Ordenador

Mientras que la interpretación freudiana ve los teclados, disqueteras y puertos USB como símbolos de la sexualidad femenina, los junguianos prefieren percibir los ordenadores bajo la perspectiva del caudal de sabiduría de la humanidad. Son un recurso formidable que puede aparecer también en nuestros sueños como una representación de ansiedades relacionadas con el trabajo: una bandeja de entrada del correo electrónico desbordada o una pantalla de escritorio abarrotada tal vez indiquen preocupaciones sobre nuestra carga de trabajo.

Maquinaria

El uso competente de la maquinaria puede indicar un poder personal intensificado. Que el soñador se convierta en una máquina quizá haga referencia a una pérdida de sensibilidad.

Linterna o antorcha

Igual que utilizamos una linterna para iluminar la oscuridad, en nuestros sueños puede representar la búsqueda de la verdad e integridad en un mundo que a veces parece domi-

nado por las fuerzas de la corrupción, la codicia y la ignorancia. Que una antorcha parpadee o se apague se asocia a menudo con la pérdida de esperanza o la muerte de un ideal muy apreciado.

Radio

La radio es un potente símbolo onírico porque, más que la televisión o la prensa escrita, nos obliga a utilizar la imaginación para aportar la dimensión visual de la información que transmite. Soñar con una radio puede, por tanto, simbolizar la voz interior del soñador. Las interferencias y la estática tal vez sugieran que no podemos oír o no escuchamos nuestros pensamientos más profundos.

Televisión

Los sueños en los que aparece una televisión pueden sugerir la necesidad de comunicar emociones o ideas que tenemos problemas para compartir con los demás en nuestra vida cotidiana. A veces también representan la necesidad de atención, quizá por parte de un ser querido o una audiencia más amplia. Quizá incluso estés anhelando fama, o hayas probado la gloria pública y desees más.

Cámara

Las cámaras nos ofrecen una manera de atrapar los recuerdos que, de otra manera, se nos escaparían. Cuando las cosas van demasiado de prisa en nuestra vida o estamos en medio de un cambio radical, podemos soñar que fotografiamos a personas o lugares o sucesos que sentimos que no podremos mantener en nuestra memoria o que querríamos, quizá de manera subconsciente, conservar fijamente en nuestra mente.

Objetos domésticos

Hay objetos que manejamos diariamente sin prestarles demasiada atención. Aunque aparecen en nuestros sueños. Lo familiar ofrece un poderoso contraste respecto a lo surrealista, y la mente soñadora hace buen uso de ello.

Cerillas

Las cerillas se asocian con el fuego y la luz, y soñar con encender un fuego con cerillas puede indicar el deseo de estimular cualquiera de las cualidades asociadas con estos símbolos elementales; la purificación, pasión o iluminación espiritual, por ejemplo. Una llama que se extingue o unas cerillas que no prenden pueden significar pérdida de fe o dudas espirituales.

Libros

Los libros representan sabiduría, el intelecto, o un registro de la vida del soñador. La incapacidad de leer lo que hay escrito en un libro puede indicar la necesidad que se siente de desarrollar mayor poder de concentración y conciencia en la vida cotidiana.

Papelera

Una papelera suele hacer referencia a recuerdos o tareas no deseados, o a aspectos del yo que el soñador quiere apartar. También puede sugerir el deseo de empezar de nuevo.

Espejo

Ver una cara extraña en el espejo con frecuencia es señal de una crisis de identidad. Si la cara es alarmante, puede simbolizar a la Sombra, el arquetipo que representa el lado oscuro del soñador. Alguien saliendo de un espejo a menudo es una pista que nos dice que aspectos nuevos están emergiendo del subconsciente, mientras que un espejo vacío puede representar la pizarra en blanco de la mente del soñador antes de que el ego la cubra con sus deseos e imágenes.

Vaso

Como la copa, el vaso es un símbolo sexual femenino clásico. Un vaso roto puede simbolizar la pérdida de la virginidad; en las bodas judías, tradicionalmente se rompe un vaso de vino. Los jungianos los ven como un equivalente del Santo Grial, por lo que los asocian con el amor y la verdad.

Cesta

Llena de fruta o vegetales, una cesta tal vez sea un símbolo de fertilidad y abundancia. Su forma también la hace ser una interpretación de la sexualidad femenina. Dependiendo del estado de su contenido, la sexualidad simbolizada puede ir desde la exuberancia juvenil hasta la serena madurez.

Jabón

El jabón, un evidente símbolo de purificación, puede representar sentimientos de culpa de los que quieres deshacerte o el deseo de limpiar tu vida de influencias negativas. Es posible que la amenaza que los niños reciben de lavarles la boca con jabón cuando dicen palabras inapropiadas resuene en tus sueños como una advertencia contra la obscenidad o el hablar mal de los demás.

Alfileres y agujas

Los alfileres y las agujas suelen tener connotaciones sexuales, y los sueños en los que aparecen actos como enfilar agujas o coser suelen ser una expresión de deseo sexual. Incluso podemos pincharnos un dedo con una aguja y sacarnos sangre.

Escoba

Igual que en la vida cotidiana utilizaríamos una escoba para barrer el polvo de una casa, en nuestros sueños suele hacer referencia a un proceso de limpieza de viejas ideas o hábitos para dejar paso a un nuevo planteamiento. Sin embargo, también puede tener matices de intolerancia y autoritarismo; por ejemplo, barrer las voces discordantes de un debate o purgar una organización de sus facciones más conflictivas.

Horquilla

La interpretación freudiana enfatiza la forma arqueada de la horquilla y apunta hacia su simbolismo sexual femenino. Una mujer quitándose una horquilla de un peinado elaborado y soltándoselo de los confines de un moño es una imagen clásica de seducción.

Carretilla

La carretilla no se mueve a menos que la empujemos, por lo que posee connotaciones de acción y energía. Podemos utilizarla para eliminar las malas hierbas de nuestro jardín o para sacar los escombros que están bloqueando un camino o afeando algún sitio. Se trata de un símbolo onírico asociado con el cambio y con eliminar aspectos de nuestra vida o del yo que pueden estar impidiendo nuestro desarrollo personal o espiritual.

Mochila

La mochila puede ser un símbolo de nuestras esperanzas para el futuro. Si sentimos que nos pesa y no somos capaces de cargar con ella, quizá es que nuestras responsabilidades nos están agobiando demasiado. Si la mochila está vacía, tal vez estemos ante una sensación de falta de objetivos o, más positivamente, se plasme el deseo de encontrar otros completamente nuevos.

Cojín

El cojín se puede asociar con un individuo que nos protege de los golpes duros. En ocasiones llama nuestra atención sobre la necesidad de aprender a lidiar con las dificultades sin ayuda.

Silla

Imagen de sexualidad femenina, una silla rota, o una que se rompe con nosotros encima, puede significar el final de una relación sexual. Lo confortable que nos resulte tal vez represente, para las mujeres, lo cómodas que están con su sexualidad, mientras que para los hombres quizá transmita sus verdaderos sentimientos sobre su pareja sexual.

Juguetes y juegos

El simbolismo más obvio de los juguetes está relacionado con la infancia y quizá con un anhelo nostálgico de regresar a su comodidad. No obstante, los juguetes también pueden tener matices complejos; el mundo de las muñecas y los trenes mecánicos es controlable, y los sueños en los que aparecen estos objetos suelen darse cuando tenemos dificultades para controlar el mundo de los adultos. Los juguetes individuales poseen asociaciones concretas, como los distintos tipos de juegos. Los juegos oníricos de los adultos a menudo son representaciones microscópicas de la vida del soñador. Un juego de mesa puede representar las ventajas e inconvenientes de una experiencia reciente.

Tren de juguete

Soñar con un tren de juguete a menudo hace referencia a nuestro deseo de controlar el rumbo y el poder de nuestra propia vida, incluso si eso significa reducirla a algo restrictivo, predecible y mecánico. El tren de juguete también sugiere el impulso del soñador de regresar al mundo pequeño y seguro de la infancia, en el que los demás se ocupaban de nuestro bienestar.

Muñecos

Si los sueños sobre juguetes se centran en ejercer control sobre los problemas, los de muñecos tratan sobre hacerlo sobre las personas. Los títeres o las marionetas sugieren manipulación y falta de libre elección. El soñador puede descubrir que el muñeco simboliza el deseo de tener poder sobre los demás, o la falta de control sobre su propia vida, haciendo referencia al cliché de que alguien está moviendo los hilos.

Peonza

El movimiento hipnótico de una peonza recuerda el estado de trance de la meditación profunda. Es uno de los juguetes más antiguos y puede aparecer en nuestros sueños cuando estamos sumergiéndonos en el subconsciente.

Muñecas

Las muñecas a menudo representan el Ánima o el Ánimus, las cualidades del sexo opuesto que hay en nuestro interior. Jung también descubrió que las muñecas en ocasiones indican una falta de comunicación entre los niveles consciente y subconsciente de la mente.

Columpio

Los freudianos asocian el movimiento rítmico del columpio con el acto sexual. No obstante, otros interpretes de sueños creen que es más posible que represente la naturaleza emocionante, impredecible y variada de la vida.

Peluches

Soñar con peluches suele representar comodidad, seguridad o un apoyo emocional acrítico. El soñador puede estar buscando una aceptación emocional incondicional por parte de los demás, que recuerde a las relaciones de la infancia; o por contra, tal vez se registre el rechazo a afrontar la realidad o la necesidad de un contacto más natural o táctil con los seres queridos.

Dados

Los dados son un símbolo de la suerte y pueden expresar la sensación de que son los factores aleatorios y arbitrarios, en vez del talento y el esfuerzo, los que gobiernan nuestro progreso personal o profesional.

Juegos de mesa

Los sueños sobre juegos de mesa representan el progreso vital del soñador, con todos sus altibajos. Algunos juegos concretos pueden tener su propio simbolismo; por ejemplo, el pecado y la sexualidad en el juego de escaleras y serpientes, o la mente consciente y la inconsciente, que luchan entre sí en los tableros «interior» y «exterior» del backgammon.

Armas

Las armas son tanto un símbolo de autoridad como de masculinidad. Aunque los freudianos no dudan en destacar el significado sexual de las armas, existen otras posibilidades: pueden sugerir frustración además de agresividad, e indican la fuerza de nuestro deseo de cambiar. A veces representan el poder de luchar contra la represión y una vía para hacer escuchar nuestras opiniones.

Cuchillos y dagas

El cuchillo es claramente el símbolo sexual masculino más habitual. Puede representar al pene por su capacidad de penetrar, o simbolizar la masculinidad en sus 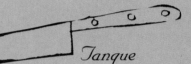 asociaciones con la violencia y la agresividad. También es posible que represente la «espada de la verdad» que corta la falsedad y la ignorancia, o la voluntad de cortar con deseos falsos. Como objetos emblemáticos, el puñal escocés (*dirk*) o el kirpán de los sijs simbolizan la autoridad masculina tradicional y la capacidad de protección. La daga es también un arma asociada con los asesinatos furtivos, y su aparición en nuestros sueños a menudo revela sentimientos de animosidad ocultos.

Arma ineficaz

Cualquier arma que se niegue a disparar en defensa del soñador sugiere impotencia: el sueño nos indica que debemos encontrar mejores maneras de armarnos contra los retos del mundo. Para Freud, una pistola o un cuchillo que no funciona sugiere impotencia sexual o el miedo a ella, o quizá la pérdida de otra forma de poder.

Tanque

Un tanque arrasa con todo indiscriminadamente a su paso. Su aparición en nuestros sueños puede sugerir la renuencia a escuchar otras opiniones aparte de la nuestra. Su torreta y su prominente cañón lo convierten en uno de los símbolos fálicos más agresivos, y nuestra respuesta a él puede ser muy reveladora. Una sensación de pánico tal vez sugiera ansiedades sexuales subyacentes, mientras que una sensación de excitación puede indicar el deseo de un tipo de experiencia sexual más tempestuosa e incluso violenta.

Torpedo

El torpedo es otro símbolo de la sexualidad masculina. Viajando con cautela bajo el agua, puede implicar el deseo de relaciones sexuales ilícitas.

Artillería

Los misiles de alta potencia y los cañones son evidentes símbolos fálicos. También pueden representar los obstáculos que parecen alinearse en nuestra contra. Esto es especialmente cierto en el caso de mujeres que ejercen su profesión en puestos tradicionalmente masculinos. ¿Con qué armas están bloqueando tu camino al éxito?

Arco y flechas

La imagen onírica de un arco y unas flechas, el arma tradicional de Cupido, puede simbolizar la tensión de mantener a raya la flecha de nuestros impulsos subconscientes que son socialmente inaceptables.

Hacha

El hacha puede ser un símbolo más creativo que destructivo, ya que elimina el exceso de vegetación para dejar espacio a una nueva vida. Es posible que simbolice la disponibilidad del soñador para romper definitivamente con el pasado o su determinación de encontrar un camino en medio de un callejón sin salida de tipo emocional. En ocasiones el hacha se asocia con el verdugo, un potente símbolo de juicio: quizá nos sentimos culpables por algo y necesitamos dar algunos pasos para mitigar ese sentimiento, o quizá buscamos retribución por parte de los demás.

Maza

La función de la maza es principalmente ceremonial en lugar de agresiva. La cachiporra con púas, a menudo adornada con metales preciosos y joyas, se ha convertido en un emblema de autoridad y su aparición en nuestros sueños puede denotar un deseo de mayor estatus y responsabilidad.

Adornos

Los objetos que no son principalmente útiles pero son apreciados por sus cualidades estéticas o su valor inherente son símbolos muy interesantes. Muchos, como aquellos adornados con diamantes y rubíes, tienen asociaciones tradicionales (eternidad y poder, respectivamente); otros, como las conchas y los jarrones, pueden ser significativos por su forma o función decorativa.

Conchas

La concha es un símbolo profundamente espiritual que a menudo representa al subconsciente, y por sus vínculos con el mar, la imaginación. También simboliza a las diosas: Venus nació de una concha frente a la costa de Chipre.

Joyas

Las joyas suelen sugerir un aspecto apreciado del soñador o de otras personas. Los diamantes (véase también página 256) normalmente representan el yo verdadero e incorruptible. Los rubíes denotan pasión; los zafiros, verdad; y las esmeraldas, fertilidad. Las joyas también pueden representar un tesoro enterrado, el arquetipo de la sabiduría divina oculta en las profundidades del inconsciente colectivo.

Turquesas

El intenso color azul de la turquesa se asocia con el cielo, y en nuestros sueños puede representar nuestras aspiraciones más elevadas. Se cree que la turquesa tiene cualidades protectoras: en Europa y Asia se utiliza tradicionalmente para contrarrestar el «mal de ojo».

Perlas

Las perlas están asociadas con el agua, la luna y las conchas, todas ellas símbolos de lo femenino. Representan a la mujer, el amor y el matrimonio, y son muy apreciadas. Los freudianos entienden las perlas como un símbolo de la sexualidad femenina, sobre todo si están dentro de una ostra (una imagen de la vagina) o adornando el cuello o las orejas de una mujer. Las perlas también tienen matices de pureza y los jungianos las consideran una aspiración a la cultivación espiritual y la trascendencia del mundo material. En China las perlas representan el ingenio oscurecido y oculto, ya que están dentro de la burda concha de las ostras.

Diamantes

El diamante se crea cuando el carbón se ve sometido a intensas presiones. La aparición de un diamante en sueños puede ser una sugerencia subconsciente de que una situación estresante puede dar como fruto la creación de algo brillante. La mente soñadora utiliza la idea del diamante en medio de rocas escarpadas para sugerir que quizá necesitamos mirar más allá del tosco exterior de un individuo para entender su verdadera naturaleza. Los diamantes también pueden simbolizar claridad, eternidad y a los seres puros.

Jade

En China, se dice tradicionalmente que el jade es el esperma del dragón celestial, vitrificado al caer a la tierra. La sustancia representa una poderosa unión de cielo y tierra, y simboliza la fertilidad y las energías cósmicas primarias.

Flor de plástico

Las flores suelen simbolizar la sexualidad, y las falsas pueden sugerir que una pareja sexual quizá

no está siendo completamente sincera sobre sus emociones o conducta sexual.

Abanico

Los abanicos estaban imbuidos en el pasado de un rico simbolismo y se podían utilizar incluso como vía de comunicación, para transmitir mensajes furtivos, normalmente amorosos. Hoy en día, gran parte del lenguaje de los abanicos se ha perdido, pero el objeto ha conservado su asociación con el flirteo y continúa siendo una imagen de la sexualidad femenina. Un abanico que aparece refrescando el ardor del que sueña puede, de hecho, estar avivando el fuego de la pasión.

Herraduras

Las herraduras son un famoso amuleto de buena suerte y su aparición en nuestros sueños sugiere la promesa de éxito. Su forma de copa les da un simbolismo sexual que se hace evidente en ese juego en que se lanzan contra clavijas de hierro.

Jarrón

La forma hueca y las líneas gráciles del jarrón lo convierten en un posible símbolo de la sexualidad femenina. Su forma hace que también pueda ser una representación del corazón y las emociones.

Comida y bebida

La comida representa alimento, ya sea físico, mental, emocional o espiritual. Los diferentes tipos de comida tienen significados distintos. Una manzana roja y brillante, por ejemplo, debe interpretarse desde una perspectiva muy diferente que un jugoso filete rojo. Es más, la comida puede estar plagada de asociaciones personales. Tanto si odias como si te encanta cierto tipo de comida, el hecho de que tus padres te obligaran a comértela o te dijeran que alimentaba mucho tendrá un impacto en su significado, en el caso de que aparezca en tus sueños.

Jamón o beicon

Para mucha gente el beicon es una parte fundamental de su desayuno, mientras que una loncha de jamón evoca recuerdos de comidas familiares y hogareñas. Ambos están asociados con una sensación de saciedad y satisfacción. Para los judíos y los musulmanes, sin embargo, son alimentos prohibidos y su aparición en sueños puede representar las restricciones de la moralidad religiosa o una sensación de no pertenencia o de exclusión.

Ostra

Para los freudianos, las ostras, con o sin perla, son una representación de los genitales femeninos. También pueden sugerir conocimiento esotérico.

Espaguetis

Los espaguetis son un potente símbolo erótico que evoca el vello púbico y los genitales de ambos sexos. Podemos soñar que estamos nadando en espaguetis o quizá que nuestro pelo está hecho de pasta. Estos sueños pueden sugerir una necesidad de satisfacción sexual.

Anguila

Símbolo fálico, por su forma, el hecho de responder a la anguila con excitación o aversión puede indicar nuestra actitud hacia el sexo. La imagen onírica de una anguila también puede tener que ver con el juego verbal de la frase «escurridizo como una anguila», sugiriendo que algún conocido quizá no está siendo sincero.

Pepino

Freud, un fumador empedernido, aseguró una vez que «a veces un puro sólo es un puro»; queriendo decir que no todas las formas alargadas son fálicas. Sin embargo, es muy probable que no hubiera dicho lo mismo de un pepino. Inevitable símbolo fálico, el tamaño del pepino en un sueño puede proporcionarnos información sobre nuestra energía sexual.

Uva

Las uvas representan sensualidad. Es un fruto para compartir y ofrecer traviesamente a un amante, y expresa sexualidad oral. Las uvas también se asocian con el producto de su jugo: el vino. Éste simboliza embriaguez, abandono salvaje y la habilidad de trascender las rutinas prosaicas de la vida diaria. Pero para los cristianos el vino puede representar la sangre de Cristo y, por tanto, tener matices de sacrificio y renacimiento.

Higos

Los higos pueden representar los testículos del hombre o los órganos sexuales femeninos, dependiendo de si aparecen enteros o abiertos por la mitad. En ambos casos, como corresponde a una fruta llena de semillas, los higos son un símbolo de fertilidad y deseo sexual. Adán y Eva suelen ser retratados cubiertos de hojas de higuera.

Melocotón

En la iconografía tradicional china, los melocotones son un símbolo de pureza e inmortalidad; en año nuevo se dejan ramas de melocotonero frente a las casas. Sin embargo, en Occidente suelen representar la lascivia.

Chocolate

El chocolate o cualquier otro manjar parecido suele hacer referencia al sibaritismo y la recompensa. También puede sugerir culpa y, por extensión, varias experiencias o satisfacciones a las que el soñador siente que debe resistirse o evitar.

Papillas

Las papillas, una comida muy reconfortante, se asocian con nuestra infancia más temprana, cuando recibíamos los cuidados incondicionales de nuestros padres. Su textura pegajosa y viscosa, no obstante, simboliza un punto muerto emocional o la sensación de pereza o estancamiento.

Pan

El pan es un potente símbolo de vida, de la abundancia de la naturaleza y de la fertilidad. Que represente la sexualidad masculina o femenina depende de la forma de la barra; una *baguette* francesa tiene connotaciones fálicas obvias, mientras que un panecillo redondo puede recordarnos a la forma femenina de una embarazada.

Tostadas

Las tostadas, una comida muy hogareña, pueden recordarnos la vida familiar de nuestra infancia. Pueden animarnos a disfrutar de los placeres más sencillos de la vida y a saborear las rutinas diarias domésticas. Una tostada quemada significa la angustia causada por el resentimiento en nuestra relación con la pareja o con nuestra familia.

Mermelada

La mente soñadora suele utilizar la mermelada para simbolizar una situación pegajosa de la que tenemos que escapar. Como otras sustancias rojas, la mermelada de fresa o frambuesa puede representar la sangre y, por ende, ira o violencia. Además, a menudo significa ansiedad asociada a la sexualidad femenina y las cuestiones que la rodean, como la virginidad o la menstruación.

Cereales

Los cereales siempre han estado inseparablemente conectados, mediante la publicidad, a una imagen idealizada de la vida familiar. Cuando aparecen en nuestros sueños, pueden expresar el deseo de gozar de harmonía doméstica.

Zanahoria

Además de ser un evidente símbolo fálico, las zanahorias se asocian con la buena vista y sobre todo con la habilidad de ver en la oscuridad. La imagen onírica de una zanahoria puede sugerir que necesitamos examinar los acontecimientos más detalladamente para percibir claramente la realidad.

Sal

La sal es un conservante muy potente y tiene notables propiedades purificadoras. Su aparición en nuestros sueños puede ser una señal de que necesitamos protegernos de la corrupción. Aunque hoy en día la tratamos como un condimento común, en la antigua Roma y la antigua China le daban tanto valor que era utilizada como moneda. Quizá nuestra mente subconsciente nos advierte sobre el valor potencial de alguien o algo que, por otra parte, se nos escapa.

Puré de patatas

Soñar que comemos un puré de patatas cremoso puede ser una expresión de nostalgia de las comodidades de la infancia. Un puré grumoso e insípido, por otra parte, tal vez recuerde experiencias desagradables de la escuela o la neurosis de la adolescencia.

Pastel de bodas

El pastel de bodas puede representar un nuevo comienzo repleto de posibilidades. Si el pastel es mucho más alto que nosotros y tenemos que mirar hacia arriba para ver todos sus pisos, podemos sentirnos abrumados por un compromiso adquirido, matrimonial o de otro tipo. Vernos como una

de las figuritas que lo corona a menudo es una expresión de satisfacción por lo conseguido hasta ese momento.

Café y té

El café y el té, parte de la vida cotidiana de mucha gente en distintos puntos del planeta, poseen matices de rutina y rejuvenecimiento. Ambas pueden ser bebidas sociales y como tales sugieren el deseo de pasar más tiempo con nuestros amigos. El café suele verse como el más energizante de las dos y puede implicar la necesidad de estimulación. El té tiene una imagen más doméstica y, en ocasiones, sugiere que nos vendría muy bien pasar más tiempo en casa o cultivar la relación con nuestra familia.

Plátano

Se trata de un obvio símbolo fálico. Soñar con comer o pelar un plátano suele estar cargado de contenido sexual. No obstante, pueden tener un simbolismo de otro tipo: una piel de plátano en medio del camino puede transmitir recelos sobre los posibles peligros de seguir cierto proceder.

Mantequilla

En el pasado, la mantequilla se utilizaba en la preparación de comidas expiatorias y, por tanto, puede asociarse con la plegaria, la renuncia y la energía sagrada. En otro caso de juego verbal, la mantequilla implica cierta adulación, como en la expresión «untar a alguien». Quizá nuestro subconsciente nos está advirtiendo de que alguien nos está loando por su propio interés.

Manzana

La historia del Viejo Testamento de Adán y Eva confiere a las manzanas un rico y variado simbolismo. Como fruta prohibida del Árbol del Conocimiento, puede representar la tentación, la conciencia de uno mismo

y del paraíso perdido. El relato bíblico contiene también significativos matices sexuales, y soñar con robar manzanas a menudo se relaciona con el deseo de mantener una relación sexual ilícita.

Helado

El helado es un manjar dulce que debemos disfrutar rápidamente. Si intentamos guardarlo para más tarde, se deshará y no podremos disfrutarlo en absoluto. La mente soñadora puede utilizarlo como una metáfora de la importancia de vivir el momento y participar de los placeres y oportunidades de la vida sin preocuparnos demasiado por las decepciones del pasado o de lo que sucederá en un futuro.

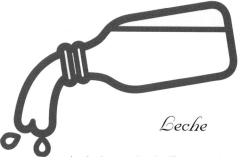

Leche

La leche suele significar bondad, sustento y nutrición, a menudo asociados con el amor maternal. Los freudianos pueden interpretarla como una representación del semen.

Actividades y estados

En nuestros sueños realizamos muchas actividades. Algunas pueden ser cosas rutinarias que hacemos todos los días, como comer o ir al trabajo, mientras que otras parecen completamente extrañas. Soñar con volar, por ejemplo, puede parecer imposible y absurdo, pero suele simbolizar aspectos importantes de la vida personal o profesional y produce una notable sensación de euforia. Otras acciones oníricas comunes son escalar, caerse, viajar, huir y evitar ser capturados. Todas ellas tienen sus connotaciones particulares y deben interpretarse minuciosamente teniendo en cuenta el estado de ánimo del sueño y el contexto de las propias intuiciones y experiencias del soñador.

Cautiverio y libertad

Los sueños a menudo se centran en el preocupante conflicto entre las restricciones que la vida nos impone y nuestro deseo de libertad. Otro tema común es el de nuestra necesidad de dominar a los demás haciéndolos cautivos o imponiéndoles algún tipo de obligación para con nosotros. Incluso un

deseo aparentemente altruista de proteger o cuidar a nuestros seres más cercanos puede surgir de una tendencia ignorada hacia la autosatisfacción, en cuyo caso el servir se convierte en una forma de dominio. Aunque tal vez, por supuesto, simbolice motivos más genuinos, el impulso de salvar a los demás del peligro suele hacer referencia al deseo del soñador de asegurarse su dependencia o gratitud. Esos motivos pueden mostrarse más claramente, como cuando el soñador sujeta o ahoga por la fuerza a otra persona, o le quita una llave u otro medio para escapar.

La propia necesidad de libertad del soñador a veces se simboliza de maneras parecidas, con el soñador que desempeña el papel de víctima y forcejea para liberarse de las restricciones que el resto de personas le impone.

Esperar la ejecución es el cercenamiento de libertad más extremo, aunque en los sueños puede estar relacionado con aprensiones sobre sucesos potencialmente favorables, como el matrimonio o el nacimiento de un niño. La libertad o el cautiverio a veces simbolizan aspectos de la vida psicológica sobre los que el soñador ejerce un excesivo control o que han sido reprimidos en el subconsciente personal y están clamando por expresarse. Los talentos ocultos que el soñador rechaza tal vez estén representados por los sueños de cautiverio, como los ideales a los que se ha renunciado, o el impulso de encontrar un objetivo espiritual.

Estar atado

Soñar que estás atado puede indicar necesidad de libertad, aunque Freud lo interpretaba más bien como un reflejo de fantasías sexuales reprimidas; normalmente el deseo de practicar alguna forma de *bondage* o sexo sadomasoquista. Estos sueños suelen remontarse a la infancia y pueden tener que ver con el dominio sexual de los padres o, tal vez, con el impulso de dominar sexualmente al progenitor del sexo opuesto.

Ataduras

Las ataduras oníricas, por supuesto, a menudo poseen claros matices eróticos y reflejan impulsos sexuales en el soñador que quizá no conoce la mente consciente. No obstante, en un contexto no sexual puede sugerir aspiraciones espirituales reprimidas.

Liberar personas o animales

Soñar con escenarios en que liberamos a alguien puede indicar el impulso altruista del soñador de servir a esa persona liberándola de sus ataduras psicológicas. Liberar animales de su cautividad normalmente se relaciona con la liberación de las propias emociones o las energías primarias del soñador.

Encierro

En la vida cotidiana las cosas que nos encierran normalmente son más prácticas o psicológicas que físicas. La prisión en la que puede encontrarse encerrado el soñador tal vez represente una relación o un trabajo en el que nos sentimos atrapados o frustrados. A veces simboliza un conjunto de ideas o creencias fijas, un punto de vista moral que restringe nuestro desarrollo personal e impide el cambio.

Liberación

Los sueños en los que escapamos de los grilletes o de las ataduras suelen representar el deseo de ser liberado de una situación o relación que ya no nos hace felices o no nos satisface. Si eres creyente o provienes de un entorno religioso, puedes pensar que las demandas espirituales, morales o físicas de tu fe son una carga en lugar de una fuente de enriquecimiento.

Escapar de la cárcel

Escapar de una cárcel, quizá saltando un alto muro, a menudo hace referencia al deseo de una expresión abierta, emocional o creativa. También puede significar la determinación de tomar control de nuestro destino y la comprensión de que necesitamos crear nuestras propias oportunidades en la vida. Algunos intérpretes de sueños, no obstante, sugieren que estos sueños contienen un simbolismo mucho más oscuro: el deseo de la liberación total, una huida de la propia vida. Si te has sentido angustiado o deprimido, un sueño de este tipo puede ser una señal para buscar ayuda en el exterior y hablar con un profesional, o como mínimo con un amigo de confianza.

Salir de la cárcel

Un sueño en el que te sueltan de la cárcel puede ir acompañado de una sensación de júbilo. Tal vez represente una respuesta positiva al inicio de una nueva fase de nuestra vida y un sentimiento de deseo de cambio. A menudo estos sueños de liberación también están acompañados de una sensación de ansiedad, y tal vez sean una expresión de

preocupación sobre los retos de la libertad, como cuando nos marchamos de casa de nuestros padres, por ejemplo, o cuando nos jubilamos.

Llave y candado

La imagen de una llave y un candado tiene claros matices sexuales y puede ser un símbolo onírico muy cargado de significado. Vernos abriendo y sacando el candado de una caja puede transmitir una sensación de liberación sexual; sin embargo, si la caja no se abre, quizá sea una señal de frustración sexual.

Trampa

Los animales suelen representar los aspectos creativos o destructivos del yo en su forma más desinhibida. Los sueños en los que un animal queda atrapado en una trampa, como un ratón en una ratonera, pueden sugerir que sientes que tus energías creativas están siendo asfixiadas.

Ser arrestado

Soñar con que te arrestan suele indicar un sentimiento de culpa, sobre todo si después se descubren objetos robados o antiguos delitos menores.

Ascenso y caída

La lógica sugiere que los sueños sobre ascensos indican éxito, y los de caídas, fracaso, pero otras interpretaciones pueden llegar a un nivel más profundo de significado. Para los freudianos, los sueños de ascensos representan el deseo de satisfacción sexual. También denotan aspiraciones en otros ámbitos de la vida. El hecho de caer tal vez simbolice el fracaso o un orgullo injustificado, como en la caída de Ícaro, quien voló demasiado cerca del Sol; sin embargo, también a menudo representa un descenso abrupto e inquietante al subconsciente.

Los tropiezos y las caídas, que suceden particularmente durante el sueño hipnagógico (véase páginas 50-54), suelen surgir como recordatorio de los peligros de una excesiva intelectualización: vivir demasiado en ese plano sin ocuparse de los aspectos más emocionales de la vida. Los soñadores casi nunca relatan el dolor de la caída: o se despiertan justo a tiempo, o descubren que el suelo es blando. Se nos está recordando que los desastres aparentes no siempre provocan dolor a largo plazo.

Los sueños de caídas desde un tejado o desde una ventana elevada suelen indicar inseguridad en una área de ambición mundana, como una profesión o medio social. Caer de un edificio en llamas con frecuencia sugiere que el soñador ha estado bajo una presión emocional insoportable como consecuencia de sus aspiraciones.

La amplificación de los símbolos del ascenso y la caída puede proporcionar conexiones con arquetipos mitológicos como la figura bíblica de Jacob, quien vio ángeles que subían y bajaban por una escalera de mano que conectaba el Cielo y la Tierra. En el Renacimiento, la escalera de Jacob se convirtió en un importante símbolo rosacruciano y alquímico, mostrado habitualmente con siete peldaños (los siete escalones al Cielo), que representan el nexo entre el yo físico y el yo espiritual.

Escaleras de mano

La escalera de mano suele simbolizar la consecución de una mayor conciencia o el descenso al subconsciente, dependiendo de si el soñador sube o baja por ella. La escalera que aparece en nuestros sueños también puede estar conectada de la misma manera a los altos y bajos de nuestra fortuna.

Ascensores

Como sucede con las escaleras, los ascensores pueden representar la conexión entre la vida espiritual y física o ser un reflejo onírico de nuestro progreso personal o profesional. Los ascensores se distinguen de otros medios para ascender o descender porque implican que nuestro destino es menos el resultado de nuestros esfuerzos que una consecuencia de la fortuna y los actos de los demás. En ocasiones, sugiere la ascensión de pensamientos desde el subconsciente del soñador, o un descenso hasta éste en busca de nuevas ideas e inspiración. El ascensor y su hueco también poseen matices que evocan claras referencias sexuales, similares a los del tren y el túnel.

Escalar una montaña

Las montañas son una representación de la masculinidad o, en un plano más sublime, también pueden estar representando el yo más elevado. Sugieren la determinación necesaria si alguien pretende alcanzar la cumbre, además de los peligros y la naturaleza enrarecida del entorno. Los freudianos interpretan la imagen de las montañas y las colinas como un símbolo de los pechos y creen que representan el deseo de cobijarnos en el regazo de la madre.

Vértigo

La sensación mareante que puede abrumarnos cuando estamos a gran altura suele ser un símbolo onírico de la ansiedad. A menudo representa la incomodidad que acompaña a una pesada carga o responsabilidad, o un gran volumen de trabajo, en casa o en el trabajo. El sueño quizá reclame que hablemos con nuestra pareja o nuestros superiores sobre nuestras preocupaciones.

Tropiezos y traspiés

Soñar que tropezamos o que damos un traspié tal vez sugiera que estamos adoptando una perspectiva demasiado intelectual respecto a la vida, confiando excesivamente en la lógica en lugar de echar mano de la intuición para resolver los problemas. El traspié suele relacionarse concretamente con problemas psicológicos o emocionales, respecto a los cuales es especialmente peligroso escuchar sólo a nuestra cabeza e ignorar el corazón. Los tropiezos también pueden ser una metáfora de la torpeza social.

Escalones y escaleras

Subir una escalera es una imagen onírica común que representa crecimiento personal o avances en la propia carrera. Soñar que tropezamos y nos caemos por la escalera sugiere con frecuencia que hemos abarcado más de lo que podíamos asumir razonablemente, o que estamos sobrestimando nuestras habilidades. Subir o bajar por las escaleras también puede tener connotaciones espirituales o psicológicas. Los junguianos interpretan que éstas tienen un significado arquetípico similar a la escalera de mano de la historia bíblica de Jacob (véase página 269), que representa el nexo entre la vida espiritual y física. Bajar la escalera también puede simbolizar el descenso a la mente subconsciente; lo fácil que nos resulte el camino o lo que descubramos tras el último escalón tal vez nos dé información sobre nuestro estado psicológico.

Los freudianos adoptan una perspectiva diferente y ven el ascenso y descenso de la escalera como un símbolo del acto sexual. De manera similar, es posible que el hueco de la escalera evoque los órganos sexuales femeninos, y la misma escalera, con sus barandillas y su pasamanos, represente el falo.

Pendientes resbaladizas

El sueño, relativamente común, en el que intentamos subir por una escalera mecánica descendiente o por una pendiente o escalera resbaladiza sugiere la incapacidad de progresar en un ámbito deseado, y puede servir como recordatorio tanto para abandonar el intento como para buscar una manera más apropiada de subir. Quizá hayas asumido más responsabilidad de la que eres capaz de manejar y corres el riesgo de poner en peligro el proyecto y tu propio bienestar.

Viajes y movimiento

Freud estaba convencido de que los sucesos oníricos que incorporaban viajes o movimiento normalmente representan deseos ocultos de satisfacción sexual, y de que los detalles concretos del sueño son los que reflejan los gustos sexuales del soñador. No obstante, los viajes y el movimiento a menudo simbolizan muchos otros aspectos de la vida, en particular el progreso hacia los objetivos personales y profesionales.

El destino de los viajes oníricos puede tener asociaciones míticas o metafóricas. Viajar hacia el oeste indica un trayecto hacia la vejez y la muerte, mientras que el viaje hacia el este puede significar rejuvenecimiento. Viajar a Roma, adonde proverbialmente llevan todos los caminos, puede indicar pensamientos sobre el destino, el amor o la muerte. Otros sueños sobre la muerte, simbolizada en los viajes, pueden tener que ver con aferrarnos o abandonar nuestro equipaje.

Jung percibió la aparición en los grandes sueños (de nivel 3) de la búsqueda de significado y realización, y ciertamente los sueños sobre emprender un viaje son mucho más frecuentes que los de llegar al destino. La mente soñadora revela la necesidad de progresar en la vida, pero indica que las decisiones sobre los objetivos finales deben tomarse desde el nivel consciente y el subconsciente: cuando se toman las decisiones conscientes, tienen un reflejo en el subconsciente, y se profundiza en ellas en sueños.

Algunas imágenes oníricas relacionadas con los viajes revelan su significado con más claridad. Gran parte de dicho significado lo transmite la naturaleza del camino que tenemos delante. Una carretera amplia y abierta suele sugerir nuevas posibilidades de progresar, mientras que un camino pedregoso e irregular puede indicar la presencia de obstáculos.

El escenario por el que el soñador pasa en el viaje también revela aspectos de su vida interior. Soñar que viajas por un desierto, por ejemplo, puede indicar soledad, aridez o falta de creatividad. Otras revelaciones provienen del medio de transporte: Jung vio que viajar en transporte público suele significar que el soñador se comporta como los demás en vez de buscar su propio camino.

Partida

Dejar atrás a la familia para emprender un viaje puede simbolizar un nuevo inicio, la inauguración de una nueva etapa vital o el principio de la búsqueda de un significado más elevado en nuestra existencia. Soñar que nos dejamos el equipaje, a menudo sugiere que estamos listos para superar las pautas de pensamiento y comportamiento más arraigadas o las trampas que nos encontramos en nuestra vida cotidiana.

En marcha

Muy conectado con el símbolo onírico de la partida, viajar evoca una sensación de progreso hacia un objetivo personal, espiritual o profesional. Los freudianos asocian los viajes oníricos con el movimiento rítmico y, por tanto, con un deseo de relaciones sexuales.

Caminar

La figura del caminante es una imagen clásica del pensador solitario; cuando aparece en nuestros sueños sugiere que ha llegado el momento de reflexionar. El paisaje de fondo de nuestra caminata puede ser una representación figurativa de nuestras preocupaciones.

Coche

Freud consideraba que el avanzar suave de un coche puede ser no tanto un símbolo de la satisfacción del deseo sexual, sino más bien un progreso en el psicoanálisis. Además, a menudo representa la libre elección o las acciones voluntarias del soñador.

Taxi

Tomar un taxi puede simbolizar una tendencia a elegir el asiento de atrás en la vida y dejar que los demás nos lleven, en lugar de confiar en nuestros propios esfuerzos. No obstante, si te ves conduciendo el taxi, la imagen puede expresar la voluntad de guiar a los demás en su viaje personal.

Estación

Las estaciones sugieren decisiones conscientes. Las alternativas disponibles en un estación de tren

o autobuses son análogas a las que encontramos en la vida; quedarnos o marcharnos, viajar cerca o lejos, hacer un viaje caro o barato. Esperar en una estación implica sentimientos de expectación que pueden resultar en una decepción o una agradable sorpresa, dependiendo del contexto.

Tren

Según Freud, el tren es un símbolo sexual masculino: su ruido y movimiento rítmico se interpreta como una representación del acto sexual, particularmente en la imagen onírica del tren entrando en un túnel. El trayecto puede ser también representativo de nuestro viaje por la vida. La ruta fijada en los raíles tal vez sugiera que nos sentimos atrapados y obligados a seguir un determinado camino y que no tenemos el control sobre nuestro propio destino. Perderlo o descubrir que te has equivocado de tren puede hacer referencia a oportunidades perdidas, mientras que un tren averiado o descarrilado puede ser una bendición disfrazada; lo que a primera vista parece una alteración desastrosa de nuestros planes quizá sea, de hecho, una señal para cambiarlos y tomar nuestra propia ruta libre de raíles.

Viaje marino

Los jungianos interpretan los viajes mari-
nos como una representación de nuestra
exploración de la mente subsconsciente.
Que el mar esté en calma y nuestro viaje
sea tranquilo, sin sobresaltos, puede implicar que el soñador se siente cómodo
con las aguas profundas del subsconsciente. Las sacudidas de un mar tormentoso,
en cambio, denotan emociones fuertes.
La amplificación quizá conecte un sueño sobre un viaje marino con la historia
bíblica de Jonás y la ballena, subrayando
el peligro de escapar de los mensajes del
subsconsciente.

Barco

Los freudianos ven el mar como una representación del útero y el barco en sí mismo como un
símbolo con una potente carga sexual. Asimismo,
relacionan el tamaño del barco con la voracidad
de la libido, una proa prominente con el falo y el
mascarón de proa con los pechos. Un mar tormentoso que sacude al barco de un lado a otro
tal vez sugiera una fuerte pasión o una fase tumul-
tuosa en la sexualidad del soñador. Un barco que
se hunde suele simbolizar deseos abrumadores o
un amor condenado.

Transbordador

El transbordador puede simbolizar la transición
entre distintos estados de conciencia. El balsero,
que hace referencia al Caronte de la mitología
griega, debe cobrar por sus servicios, y tal vez sea
una representación del arquetipo del Anciano Sabio.

Muelles

Los muelles pueden aparecer en sueños de partida y sugerir que dejamos atrás el terreno familiar

y que tomamos una nueva dirección o iniciamos el proceso de autodescubrimiento. Si soñamos que llegamos a puerto después de un viaje largo, el muelle quizá represente un lugar tranquilo y seguro después de una época turbulenta en nuestra vida.

Bote de remos o canoa

Los freudianos enfatizan el simbolismo fálico de las canoas, en las que remar es una representación de la masturbación. Otras interpretaciones asocian el bote de remos con el viaje hacia nuestro desarrollo personal y subrayan el esfuerzo que requiere explorar el yo, igual que remar.

Vehículo tirado por caballos

Un vehículo tirado por caballos desbocados puede ser un sueño muy angustioso que simboliza nuestra preocupación por no controlar nuestro propio destino. El hecho de soñar que viajamos en un carruaje antiguo suele sugerir que nuestro desarrollo personal o avance profesional se ve entorpecido por el apego a pautas de pensamiento o acción desfasadas.

Autobús

Los jungianos suelen interpretar la aparición de cualquier tipo de transporte público en los sueños como una representación de una tendencia conformista a hacer lo que nos dicen y de seguir a la multitud. El sueño con un autobús puede, por tanto, estarnos animando a ser más independientes en nuestros pensamientos y en la manera de actuar.

Motocicleta

La moto es, en principio, un símbolo de independencia. En la interpretación jungiana, el soñador que se ve a sí mismo conduciendo una moto está decidido a dirigir sus propios pasos. Cuanto más rápido va la moto, más emocionante es la conducción y más fuerte es el deseo de independencia. Las bicicletas y las motos también representan la necesidad de equilibrio; debemos mantener equilibradas las fuerzas de la mente consciente y subconsciente para avanzar. Los freudianos se centran en el simbolismo sexual de montarse a horcajadas sobre una máquina rugiente e interpretan la imagen onírica como un acentuado y potente deseo sexual.

Rueda

Para los budistas y los hindúes, la rueda simboliza los ciclos de la vida, la muerte y el renacimiento. También contiene matices de moralidad y verdad, y los budistas utilizan la rueda del darma, con ocho puntas, para representar las enseñanzas de Buda sobre el camino a la iluminación. Los jungianos asocian la rueda con una energía creativa poderosa; la ven como un símbolo del Sol y, en consecuencia, de la libido como fuente de vida.

Cruces de caminos

En los sueños, como en la vida cotidiana, los cruces de caminos representan puntos en los que tomar decisiones. Éstas siempre tienen un aspecto negativo y uno positivo: el camino que elegimos (por ejemplo, con una nueva pareja o trabajo) implica el rechazo de todo lo anterior. Dependiendo del contexto y el estado de ánimo, el cruce de caminos puede simbolizar asimismo la convergencia de personas o ideas, o una separación.

Atasco

Una multitud bulliciosa que nos impide avanzar al andar es una de las molestias de la vida urbana y en nuestros sueños suele expresar el estrés de la vida en la ciudad. Además, un sueño en el que forcejeamos en medio de una multitud o en el que nos quedamos atrapados en un atasco de tráfico puede simbolizar nuestra frustración por la lentitud con la que avanza un proyecto importante.

Correr

El significado onírico de correr depende mucho de hacia dónde lo hacemos o de qué nos alejamos al hacerlo. Correr para escapar de algún perseguidor es un sueño de ansiedad habitual (véase página 173), mientras que correr hacia algo suele dejar ver la impaciencia que sentimos por alcanzar un objetivo deseado o llegar a alguna conclusión.

Carretera

Cuando aparecen carreteras en nuestros sueños, suelen simbolizar nuestro viaje por la vida. Una carretera estrecha puede representar las restricciones morales o prácticas que dictan nuestras decisiones, mientras que una amplia y abierta representa libertad. Si soñamos con una autopista, quizá es que deseamos acelerar nuestras ambiciones o progreso espiritual.

Camino

Los obstáculos a nuestro progreso hacia la iluminación o realización espiritual pueden estar representados en sueños por un camino empinado y pedregoso. No obstante, de acuerdo con la imagen bíblica del camino amplio que conduce a la perdición y del estrecho que conduce a la vida, la interpretación de los sueños revela en ocasiones que el camino aparentemente complicado es, a pesar de todo, el que debemos elegir.

Camino de arrastre

Un caballo que avanza a duras penas por un camino de arrastre tirando de una pesada barcaza puede representar nuestra sensación de estar lastrados por la carga de nuestras responsabilidades o, también, que nuestro viaje vital ve ralentizado su progreso por recuerdos molestos o emociones complicadas.

Nadar

Las grandes masas de agua se suelen interpretar como una representación de las aguas del útero o las profundidades de la mente subconsciente. Nadar puede, por tanto, simbolizar el nacimiento o el deseo de regresar al útero materno. Jung entendía la imagen onírica de nadar hacia tierra como una representación del renacimiento espiritual. Nadar contra corriente sugiere a veces una lucha personal.

Volar

Los sueños en que volamos suelen producir una notable sensación de euforia, y algunos soñadores relatan un extraño reconocimiento, como si volar fuera un talento que siempre han poseído, pero que por alguna razón habían olvidado. Los sueños de volar casi nunca se interpretan como desagradables o temibles, y la sensación de libertad y euforia que transmiten a menudo abren la imaginación del soñador a las infinitas posibilidades de la vida.

Los soñadores no siempre vuelan solos, sino que pueden estar rodeados de amigos o extraños, cosa que sugiere que otros comparten la profunda comprensión de la verdadera naturaleza de las cosas. A veces los acompaña un animal o un objeto, que simboliza quizá aspectos importantes de su vida personal o profesional. En lugar de viajar por sus propios medios, los soñadores pueden encontrarse en algún tipo de vehículo con el que se mantienen en el aire, por incongruente que resulte, o saltar hasta el cielo dando zancadas gigantes, como las tres con las que el dios hindú Vishnu midió los confines del universo.

En sueños no es habitual que el vuelo se convierta en caída. Normalmente, el soñador se desliza suavemente hasta que sus pies tocan el suelo, después de disfrutar de las vistas panorámicas que se abren a sus pies. En ocasiones, el descenso puede hacerse en paracaídas, que a veces se interpreta como una indicación de una solución segura a un reto complicado. Además, volar puede implicar un elemento estimulante de peligro gozoso (como en el ala delta), lo que sugiere el deseo de asumir más riesgos en algún aspecto de nuestro trabajo o de nuestras relaciones. Que te suban al cielo en contra de tu propia voluntad, por otra parte, suele indicar que el soñador se ve obligado a tomar riesgos con los que no se siente cómodo.

Hacer volar una cometa

Soñar con que haces volar una cometa comparte connotaciones con otros sueños que se relacionan con el vuelo, pero éste destaca la importancia de la libertad controlada de algún aspecto del soñador, igual que la cometa se controla en medio de la fuerza del viento. Puede representar también planes estimulantes pero improductivos.

Aeroplano

Volar en un aeroplano suele tener asociaciones relativamente directas, como el deseo de viajar para conocer mundo, pero también puede sugerir el deseo de un progreso rápido, o de alcanzar un éxito espectacular en una empresa concreta. Los freudianos ven los aeroplanos como un símbolo fálico, asociado con una nueva aventura sexual.

Volar en un vehículo incongruente

Con frecuencia, el vehículo incongruente que nos transporta por los aires es algo que representa comodidad y seguridad, como una cama o un sillón, y el sueño sugiere un deseo de aventuras, pero atemperado por una búsqueda de la comodidad y la seguridad.

Globo aerostático

Los globos se asocian frecuentemente con la fantasía, el deseo de escapar y el de elevarse por encima de los conflictos de la vida diaria. También suelen representar la necesidad de ser más objetivo y de adoptar una perspectiva más alejada en nuestra manera de pensar. El fuego que alimenta el aire caliente tiene un significado similar: puede simbolizar la energía que hay detrás de un objeto personal muy apreciado y que necesita ser bien atendida para asegurarse de que quema correctamente y no se apaga.

Alas

Las mitologías griega y romana asociaban las alas con la fama, en la forma de Mercurio, un mensajero divino de pies alados, famoso en todo el planeta. Soñar con que nos crecen unas alas y volamos puede representar un anhelo de fama y éxito. Sin embargo, también suele ser una advertencia contra el orgullo excesivo y recordar la historia de Ícaro, quien se construyó unas alas con plumas y cera, y que terminó muriendo al volar demasiado cerca del Sol.

Paracaídas

Los paracaídas nos proporcionan una manera segura de aterrizar cuando un avión tiene problemas. Soñar con paracaídas puede expresar alivio al final de una prueba difícil o peligrosa, como una operación o un accidente del que salimos bien librados. El paracaídas también suele sugerir que necesitamos «saltar» cuando aún podemos: quizá estamos involucrados en una situación en la que no acabamos de sentirnos cómodos.

Flotar o planear en el aire

Flotar en el aire, con el mundo a tus pies, puede ser una actividad onírica estimulante y optimista.

No obstante, por contra, a veces es una suerte de advertencia inherente a este escenario básicamente imposible: no pierdas contacto con la realidad. Quizá nuestra mente subconsciente nos reclama cautela frente a una ambición demasiado presuntuosa o ante un ascenso meteórico hasta una posición de prominencia social o profesional. Es importante que no asumamos más responsabilidad de la que podemos satisfacer, o acabaremos estrellándonos contra el suelo.

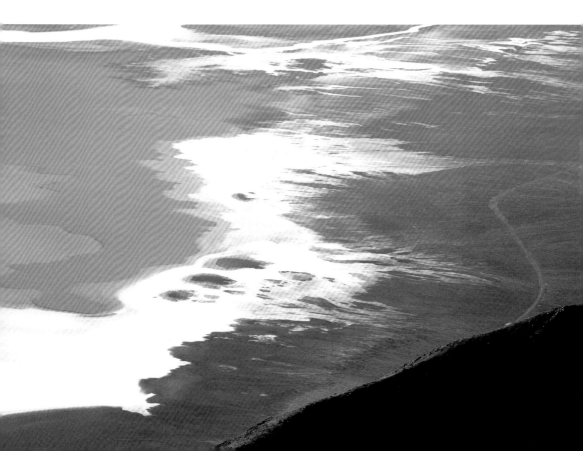

Cocinar y comer

Comer se ha asociado siempre con la sexualidad. Freud identificó la boca como la primera zona erógena que descubren los niños. Según él, a lo largo de la vida de individuos con ciertas formas de personalidad obsesiva, la oralidad puede mantenerse inextricablemente asociada con la gratificación sexual y hacer surgir rasgos de personalidad concretos, como la agresividad verbal.

No obstante, incluso antes de Freud, los sueños en los que aparecemos comiendo o se ven alimentos se solían interpretar como de carácter sexual. Ciertos alimentos, como los melocotones u otras frutas, simbolizan tradicionalmente la lascivia, mientras que otros como el pan representan una sexualidad más refrenada y orientada a la fertilidad.

Sin embargo, como elementos básicos de la vida, la comida y el ac-

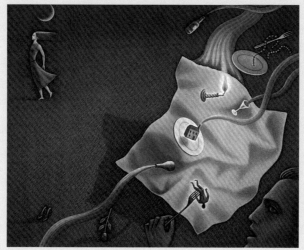

to de comer requieren de una interpretación más amplia que la estrictamente sexual. La comida mal hecha o con mal sabor puede sugerir una amargura en el corazón de la vida emocional del soñador; mientras que esperar un plato que no llega nunca tal vez señale desatención, decepción emocional o falta de apoyo adecuado.

Las reacciones del soñador a la comida pueden ser también muy significativas para interpretar sus sueños. La impresión de haber comido demasiado quizá represente avidez, falta de discernimiento, sensualidad, o un comportamiento corto de miras. La negativa a aceptar comida suele sugerir el deseo de terminar con la dependencia de los demás, mientras que cocinar para otras personas se relaciona a menudo con el impulso de alimentar, dar apoyo u ofrecer un compromiso emocional.

Freír

Cuando fríes tu comida corres el riesgo permanente de quemarla, por lo que debes hacerlo con cuidado. En este sentido, la actividad onírica de freír representa un proyecto al que debemos prestar especial atención para asegurarnos de que lo terminamos exitosamente.

Por otra parte, freír puede ser significativo por el humo que produce: el humo a veces es un símbolo tanto de sacrificio y muerte como de limpieza y purificación.

Picnic

Comer al aire libre suele indicar que existe un anhelo de naturalidad y simpleza, y de escapar de los convencionalismos, que tal vez te están frustrando.

Comidas sociales

Las comidas sociales pueden tener una carga emocional positiva que suele reflejar la confirmación de nuestra intimidad con los demás, tanto si son amigos como familiares o individuos de tu comunidad. Los intereses compartidos, la harmonía, la paz y la calidez de las relaciones sociales pueden reafirmarse. Las comidas en las que te sientes incómodo representan frigidez, una amenaza a la felicidad fundamental o distancia social, y pueden sugerir que te sientes incapaz de comunicarte con la gente que te rodea, o que ésta te deja de lado.

Hornear

Tanto si hacemos pan, galletas o un pastel, hornear en sueños se asocia con la fertilidad y la nutrición. Los freudianos ven en el proceso rítmico de hacer la masa una representación del acto sexual, mientras que la manera en que la levadura hace subir el pan recuerda al vientre hinchado de una mujer embarazada. Hornear es fundamentalmente un proceso creativo y también suele hacer referencia a la necesidad de explorar impulsos artísticos desconocidos.

Comer en un restaurante

Comer en un restaurante implica gran cantidad de transacciones. Un menú que no podemos leer, o del que nos cuesta elegir, suele simbolizar una decisión preocupante o abrumadora. Una factura que no podemos pagar puede representar la inquietud sobre el dinero, mientras que un compañero de mesa inesperado o descortés tal vez desvele una desconfianza subconsciente respecto a un amigo cercano, un amante o un compañero de trabajo.

Ayuno y atracones

Para Freud, la comida a menudo representa los dos instintos vitales: el de supervivencia individual, o avidez, y el de la conservación de la especie, en otras palabras, el sexo. Veía la boca, por donde la comida entra en el cuerpo, como la zona erógena primaria, y el ayuno o los atracones como un símbolo del deseo sexual (negado o consentido). Soñar con que nos damos un atracón desmesurado puede sugerir sentimientos de profundo deseo sexual, quizá como resultado de un largo período de abstinencia. También suele ser una actividad violenta y autodestructiva que transmite ira reprimida, sobre todo si desgarramos la comida de manera feroz y salvaje. Los atracones también pueden simbolizar el autocastigo o la purificación y la abnegación.

Pescado

Los jungianos interpretaban que el pescado es un símbolo del niño nonato y, por tanto, de la fuerza vital primaria, «porque el niño antes de nacer vive en el agua, como un pez». Freud lo veía como un símbolo genital, aunque el significado simbólico exacto depende de qué hacemos con el pez (¿nos lo comemos o sólo lo miramos nadar?) y del estado en el que está (entero, descabezado o destripado). La cría prolífica de los peces aumenta sus connotaciones sexuales, mientras que un gran banco de peces suele representar la abundancia de la naturaleza.

Vísceras o menudos

En la Antigüedad se utilizaban los intestinos para adivinar el futuro. Su aparición en nuestros sueños tal vez sugiera subconscientemente que hemos de seguir nuestros instintos «viscerales» y escuchar nuestra intuición.

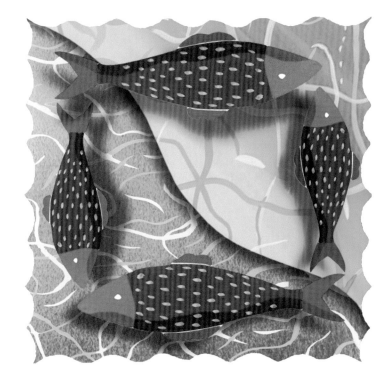

Carne

En las creencias nórdicas y chamánicas, comer la carne de un animal o adversario es absorber su fuerza y energía. La psicología freudiana sugiere que para el soñador moderno esa absorción es la de las propias energías instintivas, que hasta ese momento se han reprimido o negado.

Asado de los domingos

La tradición cristiana de asar un pollo o hacer una parrillada los domingos y comérsela en un gran almuerzo familiar puede evocar imágenes nostálgicas de nuestra infancia. Si hemos abandonado los rituales semanales de ir a la iglesia y sentarnos a la mesa con nuestros seres queridos, el sueño puede estar expresando el deseo de participar más en actividades familiares o comunitarias tradicionales.

Fruta

Una gran cantidad de fruta es una imagen arquetípica de la fertilidad, y su aparición en nuestros sueños puede sugerir el deseo que siente una mujer de quedarse embarazada. También decimos que un proyecto ha «fructificado», y en ese contexto la fruta puede simbolizar la recompensa al trabajo duro o la creatividad, y la realización de nuestras expectaciones o ambiciones.

Beber

Los jungianos ven cualquier tipo de líquido como una representación de la fuerza vital; los sueños en los que bebemos pueden simbolizar el deseo de entender la naturaleza del universo. Beber alcohol hasta el punto de la embriaguez implica la necesidad de desarrollar un nivel más elevado de conciencia.

Vegetales

Una gran cantidad de vegetales, quizá como parte de una comida de Navidad o de una celebración de las cosechas, puede significar el deseo de disfrutar de la generosidad de la naturaleza. Ésta puede ser una imagen onírica muy positiva que refleja satisfacción con un trabajo bien hecho que nos está reportando una recompensa. No obstante, si anhelamos la abundancia de vegetales, tal vez estemos preocupados por nuestro bienestar económico.

Especias

Las especias añaden sabor a gran variedad de platos que, de otra manera, resultarían sosos, y los sueños en los que aparecen de manera destacada pueden sugerir la necesidad de mayor emoción en nuestras vidas. Los botes erguidos en el especiero a veces poseen connotaciones fálicas e indican la necesidad de mayor espontaneidad sexual.

Trabajar y relajarse

La mayoría de los sueños son muy activos, y es raro encontrarse a uno mismo relajándose: una carrera al aeropuerto para tomar un vuelo que ha cambiado de hora es una imagen mucho más habitual que la de haraganear bajo una palmera con un cóctel en la mano. No obstante, los sueños que simbolizan un deseo de relajación, o que incluyen preparativos activos para experiencias potencialmente relajantes como unas vacaciones, son bastante habituales.

Los sueños son realistas respecto a las vacaciones, y reconocen que en muchos casos pueden ser episodios muy estresantes. Así, la mente subconsciente puede utilizar las vacaciones de manera simbólica, quizá unas que nos tomamos en el pasado, para así representar ansiedades en otros ámbitos de la vida del soñador.

En ocasiones el sueño contrasta el estado agitado del soñador con el comportamiento relajado de la gente que lo rodea, lo cual hace hincapié en la necesidad del sujeto de reducir el estrés. A veces, el que sueña puede sentirse intensamente irritado por la inactividad de los demás, lo cual sugiere un resentimiento arraigado por no recibir la suficiente ayuda en la vida cotidiana, o rabia por su propia impotencia. El soñador puede incluso pensar que otros personajes de su sueño se han reducido a monigotes o muñecas, y descubrirse intentando despertarlos de manera enfurecida pero ineficaz.

Los episodios oníricos relacionados con el trabajo toman típicamente el aspecto de sueños de ansiedad o pesadillas. Son recurrentes temas como la pérdida de control o la incapacidad de realizar un trabajo satisfactoriamente.

Si tu situación en el trabajo es tan mala que te da pavor ir a la oficina, puedes soñar con un viaje a tu lugar de trabajo penoso, por un barrizal que te llega hasta la rodilla.

Los compañeros de trabajo también pueden estar representados simbólicamente, en formas que revelan tus emociones o tus respuestas hacia ellos. Por ejemplo, un jefe demasiado autoritario en ocasiones aparece como un asaltante que te ataca en el trabajo.

Los sueños pueden mostrarnos el camino que debemos seguir en nuestras vidas laborales y destacar problemas que nuestro orgullo profesional nos impide reconocer. Si prestamos atención a sus mensajes podemos hacer los cambios necesarios para aumentar nuestra satisfacción profesional.

Vacaciones problemáticas

Estar de vacaciones pero aun así sentirse acuciado por los problemas y la ansiedad suele sugerir la incapacidad de escapar de las responsabilidades de la vida normal. Un desastre tras otro (problemas con las reservas hoteleras, mal tiempo, enfermeda-

des repentinas) indican un pesimismo radical, fruto, tal vez, de una vida habitualmente estresante, o podría ser también una advertencia contra la tentación de idealizar en exceso un estilo de vida distinto al nuestro.

Lugares aislados

Un retiro en una montaña o una casa de campo remota pueden expresar el impulso de escapar de las pruebas y tribulaciones de nuestra vida cotidiana. Quizá sentimos que hay demasiada gente demandando nuestro tiempo y anhelamos desesperadamente algo de paz y soledad. Alejados del ajetreo de los núcleos habitados, el lugar aislado tal vez represente el anhelo de un estilo de vida más minimalista y menos materialista.

Hacer las maletas

Generalmente, los preparativos para tomarse unas vacaciones sugieren la necesidad de escapar de los problemas cotidianos o de buscar emociones y experiencias nuevas. El deseo de viajar libre del «equipaje» innecesario con el que cargamos normalmente en la vida. El exceso de equipaje puede sugerir una perversa insistencia a aferrarse a los problemas que oprimen nuestra vida interior. La ansiedad sobre la cantidad de equipaje que llevamos puede representar el miedo a la muerte o la preocupación por ella.

Isla desierta

Estar solo en una isla desierta puede indicar una sensación de abandono y aislamiento, quizá después de un divorcio o un duelo. La imagen de la isla, varada en un mar infinito, también puede reflejar la relación entre las mentes consciente e inconsciente. Quizá nos sentimos más cómodos en el terreno firme de la mente consciente, pero no podemos escapar de la presencia inquietante de las profundidades desconocidas: el subconsciente.

Playa

Solemos asociar las estancias en la playa con los largos períodos vacacionales y felices recuerdos de la infancia. La combinación de sol, mar y arena puede ser purificadora y rejuvenecedora, y una visita onírica a la playa tal vez nos haga sentir renovados y resucitados. Sin embargo, las playas también pueden tener connotaciones mucho más perturbadoras. Los freudianos interpretan las altas torres de un castillo de arena como símbolos fálicos que sugieren la ansiedad de la castración al ser arrasados por las olas. De manera parecida, enterrar a nuestra madre o padre en la arena a veces se entiende como la expresión de deseo homicida inspirado por un complejo de Edipo o Electra.

Carrera al aeropuerto

Una carrera frenética al aeropuerto en un coche o taxi, para tomar un vuelo que nos lleve a nuestras vacaciones, a veces refleja nuestro miedo de que los placeres de la vida nos eludan.

Amores de verano

Una aventura erótica en un romántico cenador o una pequeña cala oculta por piedras altas es un tópico habitual de los sueños sobre vacaciones. Estos sueños, además de ser una simple satisfacción de deseos, pueden destacar cierta insatisfacción en aspectos de una relación de la vida real. Es posible que estemos anhelando la libertad, euforia y emociones intensas que suelen acompañar a los romances de verano. O quizá lo que deseamos es una mayor espontaneidad en la vida sexual con nuestra pareja.

Piscina

El agua de una piscina puede representar nuestras emociones conscientes o subconscientes. La aparición en sueños de una piscina sugiere a veces la necesidad de sumergirnos y explorar la verdadera naturaleza de nuestros sentimientos. Una piscina sin agua refleja a menudo una sensación de vacío y de ausencia de emociones.

Secretaria

Existe cierta ambivalencia en la figura onírica de la secretaria. Normalmente es una mujer que protege al ejecutivo de llamadas inoportunas y le organiza la agenda. En este sentido, las secretarias se asocian con una persona maternal y cuidadosa. Sin embargo, los sueños en los que la secretaria se muestra servicial pueden ser una expresión de deseos no explorados de dominación sexual.

Caerse de una ventana de la oficina

El sueño de caer por una ventana de un alto edificio de oficinas puede surgir de que estemos preocupados por nuestra habilidad para llevar a cabo responsabilidades de gestión, o quizá de la ansiedad profunda que nos produce la posibilidad de perder nuestro trabajo.

Escritorio

Si en un sueño estamos sentados frente a un escritorio, nuestra mente subconsciente puede estar apremiándonos para que nos tomemos un tiempo para evaluar nuestros problemas y encontrar alguna solución racional a ellos. Un escritorio desordenado o abarrotado suele sugerir que nuestros asuntos personales necesitan más atención y que debemos reconsiderar nuestras prioridades.

Archivador

La imagen onírica de un archivador puede señalar que necesitamos poner en orden nuestros asuntos. Un archivador abierto denota la voluntad de aprender y una actitud abierta a nuevas ideas y puntos de vista. Si, por otra parte, los cajones están cerrados, quizá estemos ocultando algo, tal vez un incidente de nuestro pasado o algún aspecto del yo.

Reunión

Soñar que llegamos tarde a una reunión refleja a menudo ansiedades que surgen de nuestras responsabilidades laborales. Si al llegar a la reunión descubrimos que nos hemos dejado nuestras notas u otros documentos importantes en casa, puede que estemos preocupados por no estar lo suficientemente preparados para un reto futuro.

Perder el trabajo

Un sueño en el que nos despiden del trabajo tal vez simbolice el deseo de terminar con una relación o situación que está teniendo un impacto negativo sobre nosotros. También refleja falta de autoestima, en ciertas ocasiones. En el fondo, puede que no estemos convencidos de ser capaces de estar a la altura de las responsabilidades que nos han confiado.

Ceremonias y rituales

Desde el principio de la historia, las diversas culturas han utilizado las fiestas y los rituales para celebrar sucesos importantes y recurrentes, para honrar a los dioses por mantener el curso de la vida y para señalar el paso del tiempo. Todas las sociedades utilizan rituales para celebrar transiciones vitales, en las que pasamos de una etapa a otra, desde el nacimiento a la pubertad, el matrimonio, la paternidad y la muerte. Sacrificando a animales o enemigos capturados, nuestros antepasados esperaban imitar el ciclo de nacimiento y muerte de la naturaleza, ofreciendo la vida de otro para salvar su propia existencia y para que los dioses trajeran fertilidad a la tierra.

Los rituales son también una forma de teatro, y en los sueños invitan al soñador a escapar de los confines de la mente consciente y a sumergirse en el fabuloso mundo de la imaginación. Los participantes pueden llevar máscaras o vestimentas especiales, entonar una canción particular o recitar conjuros rituales para asumir su nuevo papel, dejando atrás sus identidades cotidianas y adentrándose en el mundo arquetípico del inconsciente.

Los sueños asociados con la Navidad u otras grandes celebraciones religiosas pueden representar paz, generosidad, buena voluntad, la familia y los amigos, o en un nivel más profundo, la confirmación de verdades espirituales. Las bodas y otros aniversarios a menudo sirven como recordatorios de la transitoriedad de los vínculos humanos y familiares, de las promesas y cometidos que llevan asociados, o si la carga emocional es negativa, de los compromisos limitadores que implican.

Los sueños en los que aparecen bautismos suelen representar purificación, nuevos inicios o la aceptación de nuevas responsabilidades. En los sueños de nivel 3, pueden simbolizar iniciaciones importantes en áreas completamente nuevas de sabiduría o de progreso espiritual.

Rito de la fertilidad

Las imágenes oníricas de ritos de fertilidad suelen emerger del inconsciente colectivo. Jung las veía como indicaciones de intentos para eliminar la separación entre las mentes consciente y subcons-

ciente, y para forjar una unión entre el soñador y su propio yo instintivo y hereditario. Esos rituales pueden implicar algún sacrificio al dios del maíz o una deidad de las cosechas, representando la muerte del pasado para garantizar la fertilidad y prosperidad futura. Para los freudianos, los individuos que sueñan frecuentemente con símbolos asociados a la fertilidad probablemente están preocupados con el embarazo.

Sacrificio

La imagen onírica de un sacrificio humano puede ser una advertencia de la mente subconsciente sobre los peligros psicológicos de actuar como un mártir. El «complejo de mártir», por el que damos demasiado de nosotros mismos con la esperanza de recibir la aprobación y gratitud de los demás, es definitivamente insatisfactorio y psicológicamente malsano. El sacrificio de una víctima humana también puede recordar la muerte de un ser querido. Quizá necesitamos librarnos de su recuerdo para escapar del dolor. Si el fallecido murió después de una larga enfermedad, la mente soñadora quizá está expresando una sensación de alivio.

Boda

Las bodas suelen sugerir la unión de partes opuestas pero complementarias del yo, y la promesa de fertilidad futura. En el caso de los sueños de nivel 3 (véanse páginas 65-70), puede tener un significado arquetípico y simbolizar la unión en el interior del soñador de las fuerzas creativas fundamentales de la vida: lo masculino y lo femenino, la racionalidad y la imaginación, la conciencia y el subconsciente, la materia y el espíritu.

Los sueños de bodas también pueden representar una afirmación positiva de vínculos familiares o compromisos importantes. Si nosotros, o un familiar o un amigo cercano, se va a casar en un futuro próximo, nuestra mente subconsciente puede utilizar el sueño sobre una boda para destacar las inquietudes que nos provoca el matrimonio. Si el novio o la novia no se presentan o si alguien pierde el anillo puede que tengamos dudas sobre el compromiso de una de las partes. Si no aparecen los invitados, entonces quizá nos preocupa que una de las dos familias no apruebe la unión.

Recibir un premio

Los junguianos pueden asociar una situación onírica en la que recibimos un premio (una medalla al valor, quizá, o un trofeo en un evento deportivo) con el deseo de identificarnos con el arquetipo del Héroe (véase página 107). Una sed de reconocimiento también podría apuntar a inseguridades subyacentes y a falta de autoestima. En ese sentido, puede que nos preocupe que los demás no nos valoren a menos que podamos demostrarles nuestra valía.

Renuncia ritual

Cualquier ritual que implique quitarle símbolos de vanidad al soñador, como pelo, ropa o joyas, puede presagiar la necesidad de algún tipo de renuncia al poder o el orgullo mundanos, o algún aspecto del ego. Muy a menudo las renuncias vienen dadas por motivos religiosos, y un sueño en el que nos colocamos el hábito de un monje puede expresar el deseo de concentrarse más ampliamente en los aspectos espirituales de la vida.

Coronación

La coronación inviste al monarca con el poder y la responsabilidad del reinado. El sueño en que nosotros somos el monarca coronado quizá sea una afirmación de nuestra aptitud para aceptar un nuevo papel. No obstante, también puede ser una señal de exceso de vanidad o egocentrismo.

Comunión

El sacramento cristiano de la comunión representa la transustanciación de Cristo, o la unión de materia y espíritu. Su aparición en nuestros sueños puede expresar un potente deseo de conectar con poderes espirituales más elevados.

Todos los Santos y Halloween

La celebración de Todos los Santos deriva de una antigua tradición que señalaba la transición entre la parte luminosa y la oscura del año. Se creía que esa noche las fronteras entre éste y el otro mundo se difuminaban, lo que permitía que los espíritus, buenos y malos, las atravesaran. Es un momento de transformación, y cuando aparece en nuestros sueños puede representar un cambio profundo en nuestra perspectiva de la vida. La celebración de Halloween, por ejemplo, está hoy en día cargada de símbolos, desde disfraces de gatos negros, fantasmas o esqueletos hasta calabazas huecas. Los jungianos no tendrían ninguna dificultad para identificar la mayor parte de estos conceptos recurrentes con un amplio abanico de símbolos arquetípicos.

Circuncisión

Para Freud la circuncisión de los jóvenes judíos y musulmanes representaba un ritual sustitutivo de la castración. La interpretaba también como un ataque preventivo del padre contra un posible rival.

El bar mitzvah

Freud creía que el rito iniciático judío, la ceremonia del *bar mitzvah*, estaba saturada de simbolismo edípico. Sentía que tanto la declaración, «hoy soy un hombre», como el baile inicial entre el niño de trece años y su madre representaba la rivalidad entre el joven y su padre.

El diwali

El festival de luz celebrado por hindúes, sijs y jainas simboliza el triunfo del bien sobre el mal. Un sueño en el que participamos en las celebraciones del *diwali* puede representar un triunfo personal sobre nuestra naturaleza más primaria, o un despertar después de un largo período de luto o depresión.

Arte, música y danza

En varias culturas antiguas, como las de Grecia y la hindú, se creía que las artes ya existían previamente en otra dimensión; la tarea del artista era actuar como canal a través del cual esas bendiciones podían entrar en el mundo físico. Así, las artes siempre estuvieron asociadas con los dioses. Los griegos adoraban a Apolo, deidad de la música y del sol, y a las nueve musas, hijas de Zeus, cada una de las cuales era responsable de uno de los ámbitos artísticos. Los hindúes adoran a Saravasti, la diosa del aprendizaje, que toca el harpa. Merece la pena recordar que el poeta Robert Graves atribuía su poesía a una musa a la que llamaba «diosa blanca». De manera similar, en sueños, las artes representan no sólo la creatividad personal del soñador, sino también un medio por el que podemos acceder a niveles más elevados de conciencia.

A veces nos despertamos de nuestros sueños con las notas apagadas de una exquisita melodía en la cabeza. Puede que no seamos

capaces de recordar qué instrumentos sonaban o qué secuencias de notas producían, pero pese a ello nos despertamos animados e inspirados. Esa música suele provenir de sueños de nivel 3 (véase páginas 65-70) y simboliza los estados mentales asociados con los niveles más elevados de nuestro desarrollo interior.

El compositor italiano del siglo XVIII Giuseppe Tartini soñó que se le aparecía el diablo y le tocaba un solo tan maravilloso con su violín que incluso la mala copia que Tartini recordó al despertarse (El trino del diablo) está considerada su mejor obra. La tradición griega clásica habría reconocido al arquetipo que aparecía en el sueño de Tartini no como el diablo, sino como Pan, el lujurioso dios de la fertilidad, mitad hombre y mitad cabra, quien hechizaba a las ninfas del Cielo y encantaba a los mortales con su música insidiosa.

El hecho de soñar con que estamos llevando a cabo alguna actuación artística puede hacer hincapié en nuestro propio potencial no realizado; mientras que ser espectador u oyente tal vez evoque el goce de compartir una experiencia creativa o subraye la necesidad de buscar la inspiración en los demás. Algunos instrumentos, como el harpa, siempre han simbolizado, sobre todo, cualidades celestiales, mientras que otros (como los de viento) han simbolizado energías más sensuales. De manera similar, los distintos géneros musicales tienen connotaciones completamente diferentes. Mientras que la música punk o rock se puede asociar con la rebelión, la música popular de nuestros sueños suele representar el lado más terrenal de nuestra personalidad.

Puesto que los sueños beben de las mismas fuentes que la imaginación, a menudo aportan inspiración artística, ofreciendo ideas o, en ocasiones, incluso obras terminadas.

Música disonante

El caos y la confusión de la música disonante puede sugerir un potencial creativo desfigurado. Por otra parte, la música discordante o desafinada en sueños tal vez apunte a una sensación de desorganización o tensión en ámbitos de la vida cotidiana del soñador. Quizá nuestras circunstancias no estén «afinadas» con nuestras necesidades y deseos. La incomodidad sugerida puede ser profunda, en el peor de los casos, apuntando hacia

una sensación de mala adaptación a las presiones de la vida diaria; por ejemplo, es posible que no nos sintamos a gusto en nuestro trabajo o que estemos descontentos por lo invasivo que es el empleo de internet.

Música familiar

Un fragmento de una canción o de una melodía familiar tendrá siempre asociaciones nostálgicas y quizá debas analizar la letra o incluso el título de la pieza. Por ejemplo, el estándar de jazz *Hojas muertas* puede expresar la tristeza por el paso del tiempo.

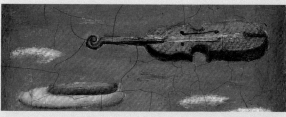

Música hermosa

La música hermosa de los sueños suele simbolizar el infinito potencial de la vida creativa: la celestial «música de las esferas» que el mundo grecorromano creía que el oído humano era capaz escuchar.

Bailar

Tanto para los jungianos como para los freudianos, bailar en sueños de nivel 1 y 2 puede hacer referencia al cortejo sexual, o ser una metáfora del acto sexual. En los sueños de nivel 3 suele simbolizar la conciencia de los ritmos de la vida, los poderes de creación y destrucción (reflejados en la cultura hindú por la danza de Shiva Nataraja), o el poder salvaje y creativo de la imaginación. Normalmente tiene connotaciones positivas. Bailar frenéticamente puede ser una expresión del poderoso deseo de alcanzar la unidad entre el cuerpo, la mente y el espíritu, o de un apetito sexual acalorado. Los bailes en grupo, como los ceilidhs escoceses, a veces evocan un sentimiento de comunidad.

Reproductor de música

Las plataformas para reproducir música grabada pueden ser neutras en sí; lo relevante es su correcto funcionamiento. Un aparato que no funciona bien puede ser una indicación general de algún tipo de frustración o dolencia física. Un CD rayado tal vez sugiera que una pequeña imperfección está arruinando nuestra paz mental. Quizá nos sentimos culpables por nuestras ansias perfeccionistas.

Gramófono

El gramófono puede indicar nostalgia o el anhelo del pasado. Si está roto es probable que evoque sentimientos de decepción, por ejemplo al comprobar que se ha cancelado un acontecimiento que estábamos esperando con ilusión. Cuando soñamos con un disco rayado que repite interminablemente el mismo pasaje musical, estamos ante una advertencia del subconsciente sobre los peligros de hablar siempre acerca de nuestros problemas. Nuestros amigos pueden estar hartos ya de escuchar las mismas quejas una y otra vez y quizá debemos plantearnos que ha llegado el momento de escuchar a la gente que ha tenido tanta paciencia con nosotros.

Clarinete

Algunas veces el simbolismo de los instrumentos musicales depende más de la forma que tienen o de la manera que se tocan que del sonido que producen. Freud veía los clarinetes, oboes y otros instrumentos de viento que se tocan verticalmente como simbólicos del sexo oral e indicadores potenciales de una candidez excesiva o de agresividad verbal.

Instrumentos de cuerda

La forma de muchos instrumentos de cuerda (por ejemplo, violines, chelos y guitarras) evocan la forma del cuerpo femenino, y tocarlos puede ser una representación de un acto sexual. El violín tal vez nos recuerde a Nerón, el emperador romano del que se dice que lo tocó mientras veía arder Roma.

Cantar

El sonido de las voces cantando tiene cualidades celestiales, y evoca himnos y canciones de alabanza además de coros angelicales. Cantar es una expresión profunda de emoción humana. Un sueño en el que cantamos puede simbolizar sentimientos intensos, de dolor o amor, o quizá la devoción por un ser o una causa más elevados.

Trompetas

Las trompetas es posible que anuncien grandes éxitos y enormes desastres, desde la fanfarria que saluda a un rey hasta las notas rotundas que anuncian una carga de caballería. Las trompetas se supone que anunciarán el día del Juicio Final y pueden señalar la necesidad de hacer un gran cambio inmediato.

Flauta

Todo tipo de gaitas, flautas e instrumentos de lengüeta están conectados con Pan, el dios de la fertilidad con cuernos de cabra, lo que les da connotaciones sexuales. La historia del flautista de Hamelín, quien atrajo a los niños del pueblo, puede sugerir seducción o hechizo. El pífano es un flautín utilizado en las bandas militares. La imagen onírica de un pífano representa sentimientos de ira o agresividad reprimidos.

Piano

Un piano que toca solo quizá represente la muerte de un amigo o pariente. Si está desafinado, quizá necesitamos prestar más atención a los impulsos de nuestra mente o cuerpo; puede que no estemos conectados con nuestras necesidades.

Tambor

Los tambores pueden simbolizar la magia terrenal o los estados de conciencia alterada, y tienen asociaciones particulares con las culturas chamánicas de Siberia y otros países. La percusión desempeña un papel fundamental en las ceremonias chamánicas y puede tener un efecto meditativo e incluso visionario en los participantes. El hecho de que un tambor o un ritmo de percusión aparezca de manera relevante en un sueño quizá sugiera una necesidad arraigada de volver a conectarse con las propias raíces y explorar los aspectos espirituales del yo. El tambor también tiene asociaciones marciales y se puede vincular a sentimientos de agresividad no explorados.

Procesión

La procesión onírica tal vez disponga de las características de un flamante carnaval o ser un acontecimiento formal, como un gran desfile nacional. Una marcha exuberante es un símbolo onírico de celebración y expresión de alegría, que reafirma todo lo bueno de la vida. Puede ayudarte pensar en el significado de los trajes utilizados y las carrozas que desfilan. Además, ¿había alguien a quien conocieras entre el público o en el desfile? Una procesión solemne representa, a veces la importancia de defender una causa en la que creemos.

Pintar

Mientras que pintar satisfactoriamente hace referencia, a menudo, al potencial creativo del soñador e, incluso, en el nivel 3, la certeza de su visión de la vida, los intentos fallidos pueden indicar una creatividad que aún debe seguir buscando su expresión adecuada, o reflejar una agitación o incerteza interior. Los colores vivos en los cuadros representan la energía subconsciente, mientras que los apagados a veces indican que entre el soñador y la inmediatez de su entendimiento hay colocado un velo que los separa.

Artista

Freud afirmaba que los logros artísticos eran «psicoanalíticamente inaccesibles». Sea el medio la pintura, la piedra esculpida, las palabras o las imágenes en movimiento de las películas, el artista simboliza en todo caso la expresión por intuición, en lugar de expresarse por la lógica o razón.

Exposición

Cuando un artista expone sus obras, se muestra a sí mismo ante la mirada crítica del público en general. Un sueño en el que colocamos productos fruto de nuestra creatividad, reales o imaginados, a la vista de otros puede representar sentimientos de una vulnerabilidad conectada con una ambición importante, un talento valioso o un proyecto personal muy apreciado en el que estamos embarcados.

Museo

El museo puede aparecer en nuestros sueños como un consagrado protector de tesoros culturales o como un símbolo de estancamiento y un verdadero mausoleo para el arte. Un sueño en el que rompemos el reverencial silencio de un museo causando un gran alboroto puede sugerir el deseo de derrocar los convencionalismos artísticos existentes.

Escultura

La escultura tiene una cualidad muy sensual y táctil. Los materiales utilizados, la escala (tanto si es natural como monumental) y el sujeto retratado afectan a nuestra respuesta a una obra, tanto en sueños como en la vida real. Una escultura que cobra vida en sueños puede recordar al mito griego de Pigmalión, quien esculpió una estatua que representaba su ideal de mujer y terminó enamorándose de ella. Afortunadamente para él, Afrodita, la diosa del amor, se apiadó y dio vida a la estatua. Con toda probabilidad, los sueños que exploran una temática similar representan una advertencia contra los peligros de idealizar a un individuo en particular o a todo el sexo opuesto en general. En definitiva, solemos decepcionarnos siempre que colocamos a alguien sobre un pedestal.

Retratos

Los freudianos sugieren que el simbolismo fálico del lápiz o el pincel confiere a la actividad onírica de pintar un retrato una cualidad sexual. Puede que nos sintamos atraídos por la persona que dibujamos. La expresión de la cara del sujeto tal vez indique qué imaginamos que siente hacia nosotros.

Si estamos creando un autorretrato, la cara que pintamos refleja nuestro propio estado de ánimo.

Subasta de arte

Si nos sentimos angustiados por el verdadero valor de nuestros proyectos creativos, podemos experimentar un escenario onírico en el que nuestro trabajo se pone a subasta. Los postores quizá representen a aquellas personas cuya aprobación buscamos más desesperadamente.

Baile de disfraces

Una danza o baile en el que todo el mundo está disfrazado puede hacer referencia a nuestra percepción de la gente con la que trabajamos o hacemos vida social. Sus disfraces tal vez nos den claves tanto sobre su verdadera naturaleza como acerca de la imagen que intentan proyectar. Nuestra vestimenta puede ser igual de elocuente.

Harpa

Las harpas ya se utilizaban en Egipto hace al menos cinco mil años. Producen un sonido que emerge de las cuerdas sin la ayuda de la respiración y que puede ser una imagen de la faceta espiritual del yo. Se asocian con los dioses y el cielo, desde la lira que llevaba Apolo, el dios griego de la música, hasta las representaciones artísticas de los ángeles tocando sus harpas.

Órgano

Los órganos se asocian con iglesias y ceremonias como bodas o funerales. Su aparición en nuestros sueños puede sugerir que estamos listos para asumir un gran compromiso, o que quizá tememos a la muerte.

Corneta

Tradicionalmente, el sonido de la corneta es una llamada a las armas o a la acción, y sugiere que el soñador debe estimular su potencial oculto, o que tiene que estar más alerta a las apremiantes necesidades de la vida.

Silbar

Sorprendentemente, silbar tiene en ocasiones matices mágicos, como cuando un marinero silba para que haga viento. Otra posible connotación es la conexión entre humanos y animales, como en la llamada de un dueño a su perro.

Deportes y juegos

Para los niños no existe diferencia entre juego y trabajo: todo es simple acción, y la única distinción posible es entre aburrimiento y diversión. En los sueños de los adultos tampoco existe esa distinción. Así, en sueños, los juegos pueden simbolizar el trabajo y otras cuestiones serias, igual que los sueños acerca del trabajo a menudo están relacionados con aspectos más personales de nuestras vidas.

El simbolismo de los juegos oníricos reside a veces en los objetos utilizados; otras, en la propia naturaleza del juego o su resultado, o en los compañeros de juego del soñador.

Los sueños sobre deportes son similares: el tipo de deporte, la destreza de nuestros oponentes, el papel que desempeñamos sobre el terreno de juego; todo ello contri-

buye al significado de la aventura. Los deportes son esencialmente un tipo de juego pero con ganadores, perdedores y unas reglas formales. Pueden utilizarse para representar nuestro progreso

en la vida, especialmente en situaciones en las que estamos involucrados en algún tipo de competición.

Los símbolos del juego están abiertos a una amplia gama de interpretaciones. Por ejemplo, los freudianos conectan su movimiento rítmico al acto sexual, mientras que otros afirman que más probablemente está recordando la emoción y la libertad de la infancia.

Los sueños sobre juegos suelen enfatizar que la creatividad contiene un elemento de falta de gravedad, y que las mejores ideas llegan cuando la mente tiene un ánimo relajado y juguetón. Por otra parte, esos sueños pueden sugerir que el soñador se está tomando demasiado a la ligera asuntos serios, o que lo que parece un entretenimiento liviano puede ser para otros un asunto profundamente preocupante. El espíritu juguetón puede indicar también que estamos rompiendo algunas reglas de las que depende una relación o alguna cuestión importante.

En los sueños de nivel 3, los juegos pueden estar conectados con el arquetipo del Embaucador o del Niño Divino (véanse páginas 104 y 106), o pueden transmitir el mensaje de que el universo también posee un elemento de juego, o que desde cierta perspectiva el mundo es esencialmente lo que los hindúes llaman *leela*, el juego divino que constituye la vida.

Ajedrez

El juego del ajedrez es un filón muy rico en simbolismo y representa las dualidades fundamentales de la vida: blanco y negro; vida y muerte; hombre y mujer. Las rivalidades sexuales y los planes de

los más astutos pueden verse en acción sobre el tablero, mientras un jugador intenta dar jaque mate al rey del otro. También puede ser intepretado como una batalla entre la oscuridad y la luz, en la que debemos examinar las piezas con las que jugamos, un humilde peón o una letal reina, para profundizar en nuestro subconsciente.

Lotería

Soñar con que ganamos la lotería puede tener que ver, simplemente, con el deseo de saciar nuestro afán de riqueza. Los freudianos, por su parte, interpretan que el dinero está conectado con preocupaciones anales, y ganar la lotería puede representar el deseo de escapar de un acopio tenaz y tener así la oportunidad de compartir lo que tenemos con los demás.

Apuestas

Las apuestas «profesionales» o las que se hacen con los amigos pueden simbolizar una aventura de riesgo en la que tomamos parte. ¿Hemos considerado plenamente lo que puede implicar la apuesta?

Adivinación

El significado de un sueño en el que se cumple una profecía o un destino anunciado puede depender de nuestra actitud hacia la adivinación. Los escépticos pueden estar viviendo un cambio de idea sobre algo, y quizá estén dispuestos a plantearse un punto de vista que normalmente habrían rechazado. Para aquellos que piensan que las bolas de cristal y la quiromancia no están asociadas de manera directa con el «camelo mágico», un sueño en el que aparezca la adivinación tal vez sugiera preocupaciones sobre nuestro porvenir profesional, económico o romántico. La predicción puede ser una expresión de nuestras esperanzas o miedos respecto al futuro.

Terreno de juego

Los deportes a veces simbolizan un logro personal o la interacción social. El escenario formal de cualquier terreno de juego (un campo de fútbol, una pista de tenis o un estadio de atletismo) sugiere competición, posiblemente en alguna institución, como la escuela o el trabajo. Un sueño en el que gozamos de la admiración de un estadio lleno de espectadores puede sugerir la necesidad arraigada de que los demás aprueben nuestro comportamiento.

Béisbol

El béisbol contiene una gran cantidad de símbolos sexuales, desde los fálicos bates y gorras de visera larga hasta los guantes y los pantalones ajustados. Los freudianos enfatizan aún más el significado sexual del juego y subrayan la competitividad edípica entre los jugadores y la figura paternal del juez árbitro.

Críquet

El equipamiento que se emplea para jugar al críquet, típico juego inglés, es parecido al del béisbol: en él también encontramos el bate, los guantes y los palos. Por tanto, tiene una fuerte resonancia sexual. Es más tranquilo que muchos otros deportes y su aparición en sueños puede transmitir el deseo de cambiar un entorno laboral o doméstico ferozmente competitivo por otro menos estresante y más relajado.

Boxeo

El boxeo, un deporte violento, a menudo debe asociarse con sentimientos de agresividad e ira. Si nos encontramos arrinconados contra una esquina, el sueño puede transmitir ansiedad sobre alguna situación de nuestra vida cotidiana; quizá sentimos que los acontecimientos han escapado a nuestro control o que nos están obligando a tomar una decisión que de otra manera evitaríamos. A veces, ser noqueado simboliza el deseo culpable de autocastigarse.

Regatas o vela

Para los jungianos, navegar en una regata es probable que represente la exploración del inconsciente colectivo. Los freudianos creen que esta actividad representa nuestro viaje inaugural fuera del útero materno.

Fútbol

La emoción de un partido de fútbol recuerda a un estado de excitación sexual. Un gol puede simbolizar el orgasmo, mientras que un fallo clamoroso llega a representar sentimientos de frustración sexual o incluso miedo a la impotencia. En ocasiones, los jungianos interpretan las victorias o derrotas oníricas como un reflejo de nuestro progreso espiritual.

Esgrima

El simbolismo sexual de la esgrima es evidente, desde las connotaciones fálicas de la espada hasta las estocadas y paradas de los oponentes. Las máscaras de los esgrimistas ocultan su identidad, y el momento más significativo del sueño puede ser cuando se las quitan. ¿Con quién o qué ha librado un duelo? ¿Tu pareja? ¿Un hermano? ¿Con tus propios impulsos subconscientes?

Carrera de caballos

El movimiento rítmico de cabalgar un caballo es un símbolo sexual freudiano. Los azotes del jinete pueden simbolizar impulsos sadomasoquistas no explorados, mientras que los obstáculos que saltamos pueden evocar a los que debemos superar para satisfacer nuestro deseo sexual. A esto hay que añadir la dimensión de la victoria o derrota: la euforia del triunfo puede sugerir el orgasmo, mientras que el amargo fracaso tal vez sea señal de ansiedad respecto a nuestro rendimiento sexual.

Un caballo de balancín puede tener las mismas connotaciones sexuales que uno de verdad, aunque el movimiento suave del balancín a veces representa el anhelo de comodidad y seguridad.

Patinar

La imagen onírica de patinar puede recordar a la frase «patinar sobre una fina capa de hielo». Quizá estamos involucrados en algún tipo de empresa que pone en riesgo nuestra integridad personal o nuestra seguridad económica. En ocasiones, patinar es también una actividad liberadora y transmite una sensación de libertad y euforia, sobre todo si hacemos movimientos que en la vida real no nos atreveríamos a intentar. Quizá es hora de abandonar la comodidad e intentar algo nuevo.

Juegos de representación

Un sueño en el que aparecen juegos infantiles de representación (mamás y papás, ladrones y policías, o vaqueros e indios, por ejemplo) puede implicar que la máscara que adoptamos en nuestra vida cotidiana no representa a nuestro verdadero yo. Quizá estamos experimentando una transformación personal, pero la imagen que los demás tienen de nosotros aún no ha cambiado.

Esquiar

El descenso de una montaña es un clásico símbolo freudiano del acto sexual, al que la euforia del esquí añade una emoción deliciosa. Gozar de este deporte suele venir acompañado, y quizá intensificado, por una atmósfera de peligro, lo que sugiere tal vez un sentimiento de culpa que acompaña a nuestros impulsos sexuales o el miedo de ser descubierto en un acto sexual ilícito.

El escondite

El significado del juego infantil del escondite depende del papel que desempeñemos. Si nos escondemos, tal vez se denote ansiedad. Quizá tememos que nos acucie algún delito menor del pasado, o existe alguna cuestión de nuestra vida actual de la que es necesario, aunque angustiante, ocuparse. Cuando somos los que estamos buscando, en opinión de los junguianos estamos ante una personificación de la búsqueda de iluminación espiritual.

Transacciones

Incluso la más trivial de las transacciones oníricas puede reflejar verdades profundas y cuestiones importantes. Algunas pueden ser interacciones directas con otras personas, y las compras son el ejemplo más clásico: las tiendas pueden simbolizar el amplio abanico de posibilidades que encontramos en nuestras vidas. Otras transacciones son menos obvias: un escenario onírico en el que tenemos que hacer un examen puede parecer que sólo nos implica a nosotros, el protagonista, pero analizándolo más atentamente descubrimos que se está produciendo un intercambio con el examinador. Cuando una persona realiza algún tipo de acción respecto a otra, quizá haya todo tipo de obligaciones y emociones moviéndose bajo la superficie.

Conflicto

La violencia de los sueños a menudo es extrañamente abstracta, como si sucediera en una película. Incluso si el soñador comete actos violentos, la
carga emocional puede ser extrañamente neutra,
lo que sugiere que el sueño simplemente utiliza
la violencia física como una metáfora de otro tipo
de batallas: entre teorías o
ideas, opiniones distintas
o conflictos internos de la
mente del soñador.

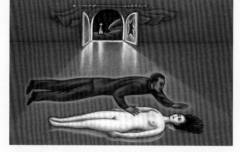

Cuando el soñador es
víctima de la violencia,
y la carga emocional es
elevada, el sueño puede
representar un asalto a su
estatus o relaciones, o una
amenaza a sus finanzas, salud o bienestar general.
El hecho de que el sujeto disfrute al ver la violencia de sus sueños puede estar conectado con
impulsos agresivos no reconocidos del yo. En la
psicología freudiana, la violencia onírica hacia el
padre o la madre suele asociarse con un deseo de
derribar a la autoridad.

Violencia hacia uno mismo

La violencia hacia el soñador a menudo representa
un sentimiento de culpa y un deseo de autocastigo. Puede estar relacionado con el final de una
relación o la muerte de alguna persona cercana.

Quizá sentimos, consciente o subconscientemente, que podríamos haber hecho algo para evitarlo.
Por otra parte, la violencia onírica suele indicar una
falta de autoestima e incluso cierto autodesprecio.
Tanto si los impulsos destructivos que surgen de
una consideración negativa de uno mismo se manifiestan en nuestra vida
cotidiana como si inundan
nuestro subconsciente, es
importante ocuparnos de
ellos antes de que puedan
causar ningún daño serio,
físico o psicológico. Los
sueños en los que nos
hieren o nos atacan pue-
den indicar también que
el soñador es demasiado vulnerable o aprensivo
frente al mundo exterior, como si las fuerzas violentas exteriores lo obligaran a mantenerse en una
discreta sumisión.

Violencia hacia los demás

Suele representar una lucha por la autoafirmación
o contra aspectos no deseados de la vida interior o exterior del soñador. La violencia contra un
niño puede representar la incapacidad de aceptar
al niño que llevamos dentro, mientras que la violencia ejercida en un anciano o anciana es probable
que indique nuestra negativa a escuchar la sabidu-

ría de los demás. Golpear indiscriminadamente a los que nos rodean puede representar una lucha contra los impulsos indeseables de nuestra mente subconsciente.

Guerras y batallas

Jung veía las guerras como una señal de gran conflicto entre aspectos de la mente consciente y la subconsciente del soñador. Esos sueños probablemente reflejan una disputa entre fuerzas instintivas profundas y las reglas de la conducta consciente. La batalla tradicionalmente plantea una exigencia consciente de orden contra el impulso instintivo del subconsciente por rebelarse. Esto puede indicar la necesidad de reconciliación en vez de victoria, y la aceptación de nuestro lado más oscuro en lugar del intento vano de desterrarlo.

Lucha libre

Un sueño en el que luchamos contra un oponente formidable sugiere que estamos forcejeando con un problema en nuestra vida personal o profesional. Enfrentarse a un luchador de sumo puede hacer referencia a que nos achicamos ante las dificultades que afrontamos. Los jungianos destacan la conexión con la historia bíblica de Jacob luchando con el ángel de Dios: quizá estamos resistiéndonos al difícil camino de la iluminación.

Asesinato

Soñar con un asesinato puede ser notablemente positivo y no tener nada que ver con impulsos violentos o agresivos. Para los soñadores que han pasado por un proceso de psicoterapia o auto-descubrimiento, la imagen de personas o animales que son asesinados puede representar recuerdos dolorosos o hábitos destructivos de la mente que hemos decidido exorcizar. El asesinato de una figura de autoridad puede sugerir el deseo de escapar de las restricciones morales o sociales de nuestra vida, o hacer referencia a un resentimiento aún no resuelto contra un padre, jefe o profesor.

Pelea a puñetazos

La inmediatez de las peleas a puñetazos sugiere una lucha desesperada, quizá con elementos de nosotros mismos o con algo o alguien que nos está oprimiendo o trata de controlarnos. Si nos encontramos paralizados e incapaces de lanzar un puñetazo, el sueño puede indicar una sensación de impotencia o falta de autoestima.

Enemigo

Cuando la mente soñadora muestra como enemigo a alguien con quien no tenemos ninguna diferencia, quizá es momento de examinar esa relación más atentamente. En el sueño, nuestro subconsciente nos puede estar alertando de que, a pesar de que aparentemente no tengamos nada que reprocharle, esa persona no es de fiar. Un rival mordaz puede también representar a la Sombra, el concepto jungiano del lado oscuro de nuestro yo.

Arañazos

Cuando la mente soñadora nos muestra un araña-zo que hemos sufrido en nuestra propia piel, éste puede ser un reflejo de nuestro estado emocional en ese momento. Quizá alguien nos ha atacado verbalmente y nos ha hecho sentir heridos y vul-nerables. La parte del cuerpo arañada quizá sea significativa.

Saco de boxeo

Un sueño en el que vemos o golpeamos violen-tamente un saco de boxeo tal vez sugiera que es-tamos buscando la forma de descargar nuestras frustraciones. Es importante plantearse a quién o qué puede representar el saco, y asegurarnos de que no convertimos en víctima de nuestra ira no manifestada a un individuo inocente, o a nosotros mismos.

Pruebas y exámenes

Los exámenes pueden ser una de las experiencias más estresantes de la vida, así que no sorprende que aparezcan en nuestros sueños mucho después de que hayamos terminado nuestros estudios. Entre los sueños de exámenes más angustiosos están aquellos en los que tenemos que hacerlos sin haber estudiado, o en los que debemos encontrar rápidamente la sala donde se realiza mucho después de que haya sonado el timbre que indica su inicio inminente.

Incluso cuando somos mayores y hemos dejado la escuela, la vida sigue estando plagada de pruebas: desde entrevistas de trabajo hasta almuerzos con futuros suegros. A veces parece que nuestras capacidades están siempre a prueba, y en ciertas ocasiones podemos pensar que no estamos a la altura.

Un sueño en el que corremos, con frecuencia porque llegamos tarde, pasillo tras pasillo intentando encontrar la sala de un examen puede evocar una sensación de impotencia sobre nuestro destino. Los exámenes oníricos a menudo simbolizan la sensación de estar a prueba en cualquier ámbito de nuestra vida personal o profesional. Suspender un examen onírico puede ser una experiencia muy incómoda que anima al soñador a afrontar los inconvenientes que de otra manera no querría ver. Particularmente cuando se realizan en entornos fríos e impersonales, los exámenes tal vez representen los poderes remotos de la burocracia y la autoridad que a veces parecen controlar la vida del soñador y toman decisiones arbitrarias que tienen un profundo efecto sobre nuestro futuro.

Enfrentarse a un tribunal

Los exámenes orales pueden crear aún más ansiedad que los escritos. Los entrevistadores del tribunal situados frente al soñador pueden representar aspectos del yo, sugiriendo un autorrechazo. Quedarse sin palabras frente al tribunal tal vez represente que el soñador no tiene una respuesta convincente para la voz de la conciencia, o que se niega a afrontar sentimientos que reclaman ser expresados. Esos sueños pueden sugerir también una relación difícil con un padre u otra figura de autoridad que sería calificada por los psicólogos como «interrogador». Son personas que siempre nos están sondeando y formulando preguntas, y aunque pueden tener buenas intenciones, su comportamiento es capaz de constituir una invasión de nuestra privacidad y minar seriamente nuestra confianza.

Cuestionarios y solicitudes de empleo

Un sueño en el que nos encontramos teniendo que rellenar un cuestionario ininteligible a menudo transmite sentimientos de impotencia ante problemas aparentemente insuperables. La solicitud de empleo a veces sugiere que en nuestra vida falta algo; puede ayudarnos pensar si el sueño especificaba el tipo de empleo al que aspirábamos.

Dar y recibir

Dar es una forma simbólica de interacción social y, como imagen onírica, proporciona claves sobre la naturaleza de nuestras relaciones con los demás. Por supuesto, es crucial para su significado saber si el regalo es bien o mal recibido. Recibir muchos regalos en un acontecimiento festivo, como un cumpleaños, destaca la estima que los demás tienen por el soñador, pero si los regalos llegan en momentos menos apropiados, pueden indicar el bombardeo de consejos inoportunos que quizá esté padeciendo el que sueña.

Comprar un obsequio puede sugerir nuestro deseo de hacer un esfuerzo especial por cierta persona, o, con menos claridad, tal vez represente nuestros sentimientos de generosidad hacia ella. Si el obsequio es particularmente caro, quizá estemos ante un símbolo del deseo del soñador de hacer grandes sacrificios, o ayudar o servir a la otra persona de una manera especialmente importante. Por otra parte, llenar a los demás de regalos, sobre todo si son rechazados, puede indicar que el soñador está siendo demasiado insistente al dar consejos, prodigando una atención no deseada o haciendo intentos inapropiados para que los demás lo acepten. Como cualquier imagen onírica que parece emocionante y atractiva desde fuera pero que resulta ser intrínsecamente defectuosa, un regalo mal recibido sugiere expectativas decepcionadas, algún tipo de intenciones ocultas, o incluso al mal disfrazado de bien. Una caja de regalo completamente vacía puede representar promesas huecas; quizá con una advertencia de nuestro subconsciente de que la prometida recompensa económica o las ganancias personales de un plan aparentemente lucrativo nunca llegarán a materializarse. A veces los regalos que no se llegan a desenvolver pueden estar relacionados con misterios ocultos que el soñador ha empezado a desvelar pero que por el momento permanecen parcialmente desconocidos: el mensaje es que con una mayor perseverancia podremos llegar a comprender su verdadero significado. Un popular libro de interpretación de sueños del siglo XIX sugería que dar un regalo en sueños presagia adversidad, y que si el que lo recibe es la pareja o un amante, puede presagiar volubilidad o que la persona que lo recibe va a enfermar.

Regalo incongruente

Un regalo que al soñador le parece inadecuado, o que hace que los demás se sientan incómodos, tal vez indique las intenciones no deseadas de otra persona, o puede hacer referencia a alabanzas o estima de las que el soñador no se cree merecedor. Si recibe el regalo, el sueño tal vez pretenda recordar que debemos mostrar a los demás nuestra debilidad, o verdadera naturaleza, más claramente.

Caja de chocolatinas

La caja de chocolatinas puede simbolizar la mul-

titud de oportunidades y variados placeres que la vida nos ofrece. En términos freudianos, tal vez esté evocando los placeres orales de la infancia o representar una erección, y, por tanto, una fijación anal que puede llevarnos a ser demasiado controladores o malintencionados con el dinero.

Ramo de flores

El ramo de flores es un símbolo universalmente reconocido de amor o aprecio. La belleza y transitoriedad de las flores se manifiesta en muchas culturas como una expresión de nuestros sentimientos profundos. El color y tipo de flores del ramo onírico pueden ser especialmente significativos: mientras que las margaritas sugieren inocencia y alegría, las rosas rojas transmiten pasión y sexualidad. Como un regalo onírico que acaba conteniendo una sorpresa desagradable, un ramo de flores mustio tal vez implique expectativas decepcionadas.

Envoltorio del regalo

Envolver un objeto en sueños puede sugerir que estamos intentando disfrazar algo, quizá de manera desesperada. Tal vez estemos ocultando sentimientos de angustia tras un barniz de optimismo, o quizá seamos más egoístas de lo que parecemos, o puede que necesitemos afrontar una verdad in-

Cartas y correo

Recibir correo o cartas en sueños suele anunciar algo inesperado, como una nueva oportunidad o reto. La respuesta del soñador al contenido del envío puede proporcionarnos claves sobre su significado. Por ejemplo, la incapacidad de sacar una carta de su sobre puede sugerir que no aprovecharemos completamente la oportunidad que se nos presenta, mientras que una sensación de expectativa antes de abrirla tal vez indique una actitud más positiva. La identidad del remitente (a menudo un aspecto del subconsciente del soñador) también puede ser relevante. El hecho de que el soñador corra detrás del cartero sugiere en ocasiones que debemos adoptar una actitud más positiva respecto a lo que nos sucede.

Los soñadores casi nunca relatan haber leído el mensaje recibido por correo; los sueños prefieren dejar ese tipo de resoluciones obvias a la mente consciente.

Enviar una carta también puede sugerir que la comunicación cara a cara con el remitente es difícil por algún motivo.

Sello

Una carta sin sellos es posible que haga referencia a una aspiración que aún no se puede alcanzar, o quizá a la incapacidad para ocuparse de los detalles importantes de la vida. Un sobre cubierto de sellos con frecuencia es un símbolo de entusiasmo apasionado o de los excesivos esfuerzos que pueden surgir de la inseguridad.

Cartero

Si el soñador es el cartero, o lleva un mensaje para alguien, esto puede indicar la voluntad de asumir la responsabilidad, o de que se le confíen secretos. También es posible que esté relacionado con el poder de dar o recibir placer, o con una conciencia naciente de nuestra relevancia personal.

El cartero lleva mensajes que a menudo simbo-lizan nuevas oportunidades, por lo que soñar que pasa por nuestra puerta sin dejar carta alguna suele servir para llamar la atención sobre la decepción del soñador, ya sea en una cuestión concreta o en el rumbo general de su vida. Si el soñador corre tras el cartero, esto puede representar la decisión de tomar acciones positivas y crear nuestras propias oportunidades.

Carta ininteligible

Una carta escrita en un idioma extranjero o con una caligrafía indescifrable puede simbolizar frustración frente a una cuestión aparentemente irresoluble o la sensación de que nuestra comunicación con los demás podría ser más efectiva. Por otra parte, si abrimos una carta y descubrimos que dentro sólo hay una hoja en blanco, puede que nuestro subconsciente esté animándonos a que

tomemos de una forma más firme el control de nuestra vida.

Carta anónima

Una carta anónima puede ser una señal de alarma del subconsciente. Quizá estamos experimentando un período de agitación emocional y puede que haya llegado el momento de evaluar el rumbo que está tomando nuestra vida. Por otra parte, podemos sentir que los demás saben más sobre nosotros de lo que nos gustaría.

Postal

Las postales suelen ser un medio de comunicación desenfadado. Abiertas a la posibilidad de que las lea cualquiera en su tránsito, su aparición en nuestros sueños puede sugerir el deseo de mayor jolgorio y franqueza en nuestra vida. La imagen de la parte delantera de la postal también es significativa; puede indicar un deseo de viajar y de correr aventuras o, si es un lu-

gar en el que hemos vivido o hemos visitado en el pasado, tal vez sugiera nostalgia por ese período de nuestra vida.

Sobre

Freud veía los sobres como un símbolo de la sexualidad femenina. Un sobre sin abrir puede representar la virginidad o quizá la renuncia de una mujer a iniciar una relación íntima. También suele representar un problema que no queremos afrontar. Abrir un sobre o meter una carta en uno a veces simboliza el acto sexual.

Documentos y certificados

Los documentos formales, como los certificados de nacimiento o de boda, suelen aparecer en nuestros sueños en momentos de convulsión o transformación. Pueden sugerir un anhelo de estabilidad y certeza o tal vez ser la respuesta a un rito de paso futuro. Soñar que quemamos los documentos puede señalar un momento de conclusión en nuestra vida; o, por contra, ser una expresión de un deseo arraigado de vivir un cambio significativo.

Paquete postal

Como los sobres, los freudianos interpretan los paquetes postales como una representación de los órganos sexuales femeninos. Tu respuesta al recibir un paquete postal onírico puede sugerir tu actitud hacia la sexualidad femenina, sobre todo si eres un hombre. Un nuevo amor o la expectativa de ver a nuestra pareja son capaces de inspirar sueños en los que rompemos el envoltorio de un paquete postal, ansiosos por ver lo que contiene. No obstante, si no queremos abrirlo, o incluso nos da miedo, quizá tememos el serio compromiso emocional que puede acompañar a las relaciones íntimas.

Correo electrónico

Hoy en día, la mayor parte de la gente envía más correos electrónicos que cartas, por lo que no sorprende que formas de comunicación relacionadas con la red aparezcan en nuestros sueños. Enviar por accidente un correo electrónico a todos nuestros contactos de correo puede representar una advertencia de nuestro subconsciente sobre los peligros de expresar nuestra opinión

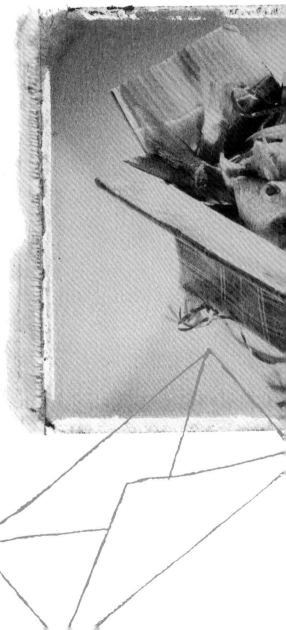

demasiado públicamente. Un sueño ansioso en el que le damos al «enviar» antes de que el mensaje esté terminado tal vez refleje preocupaciones sobre comunicar una idea que aún no está completamente formulada, quizá, aunque no necesariamente, en el contexto laboral. Darle al botón de «eliminar» hace referencia en ocasiones al deseo de borrar a una persona o una situación indeseable de nuestra vida.

Contrato

Un contrato puede evocar un compromiso personal o profesional sobre el que tenemos dudas. Romperlo suele ser una forma de satisfacer nuestros deseos, algo que expresa nuestra voluntad de escapar de un trato al que hemos llegado o quizá de una relación malsana, con el cónyuge o con un amante.

Borrón de tinta

Oscureciendo parte o la totalidad de una carta, u otra forma de mensaje escrito, el borrón de tinta puede representar mala comunicación o ambigüedad. Una mancha de una lágrima en una misiva puede evocar sentimientos de culpa sobre algún daño que hayamos causado. Por otra parte, si la lágrima es nuestra, tal vez haga referencia al dolor emocional de terminar con una relación. Como sucede con el test psicológico de Rorschach, la forma del borrón también puede ser significativa.

Compras y dinero

Los grandes almacenes simbolizan el abanico de posibilidades y recompensas del que disponemos en nuestra vida. Nuestra habilidad para aprovechar esas oportunidades puede estar simbolizada por la cantidad de dinero que soñamos que llevamos en el bolsillo.

La mente soñadora crea gran cantidad de metáforas con las compras para simbolizar nuestra habilidad o incapacidad de aprovechar las oportunidades de la vida, o para encontrar soluciones a problemas concretos. Podemos encontrarnos en una tienda cuando va a cerrar, incapaces de dar con lo que necesitamos antes de que nos echen, o toparnos con que las estanterías son demasiado altas y somos incapaces de llegar a ellas, o con que los objetos a la venta son tantos y tan variados que no sabemos qué elegir.

Para Jung, el dinero representa poder: la capacidad de alcanzar un objetivo. Descubrir que no llevamos suficiente efectivo para pagar lo que queremos a veces se relaciona con la percepción de una falta de las habilidades o cualificaciones necesarias para alcanzar determinado objetivo concreto. Freud, por su parte, veía el dinero como un símbolo de los excrementos. Interpretaba los sueños en los que acumulamos dinero como una representación de la fijación anal, quizá co-

mo resultado de una enseñanza infantil del aseo mal resuelta por parte de unos padres demasiado entusiastas. La fijación anal es un rasgo asociado normalmente con gente con una personalidad obsesivamente metódica y muy controladora.

Por supuesto, los sueños sobre dinero también pueden reflejar, simplemente, preocupaciones acerca de nuestras finanzas, sobre todo en momentos de incerteza económica.

Escaparate

Soñar con ver un escaparate repleto de objetos atractivos pero inalcanzables por algún motivo suele sugerir que el soñador se siente excluido de las cosas buenas de la vida. El sueño también puede estar recordándole que busque en otra parte objetivos más alcanzables, y quizá al final más valiosos. Jung creía que los sueños en los que aparecen farmacias o droguerías suelen estar relacionados con la alquimia y los procesos de transformación interna.

Interior de una tienda

La imagen onírica de una tienda puede representar cómo vemos las oportunidades que presenta la vida. Cuánto compramos, y comprar lo que buscamos, puede decir mucho sobre la manera en que percibimos nuestra habilidad para alcanzar nuestros objetivos. Un sueño en el que no somos capaces de encontrar lo que queríamos comprar sugiere la frustración de no conseguir lo que deseamos en la vida. Si corremos frenéticamente a la tienda antes de que cierre, el sueño puede transmitir inquietudes sobre la brevedad de la vida y la dificultad para alcanzar todos los logros que querríamos.

Mostrador

La exposición de cosas tentadoras en el mostrador, por ejemplo, de una tienda de comestibles o una joyería nos obliga a elegir entre muchas opciones distintas. Puede tratarse de un caso de mera satisfacción de deseos, pero también contener un elemento de agobio ante el exceso de oferta. Si buscamos un regalo, quizá sintamos que no conocemos a la persona (aunque sea nuestra pareja) lo suficiente para hacer una buena elección.

Comercio

El comercio puede simbolizar cualquier forma de interacción personal. Nuestra vida personal, profesional e intelectual está llena de intercambios comerciales: subconscientemente evaluamos las cualidades que cada compañero, amigo o pareja tiene para ofrecernos, e intentamos averiguar qué van a querer a cambio.

Vendedor ambulante

Los vendedores ambulantes evocan imágenes de libertad y de bienes de poco valor. Libres de los gastos y responsabilidades de los tenderos normales, trabajan en los márgenes de la sociedad respetable, por lo que pueden representar el deseo de escapar de los límites de nuestra vida cotidiana. En otro sentido, quizá no estemos seguros de las motivaciones de un nuevo amigo o tal vez tengamos dudas sobre la honradez de la otra parte en un trato de negocios.

Factura

Recibir una factura subraya la verdad fundamental de que es necesario invertir en nuestros recursos personales para progresar. Quizá nos sorprendamos al descubrir lo que tenemos que pagar. No obstante, una factura muy elevada puede representar la cantidad de oportunidades abiertas ante nosotros, o simbolizar su coste personal. En un sueño de ansiedad podemos ser incapaces de pagar una factura porque llevamos la cartera vacía o rechazan nuestras tarjetas. Tal situación indica a menudo falta de autoestima o miedo a la humillación social; sin embargo, también puede estar relacionado simplemente con preocupaciones económicas de la vida real. Soñar que emitimos una factura o recibimos un pago puede sugerir que sentimos que merecemos ser recompensados por nuestros esfuerzos en algún ámbito: personal, profesional o espiritual. Examinar la cuenta de un restaurante tal vez refleje cierta desconfianza hacia los demás en nuestra vida, incluso hacia amigos o familiares.

Vender

Vender es esencialmente el arte de la persuasión. Quizá intentamos «vender» una idea o un proyecto a nuestros compañeros de trabajo o familia cercana, o podemos estar decidiendo si «compramos» o no la idea, explicación o excusa de otro. Existen cosas, desde la decisión de mudarse de casa hasta una proposición de matrimonio, que implican alguna forma de persuasión, y los sueños en los que intentamos vender o que nos vendan algo (sobre todo si pensamos que el objeto es de valor dudoso) indican frecuentemente ansiedad.

Alquiler

Como bien postulara Jung, la imagen onírica de una casa representa al yo. Pagar el alquiler puede sugerir la importancia de preservar la integridad del yo, defendiendo nuestras opiniones frente la desaprobación de un padre demasiado dominante u otra figura de autoridad. No obstante, si el sueño subraya el hecho de que no somos propietarios de la casa también puede transmitir una falta de seguridad en uno mismo. Quizá estemos pasando por una crisis de identidad o no nos sintamos cómodos con nuestro cuerpo. Tal vez hemos ganado o perdido mucho peso recientemente y tenemos dificultades para aceptar el cambio.

Caja fuerte

Los freudianos ven las cajas fuertes como un símbolo de los órganos sexuales femeninos o de frialdad sexual. Sin embargo, un objeto que metemos en la caja fuerte puede representar un secreto que queremos ocultar desesperadamente, o quizá un instinto acaparador, con toda sus obsesiones implícitas. Desde la perspectiva jungiana, el dinero representa el poder de alcanzar la iluminación espiritual, y la caja fuerte, por tanto, simboliza un almacén de sabiduría.

Baratijas

Hallarse en un sueño en una tienda que vende baratijas (lápices, rotuladores, rollos de hilo, botones, clips y artículos de bajo coste por el estilo) puede representar los detalles cotidianos de la vida. El mensaje es que es importante encontrar el equilibrio entre lo grande y lo pequeño; porque si no prestamos atención a las minucias, y en particular a las pequeñas tareas, todo en conjunto puede desmoronarse. Sin embargo, y recuperando el espíritu de equilibrio antes citado también debemos tener cuidado de no quedar tan absortos en los matices de una situación para pasar por alto sus verdades fundamentales.

Bazar

Montones de especias, rollos de tela de colores brillantes, ollas hirvientes de guisos maravillosos y aromáticos: las visiones, sonidos y aromas de un bazar de Oriente Medio suelen evocar el anhelo de viajar o el simple deseo de vivir experiencias nuevas y emocionantes. Sin embargo, en nuestros sueños, como en la vida cotidiana, las callejuelas estrechas y los vendedores ambulantes de un mercado exótico también pueden resultar claustrofóbicos e intimidantes. Quizá hallamos dificultades para adaptarnos a un nuevo trabajo o a otra situación nueva en nuestras vidas. Intentar regatear con los vendedores a menudo se relaciona con una interacción con un amigo o pariente muy exigente.

Prestamista

Visitar a un prestamista implica a menudo deses-peración. Puede que estemos preocupados por-que nuestros gastos se nos han ido de las manos, o quizá nos vemos obligados a sacrificar alguna ambición o ideal muy apreciado. El bajo precio que nos pagarán por nuestras cosas también sugiere que nos sentimos infravalorados en algún sentido. Quizá no estamos recibiendo el reconocimiento que creemos que merecemos, ya sea en el trabajo, ya sea en casa.

Caída de la Bolsa

Los sueños sobre una caída desastrosa de los mer-cados financieros pueden mostrarnos la imagen de un banquero o corredor de valores tirándose por la ventana de un rascacielos. El soñador tal vez exprese un sentimiento de intensa decepción; quizá respecto a un matrimonio fracasado o unos resultados muy pobres en su asignatura preferida. La mente soñadora puede utilizar el concepto de la «inversión» para simbolizar cualquier tipo de aporte emocional, intelectual o profesional. Nues-tro tiempo y energía son muy valiosos, y el drama de una caída de la Bolsa quizá revele la frustración que sentimos cuando descubrimos que nuestros esfuerzos han servido de bien poco.

Mercado

Un mercado al aire libre suele ser un lugar muy colorido en el que se nos ofrece una gran varie-dad de productos. En sueños, puede representar las posibilidades abiertas ante nosotros más allá de los canales habituales. Este tipo de sueños suele darse especialmente en períodos de transición o cambio, como cuando nos marchamos de casa de nuestros padres, por ejemplo, o al jubilarnos.

Comunicación

La buena comunicación es la base fundamental de nuestra vida en sociedad, tanto en el entorno personal como en el profesional; por contra, una mala puede impedir que seamos felices o nos realicemos, y llegar a desesperarnos. Por tanto, no sorprende que muchos sueños traten de temas relacionados con la comunicación. Podemos sentir que la comunicación es mala debido a todo tipo de razones además de la articulación competente de las ideas; por ejemplo, puede estar relacionado con sentimientos de inferioridad social. La interpretación a menudo debe mirar más allá de la apariencia para ser capaz de comprender toda su dimensión.

Normalmente, los sueños de comunicación muestran al soñador en situaciones en que es incapaz de hacerse oír por los demás en medio del ruido, o intentando desesperadamente atraer la atención, o alertar a los demás sobre lo que él ve como un inminente desastre de algún tipo. Pero también podemos oír a los demás criticándonos o haciendo comentarios despectivos sobre nosotros. O tal vez los que nos escuchan se giren con desdén cuando intentamos dar nuestra opinión o consejo, o conversar amenamente. En ocasiones el soñador puede ver a otros rompiendo lo que ha escrito.

Quedarse mudo frente a un grupo de gente, o ser ridiculizado por los presentes, sugiere inseguridad sobre nosotros mismos o nuestras creencias o ideas.

Público revoltoso en una conferencia pública

Soñar con un público que se niega a permanecer en silencio mientras nos dirigimos a él puede estar relacionado no sólo con una falta de comprensión hacia el orador, sino también con una confusión general en las ideas de la vida cotidiana. La ausencia de público sugiere que los demás rechazan por completo las ideas del soñador, o la total falta de reconocimiento por sus logros. Un público que nos increpa y abuchea puede reflejar nuestros verdaderos sentimientos hacia la gente en general; ¿somos culpables de creernos por «encima de la masa»?

Por otra parte, la mente soñadora a veces utiliza la imagen de un público revoltoso para disfrazar la identidad de un individuo cuyo comportamiento hacia nosotros es inaceptablemente agresivo.

Desacuerdo

La divulgación de un desacuerdo tal vez revele tus dudas sobre ciertas convicciones que, hasta ese momento, estaban profundamente arraigadas; el diálogo que aparece en el sueño es una dramatización de tu propio conflicto interior. No obstante, puede hacer referencia a un momento constructivo en tu desarrollo personal, una actitud abierta ante nuevas ideas fruto de la experiencia.

Discusión

Enfrentarnos a una discusión importante en sueños es posible que represente sentimientos de frustración en nuestra vida cotidiana. Si la persona con la que estamos manteniendo la discusión se niega tajantemente a escuchar el punto de vista que le queremos transmitir, puede significar que no nos sentimos lo suficientemente seguros acerca de nuestra capacidad de comunicar nuestras ideas o necesidades a los otros.

Pronunciar un discurso

Un sueño en el que dirigimos un discurso a una audiencia puede representar el deseo de divulgar y hacer entender nuestro punto de vista. Quizá haya algún asunto en concreto que nos gustaría aclarar a los demás. La ovación de un público entusiasmado al finalizar nuestra intervención tal vez esté cumpliendo la función de satisfacer nuestros deseos de ser agasajados por la gente que nos rodea.

Reglas y normas

Las reglas tienen asociaciones de estructura, compulsión y control. Si, en sueños, parece que damos instrucciones estrictas a otros o a nosotros mismos, el subconsciente quizá esté llamando la atención sobre el deseo de hacer la vida menos arbitraria y más predecible. Si son los otros los que ponen las reglas, el mensaje subyacente tal vez sea la necesidad de mayor disciplina en la vida, o de ser consciente de que nuestro rumbo está limitado por restricciones impuestas desde fuera.

Los sueños en los que nos acusan de haber quebrado normas de cuya existencia no éramos conscientes hacen hincapié en la injusticia de muchas experiencias vitales. Este tipo de sueños puede ayudar a liberar la frustración del soñador, o significar que no hemos aceptado la injusticia y la expiación de los deseos. Obedecer las reglas tal vez indique que el soñador se deja llevar fácilmente por los demás, pero también puede significar lealtad e integridad. Para la interpretación suele ser muy útil explorar la naturaleza de las reglas obedecidas. El subconsciente quizá nos esté animando a que seamos más prudentes

con creencias o convencionalismos que hemos aceptado sin analizarlos.

El sueño de discutir sobre reglas puede simbolizar algún tipo de conflicto interior, quizá una lucha entre instintos y conciencia. O tal vez refleje los ajustes que necesitamos hacer a nuestras prioridades en el contexto de una relación nueva o cambiante.

El cine y la televisión nos han familiarizado con los tribunales de justicia para que podemos amueblar los sueños, incluso aunque hayamos estado nunca en uno de ellos.

Romper las reglas

Los sueños en los que el soñador rompe desafiante las reglas, por ejemplo, sacando fotos en una galería de arte o celebrando un ruidoso picnic en una biblioteca pública, suelen remontarse a nuestra más tierna infancia. El impulso natural del soñador por autoafirmarse y poner a prueba los límites impuestos por los demás puede haber sido reprimido por los padres o profesores, y su naturaleza rebelde tal vez siga reprimida en el subconsciente, afirmándose a través de transgresiones oníricas. Esos sueños de mal comportamiento pueden expresar un impulso creativo saludable. Sin embargo, si el crimen es más grave (como robar un coche, por ejemplo) tal vez haya algo de culpa, o miedo a que los demás se aprovechen de nuestra debilidad.

Juicio

Un juicio puede representar el deseo del soñador de castigar a gente que se opone a sus actos o no está de acuerdo con sus opiniones. Por otra parte, tal vez sugiera una necesidad arraigada de conseguir la aprobación de los demás, representados quizá por el jurado.

Abogado

El elocuente abogado que habla por nosotros en el tribunal puede simbolizar a un amigo o pariente que nos apoya en momentos complicados. No obstante, también es posible que represente a alguien de quien dependemos en exceso. Quizá es hora de que hablemos por nosotros mismos y expresemos nuestras opiniones con confianza. De manera similar, soñar que somos nosotros los que desempeñamos el papel de abogado tal vez haga hincapié en la importancia de defender nuestros intereses.

Jurado

Piensa bien en los individuos que forman el jurado onírico: son las personas que decidirán nuestro futuro y su identidad puede ofrecer claves importantes sobre el funcionamiento interno de nuestra psique. La aparición de amigos, familiares o compañeros de trabajo quizá esté conectada con algunos acontecimientos de nuestra vida, sobre los que esas personas tendrían algo que decir. Su opinión puede tener un impacto significativo en una decisión acerca de un trabajo, por ejemplo, o nuestra elección de pareja, o cualquier otra decisión que tomemos. Soñar con que no conocemos a nadie del jurado suele indicar que nos sentimos a merced del destino u otras fuerzas que escapan de nuestro control. Ver nuestra propia cara en el jurado sugiere que podemos tener alguna influencia sobre nuestro propio futuro, o que estamos en posición de juzgar a alguien en particular, ya sea voluntariamente, ya sea contra nuestra voluntad.

Acusador

Actuar como acusador en un juicio y presentar una demanda por alguna injusticia o daño sufrido puede ser un acto de afirmación o surgir de sentimientos de paranoia. Si el sueño es fruto del deseo vengativo de ver a la otra parte castigada, perder el caso puede subrayar la cualidad autodestructiva de nuestra ansiedad. Ganarlo, por su parte, lejos de constituir un resultado positivo, quizá apunte hacia sentimientos de arrogancia moral o maldad.

Interrogatorio

Un interrogatorio en un tribunal puede representar algún aspecto de la vida del soñador que está sujeto a un escrutinio constante y exigente. Las propias preguntas suelen representar dudas, ya sean las propias del soñador, ya sean las que éste imagina que tienen los demás. Por otra parte, el sueño puede expresar nuestra frustración ante el hecho de que se espere que nos expliquemos, quizá porque nos sentimos culpables de algo que hemos pensado, dicho o hecho.

Citación judicial

La orden de presentarse ante un tribunal puede representar culpa (como suele suceder con los interrogatorios), pero también ser una reclamación para defender a un individuo o una causa que necesita de nuestra ayuda. El sueño de ser con-

vocado ante un tribunal a veces deja ver resentimiento hacia cualquiera de nuestras obligaciones.

Veredicto

Aunque el juez puede representar a nuestro padre u otra figura de autoridad significativa, el veredicto, positivo o negativo, suele reflejar el juicio que tenemos sobre nosotros mismos.

Cobrador de deudas

El cobrador de deudas que aparece en nuestra puerta, o cualquiera implicado en el proceso de recuperación de algún bien no pagado (una ca-

sa, por ejemplo), puede servir para llamar nuestra atención sobre alguna obligación que hemos descuidado. Por supuesto, también tiene un significado literal de ansiedad sobre los niveles de endeudamiento personal; una sensación que suele ser tan fuerte que acaba colándose en el subconsciente.

Ladrón

Soñar que nos asaltan o nos roban probablemente esté relacionado con la ansiedad, surgida quizá de algún aspecto de una relación sexual; en sueños, la pareja real o imaginaria suele estar representada en forma de posesión. Si nuestro yo onírico es el ladrón, el objeto que robamos puede ser muy significativo para el significado general del sueño; los símbolos fálicos, como una pistola o un coche, o los de los órganos sexuales femeninos, como un bolso o un medallón, pueden confirmar las connotaciones de inclinaciones adúlteras o ilícitas de algún otro tipo. El robo a mano armada o con un cuchillo tal vez exprese miedo a la violencia, en especial a la de tipo sexual. De manera similar, un ladrón que revienta una

puerta o se cuela de alguna otra manera en una casa puede transmitir nuestro miedo a la violación, a dejar que los demás se acerquen demasiado a nuestro verdadero yo o a los enredos emocionales. La figura sombría de un asaltante de caminos a menudo representa al lado del yo que ansía liberarse de las restricciones sociales.

Crimen

Un sueño en el que cometemos un crimen atroz no es de ninguna manera un indicador de una personalidad inherentemente violenta o antisocial. En vez de eso, el sueño puede estar expresando un sentimiento de culpa, o quizá un deseo más general de escapar de las inhibiciones sociales, económicas o morales que gobiernan nuestra vida cotidiana.

Allanamiento

Un sueño en el que nos colamos en casa de otra persona sin su permiso puede transmitir el deseo de aventurarnos en los terrenos no explorados de la experiencia emocional, intelectual o espiritual. La emoción del peligro a menu-

do forma parte de la satisfacción que provoca. El allanamiento onírico también puede tener una dimensión sexual. Cuando somos el allanador, se puede estar sugiriendo el deseo de cometer adulterio o usurpar el lugar de otra persona en una relación. Si somos la víctima del allanamiento, puede que tengamos miedo a la traición o a la violación.

Desertor

El soldado que deserta de su puesto es una imagen onírica ambigua. Por una parte, puede representar la tentación de ignorar una cuestión psicológica o personal difícil y escapar en lugar de afrontar nuestros problemas. Por otra parte, tal vez sea una figura valiente que se enfrenta con coraje a un entorno hostil. Quizá sentimos que hemos estado peleando por una causa que no sentimos como nuestra, o en la que sentimos que ya no merece la pena seguir invirtiendo nuestra energía. La combinación de miedo, culpa y alivio que sentimos al soñar con un soldado desertor puede hacer que el escenario sea particularmente apropiado para una expresión de la ansiedad que rodea a la decisión de poner fin a una relación.

Si, por otra parte, somos un soldado indefenso abandonado en el puesto por sus compañeros de armas, el sueño tal vez evoque una sensación de abandono o rechazo. Puede que, después de muchos años, aún guardemos rencor a un padre poco atento, o más recientemente quizá nos hayamos tenido que espabilar después de la muerte de un ser querido o la ruptura de una relación sentimental. No descartes la posibilidad de que eso te sea beneficioso a largo plazo; el sueño puede marcar el inicio de una mayor independencia psicológica.

Contrabando

Los bienes de contrabando suelen ser deseables, pero están cargados de riesgos. Pueden simbolizar aspectos del yo que preferimos mantener privados, o quizá representan valiosos descubrimientos que deseamos compartir con nuestros amigos.

Falsificador

Un falsificador puede representar una advertencia para no creer de buenas a primeras las promesas de los demás. Si el falsificador de objetos o de dinero es alguien que conocemos, nuestro subconsciente puede estar reclamando que tengamos cautela en una relación personal o profesional de la que, de otra manera, no dudaríamos. Soñar que intentamos hacer pasar billetes falsos por reales suele evocar una sensación de frustración con nuestros progresos, con respecto a sentirnos realizados.

Veneno

Envenenar a alguien que conocemos puede reflejar una hostilidad no reconocida, o tal vez el deseo de librarnos de alguna emoción que está «envenenando» nuestra paz mental.

Entornos

Cualquiera de los entornos o escenarios posibles de la vida puede aparecer en los sueños; desde la humilde aula de un colegio rural hasta el despacho oval de la Casablanca. Cuando el escenario se corresponde con un recuerdo auténtico, sabemos que el sueño puede estar arraigado en nuestras circunstancias pasadas; por ejemplo, si soñamos con una fábrica en la que pasamos un período laboral infeliz, es posible que lo que nos molestaba entonces siga haciéndolo ahora, en otro entorno completamente distinto. Todo, por supuesto, tiene su propia y característica parafernalia, lo que añade espacio al simbolismo.

El hogar

Los sucesos domésticos son una de las temáticas más comunes de los sueños. Principalmente, se dan en sueños de nivel 1 y 2: éstos suelen incorporar acontecimientos aparentemente triviales del pasado reciente (sobre todo del día anterior) que la mente soñadora selecciona porque reconoce su valor como símbolos de material significativo (ayudándonos así a explorarlo) almacenado en el subconsciente del soñador.

Para interpretar los sueños domésticos puede ayudarnos buscar anomalías entre el material onírico y la experiencia real. A menudo el sueño discurre en tu propia casa, o muestra rutinas domésticas familiares, pero algunos detalles pueden parecer extrañamente inadecuados. Quizá haya muebles fuera de sitio, los electrodomésticos u otros aparatos pueden cambiar de tamaño, tal vez los ingredientes para cocinar o los materiales de limpieza hayan desaparecido, o puede que, repentinamente, aparezcan extraños que se comportan como si la casa fuera suya.

Puesto que en el hogar pasamos la mayor parte de nuestra vida, y dado que las actividades que en él realizamos son tan ricas y variadas, posee grandes dosis de simbolismo doméstico. Cada habitación de la casa está cargada de significado posible, y cada objeto (desde la ducha o la estufa hasta las cucharillas de café o los palillos chinos) puede ser utilizado por la mente soñadora para sus propios objetivos.

Cal

La cal tal vez simbolice que se está ocultando algo potencialmente abochornante o dañino. Estas verdades ocultas pueden ser las nuestras propias, o quizá nuestra mente subconsciente sospeche que otros están ocultando algo sobre su personalidad o su pasado.

Cocinar

Preparar comida para otras personas puede indicar un deseo de influir en los demás o de hacerlos dependientes. Como símbolo de solidaridad, preparar la comida sugiere a veces la búsqueda de amor y afecto. Si nos centramos en lo que se

come, el significado subyacente tal vez tenga que ver con el deseo del soñador de camuflar alguna verdad o revelación interior y guardarla así en una forma más digerible, o de sintetizar los elementos dispares de nuestra vida en algo que alimente al alma. El fogón es tradicionalmente el foco de la vida doméstica (foco en latín significa «corazón») y puede, por tanto, simbolizar lo más relevante de nosotros.

Alfombra o moqueta

El significado preciso de una moqueta onírica puede depender tanto de su color como de cualquier diseño que la adorne. Un diseño floral tal vez sea un símbolo de un jardín, quizá del Jardín del Edén. Más universalmente, puede evocar el Árbol de la Vida, un concepto que aparece en muchas creencias y mitologías de distintas partes del mundo. De acuerdo con la idea de la casa como símbolo del yo, una moqueta que cubre el suelo en un piso más bajo hace referencia en ocasiones a un intento por parte de nuestro yo consciente por suavizar los impulsos del subconsciente.

Utensilios de cocina

Los recipientes para cocinar suelen ser símbolos sexuales. El hecho de que el sueño muestre de manera más obvia el mango o la sartén puede aclarar si se refiere a la sexualidad masculina o a la femenina. El significado tiene mucho que ver con lo que hay dentro: ¿un pisto nutritivo o algo más goloso o cocinado para impresionar a los demás?

Manjar

Los manjares o la comida recién cocinada suelen servirse bien calientes, para comerlos inmediatamente. En nuestros sueños puede representar la inspiración o ideas que deberíamos poner en práctica sin más demora, o un problema del que deberíamos ocuparnos lo antes posible. Un plato frío a base de sobras, por el contrario, suele hacer referencia a actitudes que deberíamos dejar atrás para poder progresar.

Hervidor

La punta prominente de un hervidor le da connotaciones fálicas y lo convierte en un símbolo predominantemente masculino. El líquido hirviente puede representar la pasión. Como sucede con el agua muy caliente y con el vapor, la imagen debería alertarnos del daño posible que las emociones fuertes son capaces de causar a los que entran en contacto con ellas.

Mesa

La imagen de alguien que se esconde bajo una mesa probablemente tiene sus raíces en nuestra infancia; el mantel crea una especie de tienda de campaña en la que el niño se puede esconder fácilmente. Lo que hace que ese escondite sea precario, en un sueño de ansiedad, es que no es capaz de escapar de él sin ser visto por la gente sentada a la mesa. Los sueños también pueden mostrar la mesa como una superficie donde colocar objetos. La interpretación a menudo explora la idea de la mesa como un metáfora de franqueza; cualquier cosa que coloques sobre la mesa quedará a la vista de todo el mundo.

Cubertería

Una cubertería, en su conjunto, puede representar las ambiciones domésticas del soñador. Pieza por pieza, cada componente suele tener connotaciones muy distintas. Los cuchillos y los tenedores son esencialmente versiones reducidas de armas y pueden sugerir agresividad domesticada o las tensiones internas de una situación doméstica aparentemente harmoniosa. Las cucharas tienen un simbolismo femenino por su forma redondeada y su capacidad para contener. Si nos sentimos vulnerables o demasiados forzados, soñar con una cuchara puede expresar el deseo de ser «alimentado» o cuidado. La cucharilla de café es una advertencia, a menudo, de que debemos tomarnos las cosas con calma o en pequeñas dosis, mientras que una cuchara sopera o cucharón pueden animarnos a bebernos sin reparos los placeres que ofrece la vida.

Tetera

Como con el hervidor, la punta de la tetera tiene connotaciones fálicas. Una tetera ornamentada puede sugerir la belleza que encontramos en nuestra rutina diaria, siempre que la busquemos.

Lavar los platos

Como lavarse las manos, lavar los platos puede sugerir el deseo de librarse de una culpa o vergüenza, causada quizá por alguna experiencia sexual.

Objetos domésticos rotos

Los objetos rotos sugieren defectos en el carácter del soñador, o en algunos de sus argumentos, ideas o relaciones. Una copa o un jarrón resquebrajado o roto puede simbolizar a un amor perdido o un corazón roto. Soñar con que recorremos la casa frenéticamente rompiéndolo todo suele indicar ira o desilusión con aquello que simboliza el objeto que destrozamos. Aunque los freudianos interpretan una ventana rota como un símbolo sexual femenino, los junguianos tienden a verla como una representación de la desilusión del soñador con el mundo.

Pasar la aspiradora

Pasar la aspiradora es una buena manera de eliminar la suciedad de una casa y puede indicar el deseo de borrar por completo un mal recuerdo o acción pasada. Aspirar polvo o cenizas puede trasmitir el deseo de superar el dolor después de la muerte de un pariente o amigo.

Limpieza general

Soñar que hacemos una profunda limpieza general de nuestra casa puede simbolizar la necesidad de purgarnos de recuerdos incómodos y malos hábitos. Puede que sea el momento de mirar en nuestro interior y dejar de lado esos aspectos del yo que son menos constructivos, para poder empezar de cero.

Limpiar los cristales

El sueño de que limpiamos los cristales de las ventanas puede simbolizar el deseo de ver la vida con más claridad. Nuestra visión del mundo exterior está oscurecida por demasiada introspección o por la incapacidad de ver más allá de nuestros prejuicios.

Lavadora

Las aguas arremolinadas de la lavadora pueden evocar en ocasiones al útero materno. Quizá quieran darnos a entender que es momento de lidiar con temas del pasado, incluso puede que se trate de dolores muy arraigados de la infancia, que necesitan «salir en la colada» para permitirnos llevar una vida psicológicamente más sana.

La imagen onírica de la ropa tal vez haya que relacionarla con la desnudez que pretende ocultar. El acto de tender la colada en un lugar público y visible a menudo sugiere el anhelo subliminal por la pérdida de la inocencia infantil o hace referencia a ciertos impulsos exhibicionistas.

Colador

El agua, la harina o el azúcar colándose por los agujeros de un colador pueden representar la fuerza vital o la energía que se nos escapa. ¿Hay algo en nuestra vida que está socavando nuestra fuerza? El colador también puede simbolizar el proceso de desarrollo de una nueva actitud hacia la vida, «cribando» y «aclarando» modos de pensar o comportamientos obsoletos o inútiles.

Barnizar muebles

El barnizado o pulido puede proteger y mejorar el aspecto de los muebles y del suelo. En nuestros sueños a menudo simboliza el deseo de encubrir nuestros fracasos o implicar la necesidad de hacernos fuertes frente a las críticas por parte de otros. O quizá queramos disimular las grietas de una relación.

Tarro de galletas

El tarro de galletas de nuestra infancia era probablemente una fuente de goces y recompensas. El sueño en el que nos encontramos buscando ávidamente en un tarro de galletas o intentando sacarlo de un estante increíblemente alto puede indicar una necesidad de alabanzas o reconocimiento que nunca parecen materializarse. La variedad de galletas del tarro simboliza con frecuencia una elección importante que debemos hacer.

Arquitectura

En los sueños, las casas suelen representar al soñador, y pueden simbolizar su cuerpo o los diversos niveles de la mente. Como los cuerpos, las casas tienen una parte delantera y otra trasera, ventanas por las que miran al mundo exterior, puertas por las que entra la comida y otras vías por las que se eliminan los desperdicios.

Jung elaboró su teoría del inconsciente colectivo a partir de un sueño con una casa. La casa le resultaba desconocida, aunque era obvio que era la suya, y después de vagar por los distintos pisos, descubría una pesada puerta que conducía hacia abajo, hasta una preciosa y antigua bodega abovedada. Otra escalera bajaba aún más hasta una cueva, donde había huesos esparcidos, cerámica y calaveras. Interpretó la bodega como la primera capa del subconsciente, y a la cueva como el «mundo del hombre primitivo» que hay en nuestro interior: el inconsciente colectivo. Freud, no obstante, interpretaba el sueño de Jung como una forma de satisfacción de deseos, y entendía que la imagen de los huesos y las calaveras era un símbolo del *thanatos*, el deseo de muerte, posiblemente hacia la esposa de Jung.

Otros edificios pueden representar también aspectos del yo. Los tribunales de justicia pueden simbolizar nuestra capacidad de juicio; y los museos, el pasado; las fábricas, por su parte, suelen estar relacionadas con el lado creativo de la vida del soñador.

Biblioteca

Las bibliotecas normalmente representan ideas y disponibilidad de conocimiento. Los libros en un estante que queda fuera de nuestro alcance pueden representar ideas que escapan al entendimiento presente del soñador. Si en el sueño no somos capaces de concentrarnos en lo que estamos leyendo, es posible que las ideas que tenemos no nos resulten productivas. La biblioteca también suele simbolizar el conocimiento interior del soñador: plantéate la posibilidad de buscar respuestas dentro de ti; el alcance de tu entendimiento intuitivo puede ser sorprendente.

Habitaciones y pisos

Como la mente, la casa está compuesta por distintos niveles y compartimentos, todos los cuales realizan funciones diferentes y están conectados por escaleras y puertas. En sueños, cada habitación y piso puede simbolizar distintos aspectos de la personalidad o la mente que deberían estar conectados (integrados), pero a menudo no lo están. Jung veía los distintos pisos de una casa como un símbolo del subconsciente, la conciencia y aspiraciones espirituales más elevadas. Las puertas cerradas con llave o las escaleras precarias tal vez sugieran las dificultades que debemos afrontar cuando nos sumergimos en las profundidades del subconsciente.

Dado el simbolismo fálico que Freud daba a los escalones y a las escaleras, soñar que viajamos pasivamente de piso en piso en una escalera mecánica bien puede asociarse con una vida sexual desligada de las emociones.

Ático y altillo

Situado en el piso más alto de una casa, el ático suele representar nuestras aspiraciones o ambiciones creativas más elevadas; las buhardillas eran el lugar de trabajo tradicional de los artistas y escritores. El contenido de un altillo, a menudo una verdadera leonera, puede reflejar sentimientos sobre el desorden en nuestra vida. Como en los altillos reales, tenemos que sortear todo ese caos para llegar a una interpretación plausible. Un baúl repleto de parafernalia puede indicar proyectos y preocupaciones abandonados imprudentemente.

No obstante, si el baúl parece un ataúd, puede haber llegado el momento de olvidar aspiraciones poco realistas. Un altillo excesivamente ordenado tal vez indique un planteamiento doctrinal o formulista respecto a nuestra vida espiritual, o una confianza excesiva en la lógica y la razón en nuestras tentativas creativas.

Ventana

Freud interpretaba tanto las ventanas como las puertas como símbolos sexuales femeninos. Jung las asociaba con la habilidad del soñador para entender el mundo exterior. Mirar por la ventana de otro (voyeurismo para Freud) puede sugerir que el soñador siente demasiada curiosidad por la vida de los demás, y que quizá emplea esa curiosidad como sustituto del autoanálisis.

Balcón

El balcón es un clásico símbolo freudiano del pecho de la mujer; el término francés *balcon* coloquialmente significa «pechos», mientras que *balconet* es sujetador. Soñar con estar en un balcón puede expresar nuestro deseo de regresar al regazo de la madre. Los freudianos sugieren que para los soñadores varones contiene matices de la rivalidad edípica que el hijo siente hacia su padre.

Puerta

Una puerta abierta hacia fuera suele estar en consonancia con la necesidad de ser más accesible a los demás, mientras que si lo está hacia dentro puede ser una invitación a la autoexploración. Si una puerta cerrada se convierte en una frustración para el soñador, tal vez se esté sugiriendo que debería buscar una nueva habilidad o idea para utilizarla como llave. Un puerta sin pomo es un símbolo onírico habitual que puede reflejar varias frustraciones: desde falta de progreso en el trabajo hasta la negación de la satisfacción en un matrimonio.

Techo

El lenguaje moderno se refiere al «techo de cristal» como una metáfora de los obstáculos que limitan el avance de las mujeres en el mundo laboral. Cualquiera que sienta que hay algo que le impide alcanzar sus metas profesionales o personales puede soñar con que se golpea la cabeza contra el techo, quizá después de que haya empezado a flotar sobre el suelo.

Paredes

Existe una dualidad inherente al símbolo onírico de las paredes, puesto que pueden tanto aprisionarte como protegerte. Podemos rodearnos de paredes emocionales, o incluso de muros, en forma de una frenética agenda o de un excesivo compromiso con nuestro trabajo. Aunque podemos aislarnos del dolor construyendo paredes, es importante recordar que también hacen que nos perdamos muchas experiencias buenas.

Sótano o bodega

El sótano o la bodega de un edificio suelen estar relacionados con el subconsciente. Soñar que bajas por las escaleras hacia una bodega puede representar una autoexploración decidida o vacilante. Los objetos que allí encontramos evocan distintos impulsos; el vino y la comida pueden sugerir pasión sexual, mientras que unos huesos esparcidos tal vez revelen tendencias homicidas reprimidas.

Chimenea

La chimenea, un poderoso símbolo sexual, puede ser varón o hembra en función de si se ve desde dentro o desde fuera. La chimenea atascada puede representar miedo a la impotencia. Tradicionalmente, se creía que las brujas entraban en el infierno a través de una chimenea, para celebrar sus reuniones del Sabbat, y podemos asociar este símbolo con la magia negra y las artes oscuras.

Mobiliario

El mobiliario de una casa puede representar nuestros pensamientos y emociones. Soñar que vagamos por una casa sin amueblar quizá apunte hacia una vida emocional insatisfactoria, con sentimientos bloqueados. Por otra parte, una casa vacía también puede simbolizar un nuevo inicio de etapa y nuestra disponibilidad para poblar nuestra vida de nuevas experiencias. Arreglar, limpiar o recolocar los muebles puede implicar el anhelo de una cura emocional o el deseo de poner más orden en nuestra vida personal.

Cortina

Las cortinas pueden expresar el deseo de apartarnos del mundo exterior. Aunque es un símbolo evidente de pudor, a veces representan impulsos exhibicionistas; piensa en la imagen clásica de un telón de terciopelo alzándose en un escenario iluminado.

Ropero

La ropa suele hace referencia a la Persona (véase página 103): la cara que mostramos al mundo. Un ropero que contiene varios trajes distintos puede sugerir las distintas «caras» que adoptamos en situaciones diferentes, y nuestras reacciones en el sueño a estos distintos trajes tal vez sugieran cuál es la que creemos que representa mejor a nuestro yo interior. Un ropero abarrotado suele ser señal de exuberancia y exhibicionismo. Un ropero cerrado puede sugerir el deseo de esconderse del escrutinio público.

Sala de estar

Jung afirmaba que las distintas habitaciones de una casa representan los distintos compartimentos del yo. La sala de estar o el salón, la habitación que mostramos con más comodidad a los demás, puede simbolizar la mente consciente.

Cocina

La cocina es la habitación de la casa asociada con el amor, el alimento y la creatividad. En los objetos y la comida que podemos encontrar en ella hay gran riqueza de símbolos sexuales, y el entorno es muy rico en asociaciones maternales. Un horno caliente o un fogón al rojo vivo puede ser un símbolo muy vívido del amor profundo que el soñador siente por su familia o amigos. No obstante, si soñamos que algo se quema en la cocina, esto quizá indique algún conflicto con la gente más cercana a nosotros.

Lavadero o antecocina

Como habitación utilizada para almacenar utensilios, lavar la ropa y hacer otras tareas domésticas habituales, la antecocina o lavadero de un sueño se puede asociar con la mente subconsciente y los procesos que allí se producen.

Dormitorio

Asociamos el dormitorio a los nacimientos, las muertes, el sueño y el sexo. En una casa familiar o compartida, el dormitorio puede ser nuestro único espacio realmente privado, por lo que para mucha gente puede representar reclusión, seguridad y el yo más interior. Es posible, por otro lado, que el dormitorio aparezca en nuestros sueños como el lugar de descanso. Soñar con padres dormidos en sus camas puede reflejar recuerdos de su muerte, o expresar nuestro miedo a perderlos. Un dormitorio vacío tal vez evoque nuestra propia muerte.

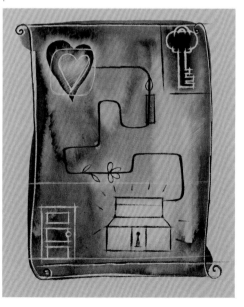

Baño

Aunque relajarse con un buen baño es una manera muy popular de deshacernos de las tensiones y preocupaciones del día, un baño onírico puede ir un paso más allá y evocar la seguridad de la vida en el útero. Si hay una ventana abierta, nuestro subconsciente quizá nos esté recordando las responsabilidades que tenemos ahí fuera, en el mundo real.

Granja

La imagen onírica de una granja puede transmitir el deseo de volver a un estilo de vida más sencillo y bucólico. O quizá, incluso en un entorno urbano, buscamos conectar más con nuestras raíces o con las realidades prácticas de las que dependemos. No necesariamente tenemos que desear mudarnos al campo; sólo vivir según valores más tradicionales en nuestro pueblo o ciudad. Por otra parte, la granja tal vez sugiera algún tipo de frustración profesional: el anhelo por un trabajo que sea más social.

Granero

El granero es una imagen clásica de las buenas cosas que hemos cosechado en la vida, tanto en la doméstica como en la profesional. También puede haber algún indicio de nuestra «cosecha» moral o karma. Ver una rata o arañas en el granero a veces apunta a una culpa que está arruinando tu bienestar.

Valla

Las vallas pueden sugerir los pasos que damos para protegernos de las intromisiones de los demás, a menudo a riesgo de ignorar nuestras responsabilidades sociales y la posibilidad de entablar relaciones gratificantes.

Planta de purificación de agua

Las aguas de una planta de purificación, que evocan al útero, tal vez aparezcan en nuestros sueños como el ampliamente abarcador y potencialmente intimidante símbolo de nuestra madre.

Garaje

A pesar de estar asociado con actividades tradicionalmente masculinas, el garaje que tiene un coche dentro suele ser un símbolo de la sexualidad femenina. El soñador que está trabajando en el garaje en la reparación de un coche puede estar experimentando problemas sexuales en una relación.

Fuente

Las fuentes están imbuidas de un rico simbolismo mítico que las identifica con un origen de vida, conocimiento y eterna juventud. Para un artista que está sufriendo un bloqueo creativo, su imagen onírica puede anunciar la llegada de la inspiración. Como fuente de vida, a menudo representa a nuestra madre, o quizá una nueva explosión de energía después de un largo período de depresión o infelicidad.

Cobertizo

El cobertizo de un jardín puede ser bien un lugar de retiro o bien un lugar de almacenaje para todo tipo de objetos que quieres guardar en la intimidad, fuera de la vista de todo el mundo. Un sueño en el que visitamos el cobertizo para este tipo de almacenaje tal vez se relacione con un proyecto que abandonamos, quizá demasiado pronto. Por otra parte, el cobertizo se usa muchas veces como estudio, por ejemplo, y puede ser otro símbolo del trabajo de la mente subconsciente. Observa atentamente y reflexiona sobre los objetos que encuentras en él.

Invernáculo

Una vegetación exuberante en un invernáculo puede recordarnos los instintos no conscientes reprimidos en el interior del subconsciente.

Fábrica

Una fábrica suele representar la creatividad del soñador vista desde la perspectiva del trabajo duro. En función del contexto, el sueño puede hacer hincapié en la productividad de la fábrica o en su naturaleza mecánica y estereotipada. Unos obreros que están en huelga tal vez representen algún obstáculo a nuestra creatividad, quizá la falta de tiempo o recursos, o un bloqueo artístico. Una interminable línea de producción puede sugerir aburrimiento y frustración, y quizá es momento de que busquemos un nuevo trabajo o camino profesional, o nuevas fuentes de inspiración.

Fábrica de gas

El olor a azufre del gas natural y sus propiedades inflamables conectan las fábricas de gas con la concepción cristiana del Infierno. Simbólicamente, éste puede, a su vez, ser un sinónimo del oscuro caos del subconsciente, y si el escenario de un sueño es una fábrica de gas, éste tal vez produzca una sensación siniestra y escalofriante. Las facetas más oscuras de la psique resultan a menudo difíci-les de afrontar, y nuestra respuesta a la fábrica de gas en sueños puede estar conectada con nuestra actitud hacia la desalentadora tarea de explorar nuestro subconsciente. El hecho de que el soñador presienta una explosión inminente suele estar relacionado con emociones contenidas.

Bar o pub

El bar o el pub pueden ser lugares en los que hacemos vida social o ciertos entornos en los que ahogamos nuestras penas. Relacionado en parte con la superación de inhibiciones, el bar de nuestros sueños puede ser el escenario en el que expresamos nuestras emociones más sinceras. Podemos encontrarnos explicándole a un extraño nuestros secretos más oscuros o bailando desenfrenadamente sobre las mesas. La atmósfera de camaradería del bar también puede transmitir un anhelo de compañía, y subrayar la sensación de soledad. No obstante, si nos vemos involucrados en una pelea, el sueño quizá apunte hacia emociones peligrosamente reprimidas que están a punto de desbordarse convertidas en ira destructiva e incontrolable.

La ebriedad en sueños suele representar una borrachera de vida: una poderosa sensación de bienestar y alegría. Sin embargo, si la experiencia no es agradable sino incómoda o incluso espantosa, el sueño puede ser una advertencia de que estamos perdiendo el control: quizá corremos el peligro de desarrollar una adicción al alcohol o las

drogas, o tal vez sentimos que nuestra vida está a merced de las manipulaciones de otras personas. Soñar que estamos bebiendo solos en un bar puede revelar el deseo de borrar recuerdos difíciles o la necesidad de escapar de los problemas.

Torre

La torre es un poderoso símbolo fálico. Para los soñadores varones, la fuerza y solidez de la torre puede reflejar su confianza sexual o la falta de ella. En muchos cuentos populares europeos aparecen mujeres jóvenes encerradas en torres por reyes o padres tiránicos. Estos relatos, y otros escenarios similares de nuestros sueños, pueden conectar con mujeres sujetas a la influencia opresiva de la autoridad masculina, ya sea en la familia, el trabajo o la sociedad. Las torres también son significativas por ser inexpugnables y a veces representan a alguien importante para nosotros, pero que se mantiene distante emocionalmente.

Tribunal de justicia

Los sueños situados en un tribunal de justicia a menudo reflejan conflictos en el interior del yo o entre gente cercana a nosotros. Tal vez nuestra capacidad de juicio esté sometida a tensiones por una decisión muy importante que puede cambiarnos la vida, o por una compleja lucha de poder entre familiares o compañeros de trabajo.

Torre de reloj

Desde lugares emblemáticos como el palacio de Westminster de Londres hasta ejemplos mucho más comunes, como los del ayuntamiento o la iglesia de un pueblo, las torres de reloj actúan como marcadores del tiempo y de la posición geográfica. El tictac del reloj es un símbolo onírico común del corazón y del paso del tiempo en nuestra vida. Envuelta en la forma fálica de una torre, nos encontramos una imagen de energía masculina y del valor necesario para perseguir nuestras verdaderas ambiciones. Las campanas de una torre de reloj que da las horas pueden anunciar un gran acontecimiento o hito personal, como el matrimonio o el nacimiento de nuestro primer hijo.

de sexualidad masculina. La torre puede simbolizar la popular visión de la vida parisina; quizá el embriagador brebaje de la revolución y el romance, con connotaciones del arte y el cancán. La película *Moulin Rouge* tal vez haya ayudado a implantar esta imagen en el público cinéfilo.

Torre Eiffel

La torre Eiffel, en París, es un poderoso símbolo fálico y le ofrece al soñador una posible imagen

Faro

Para los freudianos el faro es un inconfundible símbolo fálico, emergiendo del mar maternal. Interpretaciones más modernas se fijan en su función como baliza y guía. Igual que la luz de un faro advierte a los barcos de la presencia de rocas peligrosas, su presencia en un sueño puede ser una advertencia sobre una situación potencialmente arriesgada. Un rayo de luz de un faro que atraviesa las brumas nos indicará una zona que debemos evitar en lugar de una hacia la que debemos navegar.

Molino de viento

El molino de viento muele la harina necesaria para hacer pan y a veces representa el papel del soñador como principal sustento de su familia. El «molinillo» diario del trabajo puede ser agotador, pero suele ser esencial.

Castillo

Un castillo es un tipo de casa y puede aparecer en forma de fortaleza, palacio de cuento de hadas o prisión. Soñar que estamos dentro de uno sugiere seguridad, pero también puede recordarnos que la propia fuerza de nuestras defensas psicológicas nos aísla de los demás. Las defensas representadas por los gruesos muros exteriores del castillo pueden protegernos del dolor, a la espera de relaciones importantes y madurez emocional. Si nos vemos bajando el puente levadizo de un castillo onírico, puede que ya estemos listos para embarcarnos en un nuevo compromiso emocional. Un castillo en ruinas tal vez represente la destrucción de las máscaras, o Personas, que hemos utilizado en el pasado.

Palacio

La elegante fachada de un precioso palacio puede representar la Persona que mostramos al mundo. Si el interior del palacio parece andrajoso comparado con el exterior, el sueño quizá nos advierta de que no debemos aspirar a niveles que escapan a nuestro alcance.

Lugares de culto

Lugares de culto como una iglesia, una catedral o un templo pueden representar el lado espiritual del soñador, o el deseo de paz y sabiduría, o quizá, más vagamente, unos objetivos más claros. Sentirnos un extraño en la iglesia tal vez nos recuerde la distancia que aún nos queda por cubrir si queremos progresar espiritualmente o lograr un lugar más respetado en nuestra comunidad. El chapitel tiene obvias connotaciones fálicas, mientras que la cúpula a menudo sugiere las curvas femeninas, tanto en sentido físico como psicológico. El chapitel de una iglesia también puede ser importante como lugar obvio para ubicar un pararrayos, y si aparece en nuestros sueños tal vez haga referencia a una sensación de vulnerabilidad ante un desastre repentino.

Casa en ruina o en llamas

Ver nuestra casa en ruinas puede ser una imagen exagerada de algún problema fastidioso, quizá uno bastante trivial sin conexiones con nuestras circunstancias domésticas. No obstante, la misma imagen puede sugerir también una sensación de disfunción personal. Las zonas del edificio que necesitan reparaciones pueden transmitir nuestra preocupación sobre un defecto concreto. Un edificio en llamas, aunque es una imagen de destrucción, suele tener connotaciones positivas como símbolo de catarsis. A veces necesitamos purgar el yo de actitudes e ideas que ya no son apropiadas.

Edificio inacabado

La casa es un clásico símbolo del yo: el cuerpo, la mente y las emociones. La imagen onírica de un edifico inacabado refleja el hecho de que seguimos cambiando y desarrollándonos a lo largo de toda nuestra vida. Una interpretación minuciosa del simbolismo específico puede proporcionarnos revelaciones inesperadas sobre en qué aspectos deberíamos trabajar primordialmente: un mejor acceso al sótano del subconsciente quizá, o más ventanas abiertas al mundo exterior. Por otra parte, soñar con el plano de un arquitecto puede sugerir que estamos a punto de embarcarnos en un proyecto personal muy importante.

Escuela

Las experiencias escolares están entre las más formativas de la vida y pueden aparecer frecuentemente en nuestros sueños de mayores. En ocasiones el sueño está relacionado con sucesos concretos recordados con orgullo o vergüenza, o reprimidos. Sin embargo, a menudo se utilizará una escuela genérica para transmitir su mensaje. Soñar que estamos de vuelta en el colegio, pero relegados a una clase más baja, expulsados del aula o despojados de alguna responsabilidad deseada, puede simbolizar inseguridades de la infancia aún no resueltas.

Aparte del escenario de la escuela, también puede aparecer personal de ella. El profesor es un símbolo clásico de autoridad, y suele representar al padre, a la madre, a un hermano mayor o a otros seres queridos o temidos que han determinado el curso de la vida del soñador. Por otra parte, el profesor tal vez simbolice el aspecto censor de la persona-

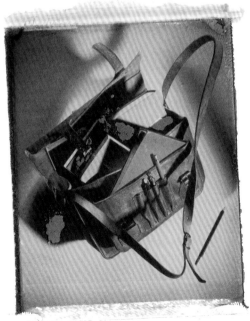

lidad del soñador que mantiene sus impulsos más indómitos bajo control.

Sueños en los que el protagonista es reclamado en el despacho del director pueden hacer referencia a cierta inferioridad, culpa o el temor respecto a que se hayan descubierto las propias faltas. Recibir la alabanza pública de un profesor o un premio de la escuela, o ganar una competición deportiva escolar, puede ilustrar la fe del soñador o su necesidad de creer en sus habilidades como alumno o persona.

Llevar una mochila escolar

Una mochila llena de libros, bolígrafos y papeles, si se lleva alegremente, está relacionada con el conocimiento acumulado del soñador y su deseo de seguir aprendiendo. El hecho de que la mochila sea pesada o incómoda puede significar que algún aspecto del pasado, presente o futuro es una carga.

Escuela en ruinas o destartalada

Un sueño que nos devuelve a la infancia para comprobar que la escuela está desierta o en plena decadencia sugiere que seguimos cargando con expectativas frustradas de la infancia con o recuerdos inquietantes. En ocasiones hay una sensación añadida de paso del tiempo, la impermanencia de la vida, y la necesidad de mirar hacia adelante en lugar de demorarse en el pasado.

Acoso escolar

En este tipo de sueños normalmente nos identificamos con la víctima, no con el acosador. Suelen estar relacionados con alguna experiencia dolorosa de la infancia. Por otra parte, puede apuntar a un deseo de dominar o ser dominado, quizá de una manera sexual o sadomasoquista. Si tanto el acosador como su víctima son del mismo sexo, entonces el sueño puede ser una respuesta compleja a una relación o impulso homosexual, quizá reprimido.

Profesor

Nuestros profesores tienen un efecto formativo sobre nuestra vida, para bien o para mal. Su autoridad sobre nosotros es comparable a la de nuestros padres, y de hecho pueden actuar como un símbolo onírico de ellos. Si el profesor que aparece en nuestros sueños es uno de los que admirábamos y respetábamos, debemos tomar buena nota de sus consejos, porque la sabiduría que nos transmite tal vez sea un mensaje de nuestro subconsciente.

Castigo en clase

Cuando soñamos que nos castigan en el colegio, a menudo hay una referencia implícita a la sumisión a una figura de autoridad. El castigo corporal puede revelar el deseo de sexo sadomasoquista. Un castigo que se nos aplica por no haber hecho nuestros deberes suele sugerir un sentimiento de culpa por no cumplir con las obligaciones personales o profesionales. Que te obliguen a estar de cara a la pared en un rincón, un castigo común en el pasado, puede reflejar una sensación de exclusión social; copiar una misma frase varias veces tal vez refleje insatisfacción con la rutina.

Final del trimestre

Celebrar el final del trimestre y el principio de las vacaciones puede estar teñido de la pena por la pérdida de amigos con los que tendremos menos

contacto, al irse cada uno a su casa. Este sueño a menudo expresa optimismo sobre una nueva fase en nuestra vida, o alivio al final de una fase complicada y poco gratificante.

Tinta

Si soñamos que derramamos tinta sobre el pupitre o nuestros libros, tal vez se nos esté sugiriendo que hemos cometido alguna ofensa contra nuestros propios estándares morales o los de los demás. La tinta negra deja entrever una falta atroz o quizá un delito menor cometido en la oscuridad de la noche, mientras que la roja puede hacer referencia a la sangre o a la sexualidad.

Aula

Típicamente, el aula se asocia con el aprendizaje y tiene gran importancia para toda la vida. También puede simbolizar la competencia, la estima pública o la censura, así como la necesidad de replantearse aspectos de nuestras inquietudes personales, sociales o profesionales. El aula también puede simbolizar la nostalgia o la necesidad del soñador de revivir la pasión de una etapa anterior de la vida. Sentarse en la parte de atrás del aula con el objetivo de escapar de la atención del profesor a

menudo se relaciona con una tendencia a eludir la responsabilidad. No obstante, si en el sueño nos vemos representados levantando con entusiasmo la mano para responder a una pregunta, esto puede implicar el deseo de ponernos a prueba.

Libro de ejercicios

El estado de un libro de ejercicios o de un cuaderno puede transmitir la condición de la psique del soñador. Un cuaderno cubierto de garabatos y borrones se relaciona con la creatividad o con

cierta confusión, o posiblemente con una mezcla de ambas. Un cuaderno limpio y ordenado puede reflejar un planteamiento vital organizado, o el deseo de mayor orden en un estado anímico desordenado. Si miramos un cuaderno y descubrimos dibujos donde deberían de haber listas de vocabulario o sumas, quizá la mente soñadora esté llamando nuestra atención hacia un filón creativo interior que espera a ser descubierto.

Pupitre

Los freudianos ven el pupitre tradicional, con su tapa y espacio para guardar cosas, como un símbolo de los órganos sexuales femeninos. Rebuscar en el pupitre también puede tener relación con el acto sexual, vivido o deseado. Otra manera de ver el mismo sueño se centraría en el pupitre como una representación del terreno personal del soñador en un aula llena de gente. Tallar nuestras iniciales en un pupitre onírico, con ecos de nuestra necesidad de individualidad y espacio personal, a menudo revela una preocupación sobre establecer nuestra identidad a ojos del mundo exterior. El pupitre, además de ser un lugar donde se pueden esconder cosas, a veces también hace referencia al propio subconsciente, quizá en su aspecto más juvenil, antes de que se inmiscuyeran las experiencias adultas.

Timbre de la escuela

Un despertador que suena en la vida real puede aparecer en sueños como un timbre de escuela. Soñar con él tal vez anuncie el final de las clases y, simbólicamente, de un episodio difícil de nuestra vida. Si el timbre suena después de una pausa para el recreo, el sueño puede expresar la pena por el final de alguna experiencia agradable, quizá una de tipo romántico o sexual.

Patio

El patio puede representar la necesidad de disponer de más tiempo libre. Si miramos cómo juegan otros niños pero nos negamos a participar, tal vez se esté apuntando a nuestro aislamiento autoimpuesto. Si nos han dejado al margen de los juegos, quizá es que sufrimos de baja autoestima y miedo al rechazo. La renuncia a volver a clase una vez que ha sonado el timbre puede responder a una situación desagradable en nuestra vida profesional, o la preferencia por las distracciones antes que por el trabajo duro: la incapacidad de afrontar cara a cara las responsabilidades.

Pizarra

Las letras blancas que escribimos en el fondo negro de la pizarra pueden reflejar el poder del conocimiento para derrotar a la ignorancia. La escritura que la mente soñadora proyecta en una pizarra suele simbolizar los principios e ideales que han guiado nuestro camino. Aunque es importante mantenerse fiel a los principios, también debemos recordar que las ideas muy apreciadas, igual que la tiza, no son necesariamente permanentes: borrando lo escrito podemos dejar espacio a algo nuevo.

Universidad

La educación superior simboliza con frecuencia nuestras aspiraciones intelectuales o espirituales más nobles. Quizá exista un elemento de abstracción o imparcialidad en la carrera que estudiamos: ¿puede eso reflejar culpa por nuestra complacencia?

Ceremonia de graduación

La ceremonia de graduación suele ser un significativo rito de paso, y en un sueño puede estar relacionada con otros eventos emblemáticos, sobre todo aquellos que producen una sensación de logro, como el nacimiento de nuestro primer hijo.

Teatros y circos

El mundo onírico es una especie de escenario, un teatro en el que se producen transformaciones mágicas, en el que las imágenes surgen de las profundidades de la imaginación y el drama de la vida se desarrolla. Algunos sueños llevan esta metáfora a su conclusión natural, utilizando teatros, cines o circos reales como escenario. Estos sueños suelen caracterizarse por una particular claridad o intensidad, que recuerdan a veces a los de los «grandes» sueños (véanse páginas 65-70). La atmósfera de excitación y expectativa del sueño puede reflejar los sentimientos que vivimos en esos lugares en nuestra vida cotidiana.

Un teatro onírico es una ilusión dentro de otra ilusión, y puede aparecer para ofrecerle al soñador una comprensión del misterio que se oculta tras el mundo de las apariencias. No obstante, el soñador en ocasiones encuentra vacío el teatro o el circo, o se topa con la pantalla del cine en blanco, y entonces siente una angustiante soledad, como si lo excluyeran de la revelación que están a punto de ver los demás.

Si nos encontramos sobre el escenario o en el ruedo del circo, participando del espectáculo, puede ser que estemos representando alguna tensión o impulso interior, y tengamos algo que aprender del personaje de la obra. Pero si el soñador es un espectador, esto puede indicar el peligro de caer en las redes del poder de la ilusión o quizá un deseo insatisfecho de deshacerse de los convencionalismos de la vida cotidiana y entrar a formar parte en un mundo más instintivo, colorido y emocionante.

Los actores a menudo representan a otras personas importantes de la vida real del soñador, o pueden evocar el arquetipo de la Persona, la máscara que adoptamos para enfrentarnos al mundo exterior. La interrelación de animales y humanos puede ser particularmente significativa, y tiene relación con la interacción entre la mente consciente y racional y la mente subconsciente e instintiva.

Escenario

El escenario onírico es una ilusión dentro de otra y representa nuestros esfuerzos para entender las apariencias. Un sueño en el que nosotros, los soñadores, aparecemos sobre el escenario puede revelar una preocupación respecto a la imagen que proyectamos a los demás.

Obra de teatro

Los sueños en los que aparecen producciones teatrales suelen reflejar los impulsos subconsciente más oscuros del soñador. Lo que acontece sobre el escenario puede darnos claves fundamentales sobre las emociones que reprimimos en nuestra vida diaria. ¿Estamos ante una comedia o una tragedia? ¿Es una farsa o una fantasía? ¿Qué impulsos profundos se representan? ¿Cómo interpretan sus papeles los actores? Todas estas preguntas pueden ser relevantes para el significado del sueño.

Actor o actriz

El actor o actriz, a menudo una representación de la imagen pública escogida por el soñador, suele evocar nuestras aspiraciones más elevadas. Más claramente, puede revelar nuestros impulsos más primarios. Cómo juzga el público la actuación se relaciona con lo bien que la Persona oculta al verdadero yo del soñador. Un actor o actriz famosos representan con frecuencia el arquetipo del Ánima o Ánimus, o quizá a nuestros padres.

Cómico

Los cómicos son una versión del Embaucador. Aunque suelen rebelarse amablemente contra la sociedad, acostumbran a burlarse de las normas establecidas y quizá de las pretensiones y la imagen que el soñador tiene de sí mismo. Plantéate si el cómico provoca bienestar, enfado o celos: en ocasiones podemos descubrirnos envidiando su rebeldía.

Programa de entrevistas

Un programa de entrevistas puede sugerir el anhelo de fama o notoriedad. Por otra parte, es posible que exprese el deseo de divulgar nuestras opiniones; quizá algún tema que nos preocupa y del que no se ha hablado lo suficiente.

Película

El mundo de *glamour* del cine suele evocar el deseo de añadir un barniz satinado en relación con aceptar nuestros impulsos subconscientes más complejos. Dado que las estrellas del cine son admiradas en todo el mundo, también puede haber un elemento de satisfacción de deseos. Determinadas películas se cuelan inevitablemente en el subconsciente. Al interpretar un sueño sobre ellas, no olvides que el cine es bidimensional.

Especialista

Esta imagen onírica puede expresar una preocupación por las exigencias excesivas que se nos hacen en la vida diaria. Saltar de un edificio en llamas, por ejemplo, es posible que simbolice una huida fantasiosa de una relación. La sensación de injusticia ante las exigencias quizá se vea aumentada por la falta de reconocimiento que recibe el especialista por su valor: al final todo el mérito se lo lleva la estrella.

Concurso televisivo

Los grandes premios de los concursos de televisión pueden ser un indicador de preocupaciones económicas. El sueño también es posible que apunte a una baja autoestima (necesitamos la suerte para alcanzar el éxito) o temor a la humillación pública.

Circo

Un circo onírico quizá sea un estimulante remolino de actuaciones, con payasos torpes, acróbatas temerarios y proezas de fuerza o valor. La multitud de actuaciones y artistas en la arena puede ser un reflejo de la naturaleza multifacética de una vida ajetreada. Quizá tememos por la seguridad de alguien o tal vez por la nuestra. O quizá te preocupa que alguna de las actuaciones fracase, recordándote tus propios miedos.

Malabarista

El malabarista puede transmitir ansiedad sobre el número de tareas que implica eludir la responsabilidad. Un sueño en el que el número de bolas o platos del malabarista no deja de aumentar puede representar una llamada de socorro frente a una lista de cosas pendientes aparentemente interminable.

Payaso

El payaso es un aspecto del Embaucador arquetípico, que se ríe de sí mismo para burlarse de los amaneramientos de los demás, y quizá de las pretensiones o el yo inflado del soñador. Por otra parte, el payaso puede reflejar ansiedad sobre la incompetencia de nuestra actuación.

Acróbata

El acróbata representa una combinación de fuerza y elegancia, y por tanto la unión del hombre con la mujer. Los trapecistas pueden simbolizar el valor espiritual y demostrarle al soñador que sólo arriesgando su propia seguridad logrará completar verdaderos progresos interiores. Si en el sueño aparecéis tú y tu pareja como un dúo de acróbatas, se puede estar expresando una sensación de profunda harmonía. La confianza, comunicación y coordinación están implícitas en la actuación de los acróbatas y sólo trabajando juntos realizarán su actuación con éxito. De manera más obvia, el sueño sobre un acróbata es capaz de reflejar el miedo a caer desde la altura que hemos alcanzado.

Domador de leones

El domador de leones triunfa simbólicamente sobre sus instintos más primarios, no reprimiéndolos sino doblegándolos a su voluntad. En términos jungianos, los animales domados indican los impresionantes resultados que la gente puede conseguir al trabajar con sus instintos más primitivos.

Si crees que el león representa a alguien cercano a ti, quizá es que deseas de manera poco realista controlar el impacto de su carácter o sus pasiones. El látigo del domador también se asocia con deseos sadomasoquistas.

Tragafuegos

El tragafuegos puede representar el aspecto más feroz
y colérico del yo: los resentimientos y las frustraciones
congénitos. Librándose de
este modo del poder des-
tructivo, el artista indica la
posibilidad de controlar esos
impulsos. A menudo el tragafuegos puede simbolizar
también eficacia, habilidad y
los actos valientes que superan las dificultades.

Ilusionista

El ilusionista es el señor de
las ilusiones, al emplear trucos de transformación que

un mago auténtico tardaría años en dominar. Es,
por tanto, el maestro de los atajos y de las soluciones inesperadas, pero también de la astucia y
del engaño. Ganándose admiración gracias no a
sus poderes místicos, sino a su talento humano, el
mago de circo puede transmitirnos la necesidad
de tener cuidado con alguien cuyo carisma sea tal
vez sólo superficial.

Animales de circo

Para los jungianos, los animales de circo, como caballos, elefantes y focas, representan los instintos
más básicos del soñador, y el terreno en el que
podemos trabajar con nuestro yo más primitivo
para producir resultados que la mente consciente
nunca habría creído posibles. Los freudianos ven
el adiestramiento de animales para entretener a
los humanos como una expresión del deseo de
dominación sexual.

Director de pista

El director de pista es el encargado de dirigir los talentos de humanos y animales, aunque, por otro lado, no realiza ningún número. Así, podemos decir que en realidad se alimenta de los demás, y su presencia en sueños puede indicar la naturaleza profundamente árida del poder que se obtiene a través del estatus o posición, sin ninguna intervención del talento propio.

En el director de pista de un sueño también puede identificarse con una figura de autoridad, como nuestro padre o jefe. También es posible que se lo vea como alguien que ejerce un poder real, como el director de una orquesta: sin su guía, todo el espectáculo podría correr el peligro de venirse abajo. En este aspecto se relaciona con el Anciano Sabio.

Equilibrista

El equilibrista que camina precariamente por un alambre situado en las alturas puede asociarse con la idea de que debemos avanzar con extrema cautela, o puede representar un sentimiento general de que se nos pide que hagamos cosas imposibles.

Encantador de serpientes

El encantador de serpientes que hace salir una cobra de su cesta suele relacionarse con el peligro de caer en promesas llamativas o en una falsa adulación. El exotismo del encantador de serpientes también puede evocar el anhelo de viajar o vivir emociones, o quizá de una iniciación en la mística o prácticas religiosas orientales.

Pueblo y ciudad

Igual que la casa es un símbolo del yo en la psicología jungiana, el pueblo o la ciudad representa a la comunidad, el entorno social que va más allá del yo, incluidos familia y amigos, y la red de responsabilidades que nos rodea (como una red de calles que salen de una plaza o un mercado).

Un pueblo ajetreado, o con las puertas y ventanas abiertas, o con cafés bulliciosos, suele asociarse con la calidez de las relaciones del soñador con los demás; mientras que un pueblo con calles anchas y vacías, o con grandes plazas desiertas, puede indicar una sensación de aislamiento o de rechazo por parte de la sociedad.

Una ciudad grande e impersonal sugiere que el soñador es consciente de que tiene muchos conocidos pero pocos amigos cercanos, y puede apuntar a la necesidad de entablar relaciones más íntimas. El gran tamaño de la ciudad suele intimidar, y cualquiera que se sienta abrumado por él puede tener la tendencia de retraerse sobre sí mismo. Por otro lado, está el intento de dejar una huella personal en la jungla de asfalto.

Si las casas son vagas y sombrías, el soñador puede que carezca del suficiente conocimiento sobre sí mismo o acerca de los demás. Una ciudad subterránea o bajo el mar normalmente está relacionada con el subconsciente del soñador, que apunta hacia los vínculos comunes que compartimos con los demás: un antídoto contra el aislamiento.

Freud, como es sabido, veía en la imagen del pueblo el abarcador arquetipo de la mujer: receptiva o adusta en función de si las calles están bien iluminadas u oscuras y vacías.

Pueblo pequeño

El pueblo pequeño, con su reducido tamaño y su tipo de vida, es posible que parezca un paisaje bucólico para los soñadores desilusionados con la gran ciudad. También se relaciona con la sensación de sentirse vigilado, ya que en un pueblo pequeño es difícil ser anónimo.

Ciudad amurallada

Una muralla alrededor de una ciudad (o una casa) sugiere el deseo de mantener alejados a los demás, pero también de proteger nuestras posesiones más apreciadas. Una ciudad amurallada puede simbolizar el impulso de resistirse al cambio y huir de ideas nuevas. El sueño tal vez deje entrever que la muralla es necesaria si queremos mantener los valores sociales, o puede invitarte a reconocer que ya existe esa muralla y a reflexionar sobre sus implicaciones.

Ciudad en ruinas

Las ruinas suelen sugerir abandono y decadencia en lugar de destrucción deliberada. Una comunidad o un pueblo en ruinas puede estar atrayendo la atención del soñador sobre unas relaciones sociales descuidadas, u objetivos o ideales vitales que antes teníamos más presentes. Si las ruinas son antiguas

en vez de recientes, quizá anhelamos un pasado irrecuperable, y puede que demasiado idealizado. Unas ruinas iluminadas por la luna se identifican a veces con una romántica satisfacción de deseos: un ansia de aventuras e intriga.

Metrópolis

Cuando en sueños aparece una ciudad futurista es posible que esté influenciada por las películas de ciencia ficción. A veces debe asociarse con el efecto deshumanizador de la maquinaria de alta tecnología: la pérdida del toque humano.

Pueblo sobre una colina

Típicamente, los pueblos o ciudades situados sobre colinas, sobre todo si aparecen en sueños del nivel 3, sugieren sabiduría, el cielo, el hogar de los dioses y el baluarte de los justos. La imagen puede sugerir un obje-

tivo o ideal que el soñador se esfuerza en alcanzar, y tal vez transmita la tranquilidad de que esas ambiciones son alcanzables; además de recordarnos, quizá, que debemos mantener los pies en el suelo y cultivar un espíritu humilde.

Barrios marginales y favelas

Las zonas más desvencijadas de la ciudad, llenas de calles sucias y casas destartaladas, pueden representar relaciones sociales que nos avergüenzan. Sin embargo, quizá lo que sucede es que estamos anhelando mayor franqueza y sinceridad con la gente que está más preocupada por mantener las apariencias.

Si el pueblo o la ciudad representa al yo en lugar de a nuestra interacción con los demás, entonces el sueño situado en un barrio marginal puede sugerir baja autoestima. Vagar por zonas que la mayoría de la gente evita también podría revelar la voluntad de explorar los aspectos menos atractivos del yo. El sueño surge desde un deseo sumergido de afrontar los impulsos oscuros que acechan en nuestra mente subconsciente.

Elementos y estaciones

Los elementos y las estaciones se suelen asociar con sueños de nivel 3, porque están vinculados con las energías naturales y los ritmos de la vida, por lo que actúan como poderosos símbolos tanto de la propia estructura psicológica del soñador como de los cambios vitales significativos.

La primavera se relaciona con el advenimiento de nuevos inicios, mientras que el verano indica logros y la necesidad de saborear el momento, en lugar de estar siempre pensando en el pasado u obsesionados con el futuro. El otoño es la estación de las cosechas, el tiempo de recoger lo que hemos estado sembrando, además de la época en que percibimos la decadencia. El invierno puede ser el lado subconsciente, oscuro y oculto del yo del soñador, pero también es posible que se relacione con un período de barbecho: un momento de reflexión necesario para que surjan nuevas ideas.

Los ríos y arroyos son metáforas particularmente potentes del paso del tiempo y de las profundidades del subconsciente.

La lluvia, el agua que cae del cielo, puede sugerir la relación entre las partes imaginativa y racional de la mente, que son complementarias. También da vida: si bien es cierto que puede arruinar un almuerzo al aire libre, permite el crecimiento a largo plazo.

Tierra

Los sueños en los que nos sentamos o nos tumbamos en el suelo han de relacionarse con cierto surrealismo, y pueden terminar en extravagantes vuelos de la imaginación. La tierra también suele simbolizar fertilidad y, como el agua, puede representar lo femenino. El terreno en barbecho es posible que indique que están a punto de aparecer nuevas ideas: el terreno viejo debe ararse y sembrarse con las semillas de una vida nueva que con el tiempo crecerán y florecerán.

Fuego

El fuego consume pero también purga. Evocador de emociones poderosas como la envidia, la lujuria y la pasión, se trata de un símbolo ambiguo: destruye pero, al hacerlo, deja un campo abierto a un nuevo crecimiento. En sueños puede sugerir la necesidad de sacrificio, pero al mismo tiempo promete la aparición de nuevas oportunidades. El fuego es una energía masculina y representa todo lo que es abierto, positivo y consciente. Sin embargo, descontrolado tal vez apunte a la necesidad de que el soñador se ocupe de la pasión o de la ambición desenfrenada. Indica también la importancia de aclarar cuestiones problemáticas que pueden haber provocado desorden en una relación, o quizá empezar desde cero.

Aire

El aire se asocia con conceptos como la libertad, el espíritu y la claridad de pensamiento. Quizá nos encontremos brincando en grandes zancadas por el campo, descendiendo suavemente hasta el suelo o viajando en un globo o una nube. Éste es el elemento que simboliza las preocupaciones más etéreas, pero el sueño puede ser también una advertencia de los peligros de perder el contacto con la realidad. El aire quizá exprese confianza en uno mismo y la habilidad para pensar con claridad y actuar con decisión. El aire, verdadero aliento vital, tal vez simbolice los elementos necesarios para nuestra salud y bienestar; si nos asfixia la contaminación, algo puede estar despojándonos de esa necesidad.

Agua

El agua es el símbolo por excelencia del subconsciente, las profundidades de la imaginación y la fuente de creatividad. Soñar que nadamos sugiere que el soñador debería aventurarse en ese territorio, pero si tiene problemas para mantenerse a flote, puede advertir de que es necesario ser más cauteloso y disponer de una preparación más cuidadosa. Freud asociaba el agua con el útero materno. Según esta interpretación, el soñador que flota alegremente en el agua puede estar expresando el deseo de «volver a casa» con su madre. Por supuesto, igual que el aire, el agua es indispensable para la vida, lo que le confiere un simbolismo parecido.

Arco iris

Símbolo de buen augurio universal, el arco iris representa la redención, buenas noticias, promesas y compasión. En los sueños de nivel 3 puede asociarse con la búsqueda mágica del tesoro del autoconocimiento, o del puente entre cielo y tierra que espera a la mente iluminada.

Cielo

El cielo implica espiritualidad y contemplación. Un cielo azul y despejado puede denotar pensamiento puro y transcendente, mientras que uno que está nublado o tormentoso muestra la incapacidad de pensar con claridad o de percibir verdades importantes.

Nieve

A menudo la nieve ha de relacionarse con la transformación y la purificación; si se está derritiendo, puede sugerir miedos y obstáculos que se disuelven en el camino del soñador. El hielo puede indicar petrificación, un alto en el progreso o un obstáculo que impide el flujo creativo de la mente del soñador. Tanto la nieve como el hielo pueden representar una falta de calidez emocional, sugiriendo que el soñador no presta suficiente atención a sus sentimientos.

Viento

Un viento ligero y cálido representa un cambio bienvenido; uno potente o un vendaval, un cambio amenazante o temido. Si el viento se lleva la casa o las posesiones del soñador, puede tratarse de una advertencia sobre emociones tumultuosas o una tendencia a la autodestrucción.

Lluvia

Imitando al lloro, la lluvia tal vez simbolice la pena, pero, por supuesto, también cuenta con matices positivos de crecimiento y regeneración. Más concretamente, la lluvia puede representar el desarrollo espiritual. Los freudianos comparan la lluvia con la orina; los sueños sobre lluvias suelen darse cuando nos acostamos con la vejiga llena.

Tormenta

El clima tormentoso en un sueño puede indicar el deseo de forzar las cosas para que lleguen a su conclusión, o de agitarlas en busca de un cambio. También es frecuente que la visión de una tormenta implique una crisis o catarsis personal. Un huracán que a su paso vuelca coches o arranca los tejados de las casas puede asociarse con una idea de la fragilidad del mundo material o inmaterial que nos hemos construido.

Trueno

En muchas religiones antiguas se creía que el trueno era la voz o el acto de alguna deidad poderosa. El dios griego Zeus era el dios del trueno, como la deidad nórdica Thor; y en la tradición judeocristiana Dios le habló a Moisés con una voz de trueno al transmitirle los diez mandamientos.

De niños tememos instintivamente a los truenos, aunque más tarde casi todo el mundo supera ese temor. Por esto, un sueño en el que tememos el ruido ensordecedor de los truenos puede representar la ira de nuestro padre u otra figura de autoridad poderosa. El miedo que origina un sueño como éste puede tener sus raíces en vivencias que se remonten a nuestra infancia.

Relámpagos

Los relámpagos sugieren inspiración, añadiendo la idea de que los destellos de brillantez son fugaces. También tiene un lado destructivo, por supuesto. Los relámpagos y los truenos pueden ser recordatorios del asombroso poder de la naturaleza y de las fuerzas que quedan fuera del control consciente del soñador. Al ser capaces de originar un incendio en la tierra, también tiene el simbolismo sexual del esperma.

Granizo

El granizo puede representar los aguijonazos de una conciencia culpable.

Inundación

Para muchos, las inundaciones oníricas tienen matices bíblicos. Puede ser la preparación para una nueva vida y partir de cero. Esta interpretación encaja tanto con la concepción de Freud de las aguas del útero como con la idea junguiana del diluvio como un fenómeno que simultáneamente destruye y da vida. Un sueño en el que nuestra casa o ciudad queda sumergida por una inundación puede transmitir la sensación de que estamos abrumados por nuestras responsabilidades en el hogar o el trabajo. Desde la perspectiva freudiana de la inundación como símbolo materno, el sueño cabe interpretarse como una expresión de deseo incestuoso.

Mar

Jung creía que darse la vuelta para mirar el mar indica que el soñador está preparado para afrontar los misterios y miedos del subconsciente; mientras que las criaturas que emergen de sus profundidades representan poderosas fuerzas arquetípicas. Para Freud, el mar es un símbolo de sexualidad femenina, y las olas expresan los flujos y reflujos de la unión sexual.

Río

La corriente constante de un río representa la implacable marcha del tiempo. Estar metido en el río sugiere aferrarse al presente; atravesarlo puede representar los riesgos que implican los cambios de rumbo.

Amanecer

El amanecer de un nuevo día es factible que señale el final de un largo período de dolor, enfermedad o depresión. Como la primavera, la salida del sol sugiere esperanza renovada y nueva energía. El sueño también puede estar relacionado con el nacimiento de una nueva idea o convicción.

Luz diurna

La luz diurna que se cuela por una ventana es un símbolo onírico optimista. El sueño puede estar animándonos a espabilarnos y salir al mundo, para aprovechar al máximo las posibilidades que ofrece. Un rayo de luz diurna también es capaz de llamar nuestra atención sobre un objeto concreto del sueño; piensa bien cuál puede ser.

Día de verano

Un caluroso día de verano es probable que esté representando una experiencia agradable que refleja optimismo y goce. El sol caluroso y la luz cegadora, no obstante, también pueden indicar una conmoción espiritual o intelectual o una ruptura repentina con una antigua creencia. Si el sol resulta opresivo, el soñador quizá sienta que las ideas de otros le están siendo impuestas.

Madera quemada

La madera calcinada puede sugerir una relación o una idea por las que hemos perdido la pasión, o tal vez indique que se tiene miedo por los cambios irreversibles que ya se han producido.

Terremoto

Para los jungianos, el terremoto representa la erupción de las fuerzas oscuras del subconsciente. Contenidas y poderosas, amenazan con zarandear y sepultar la vida consciente del soñador. Un terremoto puede representar también la liberación de nuestras energías creativas o, para los freudianos, la emergencia de una pasión sexual no expresada.

Niebla o humo

La niebla o el humo puede sugerir que la confusión enturbia nuestra visión. Quizá estamos luchando para comprender alguna nueva idea o nos sentimos abrumados por las implicaciones de una decisión importante. Un rayo de luz que atraviesa la niebla sugiere a menudo que la confusión es sólo temporal. El humo tiene importantes connotaciones espirituales, además de hacer referencia al humo de la guerra. Los indios nativos americanos creían que el humo es el vehículo a través del cual viajan nuestras plegarias hasta el creador. Por otro lado, el incienso forma parte de ceremonias religiosas de todo el mundo.

Nube

La aparición de una nube en un cielo, por otra parte, despejado nos recuerda que ningún estado de satisfacción y calma dura para siempre; quizá debemos disfrutar del presente mientras podamos. Una nube que pasa por delante del sol puede sugerir el oscurecimiento de la visión interior; quizá por culpa de las emociones; mientras que la imagen de un buen amigo o un pariente flotando sobre una nube celestial suele revelar el deseo de hacer más palpable la idea de la muerte. Con cierta frecuencia, las nubes son una metáfora del pensamiento poco realista: de vivir con «la cabeza en las nubes».

Crepúsculo

El crepúsculo es un momento de transición o ambivalencia; no es día ni noche. El perfil de las cosas se difumina y los objetos parecen menos o más amenazantes de lo que son. Los sueños situados en el crepúsculo pueden darse en momentos de cambio. La luz crepuscular tal vez nos permita examinar más objetivamente una situación que normalmente evitaríamos analizar de un modo directo.

Hojas caídas

Las hojas caídas pueden ser una expresión de las inquietudes del soñador sobre la muerte y la decadencia. De manera similar, los montones de hojas secas apiladas en el suelo sugieren el marchitamiento de la esperanza y, tal vez, una melancolía cada vez mayor. Los tonos rojos y amarillos intensos de las hojas caídas también pueden inspirar optimismo, y recordarnos que incluso en la decadencia se puede encontrar belleza, además del rejuvenecimiento que sigue al invierno.

Oscuridad

La oscuridad puede representar las fuerzas represivas de la mente subconsciente que impiden que el soñador examine aquellos pensamientos incómodos que habitan en él. Es probable que una luz en la oscuridad sugiera un gran progreso en nuestro desarrollo personal.

Arena

Un cuerpo que se hunde en una arena cálida puede sugerir el deseo de regresar al útero materno. La arena es una imagen onírica común que hace referencia al paso del tiempo, ya sea en un reloj de arena, o bien escurriéndose entre los dedos. Por otra parte, el castillo de arena engullido por el mar es símbolo de transitoriedad.

Animales

Los animales son símbolos oníricos particularmente poderosos, y suelen tener un significado universal. A veces aparecen como animales concretos que el soñador conoce: en ese caso su significado tiende a ser personal. Además de animales reales (genéricos o concretos), los sueños también pueden utilizar a otros animales fantásticos salidos de las películas, los mitos o los cuentos de hadas. En ocasiones, también, puede haber alguna referencia a asociaciones animales asentadas en los símiles o clichés idiomáticos (que, por ejemplo, vinculan al zorro con la astucia, a los elefantes con la buena memoria, a los cerdos con la glotonería, etcétera).

Los animales siempre han simbolizado nuestras energías y deseos más naturales, instintivos e incluso primarios. No obstante, en sueños suelen llamar nuestra atención sobre aspectos del yo menospreciados o reprimidos, y nos ponen en contacto con una fuente de energía transformadora de las profundidades del inconsciente colectivo. Devorar a un animal puede representar la asimilación de su sabiduría natural, igual que en la mitología nórdica Sigfrido aprendía el lenguaje de los animales después de comerse el corazón del dragón Fafnir. Muchas culturas nativas también creían que comerse un animal nos permite absorber parte de sus poderes. Por ejemplo, se cree que comerse un ciervo hace que el cazador tenga los pies más ligeros, mientras que el conejo estimula la fertilidad.

Los animales de los sueños pueden ser temibles o amistosos, salvajes o domesticados, y su comportamiento a veces ayuda en la interpretación. Pueden incluso hablar o cambiar de forma. En la tradición nativa americana, los chamanes buscan un animal poderoso en sus sueños para que actúe como guía de sabiduría y protector durante sus viajes a otros mundos.

Un perro puede representar devoción, como simboliza Argos, la primera criatura que reconoció al héroe griego Ulises cuando regresó a su hogar después de sus épicos viajes; pero el perro también puede simbolizar la capacidad de destrucción de los instintos mal utilizados o descuidados (piensa en los perros lebreles de la diosa cazadora Artemisa, que hicieron pedazos al mortal Acteón después de que invadiera su privacidad). Los gatos son uno de los animales más comunes en los sueños: suelen representar la sabiduría instintiva femenina y el poder del subconsciente.

Animales salvajes

Freud consideraba que los animales feroces y salvajes han de relacionarse con los impulsos apasionados de los que el soñador se avergüenza; cuantos más y más diversos sean los animales, más amenazantes y confusos pueden ser esos impulsos. Los animales salvajes también simbolizan nuestros miedos más profundos, sobre todo a la muerte.

Murciélago

Para muchas personas, los murciélagos son un signo diabólico que representa la insensatez ciega y los impulsos más oscuros del subconsciente. En las culturas china y nativa americana, no obstante, son un símbolo de buena suerte y renacimiento. Recuerda que, de la misma manera que los murciélagos son capaces de volar en la oscuridad, nosotros también podemos utilizar nuestros instintos o la intuición para guiarnos en momentos de incerteza y confusión.

Paloma

La paloma es un símbolo de paz, amor y esperanza. Un buen ejemplo de estas cualidades es la paloma que Noé vio volver al Arca con una rama de olivo en el pico. La presencia de una en nuestros sueños puede reflejar el deseo de promover la harmonía y el acuerdo.

Mariposa

Las mariposas se suelen asociar con el alma y su transformación tras la muerte. La mitología taoísta conserva la historia del sabio Chuang-Tzu, que no estaba seguro de si era un hombre que soñaba que era una mariposa, o de si era una mariposa que soñaba ser un hombre.

Peces

Los peces se han utilizado habitualmente para simbolizar la divinidad, y a menudo representan la abundancia espiritual que alimenta a los hombres y a las mujeres. En los sueños también pueden representar revelaciones del subconsciente. En concreto, los que están atrapados en una red y se sacan a la superficie se han de relacionar con la urgencia de esas revelaciones cuando se es consciente.

Lobo

Los lobos pueden simbolizar los impulsos no domesticados del subconsciente. Salvajes y feroces, a menudo son un espectro temible que aterroriza nuestros sueños. No obstante, en algunas circunstancias, un lobo solitario tal vez sea una imagen muy inspiradora, asociada con el coraje y la tenacidad necesarios para seguir un camino de desarrollo espiritual y realización personal.

Insectos

Los insectos, como muchas otras criaturas pequeñas, suelen aparecer en los sueños de los niños. Soñar que matamos insectos puede recordar a la hostilidad infantil hacia un hermano o una hermana, que quizá haya perdurado hasta la edad adulta.

Gusano

Los gusanos simbolizan muerte y decadencia, y pueden aparecer en sueños robándonos nuestra prosperidad económica o el afecto de un ser querido. Sin embargo, desempeñan un papel esencial en la descomposición, y los gusanos que se alimentan de un cadáver suelen evocar la continuidad de la vida tras la muerte o una extensión metafórica de esa idea.

Mosquito

Los mosquitos representan los instintos más atormentadores del subconsciente (las aguas en las que se crían).

Tijereta

Se relaciona con la ansiedad, pues se creía que las tijeretas se metían en los oídos de la gente cuando estaba dormida.

Polilla

La mente soñadora puede utilizar la imagen de la polilla atraída por las llamas como una metáfora de algo que nos atrae a pesar del efecto negativo que produce en nosotros. En su forma más severa, este sueño puede representar un deseo de muerte. La ropa devorada por las polillas y llena de agujeros simboliza a veces una relación que se está terminando lentamente.

Mosca

Los guerreros valientes del Antiguo Egipto recibían como recompensa moscas de oro que colgaban en una cadena alrededor de su cuello. En un sentido distinto, las moscas pueden ser una imagen onírica de la persecución molesta e incansable de acreedores pesados, asesores presuntuosos y admiradores tenaces.

Mono

Los monos suelen representar el lado juguetón y travieso del soñador y pueden simbolizar un aspecto no desarrollado pero sabio del subconsciente que necesita ser expresado. También puede ser una forma del arquetipo del Embaucador. En Oriente, también puede simbolizar la mente no domesticada y parlanchina que necesita aquietarse mediante la meditación.

León

El león casi invariablemente aparece en sueños como un símbolo regio de poder y orgullo, a menudo representando el aspecto arquetípico, poderoso y

admirado del padre. Un león que caza y mata a su presa evoca cierto resentimiento hacia las tendencias autoritarias de nuestro padre. Sin embargo, Jung creía que el león representa nuestras pasiones latentes: soñar con él puede relacionarse con la necesidad de dejar a un lado las reflexiones más racionales para abrazar nuestras energías instintivas.

introspección y posterior renovación, o tal vez simplemente actúa como recordatorio de que de la muerte surgirá una nueva vida. Las osas son famosas por la agresividad con la que defienden a sus crías. De ahí que el oso puede aparecer en nuestros sueños como símbolo de protección: un guardián espiritual quizá, o un recordatorio de nuestra obligación de cuidar y ofrecer protección a nuestros seres más cercanos.

Oso

El oso es un poderoso símbolo onírico que recuerda a los repetitivos ritmos de la naturaleza. Durante los meses más fríos del año, muchos de ellos se retiran a cuevas y se sumergen en una especie de hibernación, sin salir hasta la primavera siguiente. Esta asociación puede sugerir que el soñador necesita entrar en una fase de

Sapo o rana

Como verrugosos parientes de las brujas, los sapos suelen asociarse con los impulsos más oscuros del subconsciente. Las ranas, por su parte, a menudo evocan imágenes de fertilidad y rejuvenecimiento, debido a su abundante descendencia.

DE TAVRO.

Caballo

El caballo generalmente simboliza el control que tenemos sobre las fuerzas salvajes de la naturaleza. Un caballo alado o volador puede representar la liberación de energía para el crecimiento psicológico o espiritual. En la interpretación de sueños freudiana, el caballo es un símbolo de sexualidad, sobre todo si alguien lo cabalga. Los caballos salvajes pueden representar el aspecto terrorífico del padre o los impulsos no domesticados del subconsciente. Ocasionalmente, el centauro (mitad hombre, mitad caballo) aparece en nuestros sueños, y sugiere un equilibrio entre cuerpo y mente.

Toro o buey

El toro o el buey son los símbolos más potentes para representar la virilidad masculina. Cuando su gran fuerza se enjaeza con un arado, los bueyes representan la fertilidad de la tierra y las recompensas del trabajo duro. Este animal robusto evoca tanto la fuerza creativa de la naturaleza como la amenaza siempre presente de la violencia mal contenida. Por otra parte, el escenario onírico de una corrida de toros puede sugerir la necesidad de controlar los aspectos más apasionados de nuestra naturaleza para poder progresar personalmente.

Vaca

La leche, el estiércol y la carne de una vaca son los pilares esenciales de la supervivencia humana en muchas partes del mundo. Como símbolo onírico, la vaca representa una imagen serena de fertilidad y feminidad maternal. No obstante, el acto de ordeñar una vaca puede ser una expresión de deseo incestuoso.

Conejo

Los conejos son un símbolo onírico de fecundidad muy común, que apunta a pasiones sexuales contenidas o al deseo de crear o expandir una familia. También pueden sugerir nuestra incapacidad para actuar cuando quedamos paralizados por el miedo, como un «conejo ante los faros de un coche». Por otra parte, si soñamos con un conejo, quizá el subconsciente está indicándonos la necesidad de escondernos en una madriguera para conservar nuestra energía.

Liebre

En muchas tradiciones populares, las liebres cumplen el papel del Embaucador arquetípico (véase página 104). Una liebre onírica puede alertar al soñador sobre algunas de sus pretensiones absurdas.

Ciervo

El elegante ciervo puede representar un delicado tipo de feminidad, quizá más fuerte de lo que parece, e incluso una versión del arquetipo del Ánima (véase página 103). En nuestros sueños el ciervo a veces evoca los aspectos más amables de nuestra personalidad, además de nuestra elegancia natural y belleza. Un ciervo cazado a menudo simboliza una espiritualidad inocente e instintiva destruida por los impulsos más oscuros del subconsciente.

Tortuga

Las longevas tortugas, con su robusto caparazón, son una imagen onírica de perseverancia y sabiduría. Ver a una tortuga que saca la cabeza de su caparazón tiene obvias connotaciones fálicas, mientras que la casa móvil y protectora en la que esas criaturas se ocultan y ponen a salvo es probable que simbolice una actitud defensiva o de repliegue emocional.

Castor

Diligente y laborioso, el castor puede ser un símbolo de acción y logros. Un sueño en el que una presa de castores bloquea un río puede ser una metáfora de un bloqueo en nuestro flujo de inspiración creativa o en nuestras habilidades para comunicarnos o dar.

Tiburón

Los tiburones, con su siniestro movimiento en círculos, pueden representar las fuerzas del subconsciente que más tememos. Estilizados y terroríficos, también son capaces de aludir a los llamados «tiburones financieros»: acreedores que pretenden destrozar nuestro hogar, posesiones o negocios. Sus fauces, que muestran unos colmillos afilados como cuchillas de afeitar, a veces representan los genitales femeninos en sueños de ansiedad de la castración.

Ballena

Las ballenas se pueden asociar con la historia bíblica de Jonás y, en consecuencia, con el renacimiento espiritual. Desde la perspectiva freudiana, son un símbolo del útero y sugerir, por tanto, un deseo incestuoso por nuestra madre.

Cerdo

El cerdo, uno de los animales de granja más inteligente, tiene, sin embargo, fama de glotón, ignorante y sucio. Los cerdos pueden simbolizar nuestros instintos menos nobles y nuestra tendencia a buscar los placeres más bajos y materiales. Los cerdos que se revuelcan en el fango evocan con cierta frecuencia la fijación anal.

Gato

Los gatos representan lo misterioso, lo intuitivo y lo femenino. Criaturas nocturnas, no sólo son suaves y bellos, sino también ferozmente independientes y letales para sus presas. Como los perros, pueden aparecer en nuestros sueños como un guía o compañero. Pero debemos tener cuidado: como cómplices de las brujas, pueden tener la intención de dejar que nuestros impulsos subconscientes se apoderen de nuestras aspiraciones más elevadas. Cruzarse con un gato negro suele ser un presagio de mala o buena fortuna.

Cabra

Las cabras tienen un simbolismo dual: la idea del chivo expiatorio evoca la imagen de una víctima inocente que asume la culpa por los delitos de otro. No obstante, puede resultar más familiar como personificación del diablo, de la lascivia y la promiscuidad, con las pezuñas hendidas, sus cuernos y su aliento espantoso. En este sentido representa la conciencia culpable sobre nuestros impulsos o faltas sexuales.

Perro

Los perros suelen aparecer en sueños como compañeros y guías leales. Pueden acompañarnos en nuestro viaje al inconsciente, advirtiéndonos de los peligros y ayudándonos en la tarea de controlar nuestros impulsos más oscuros. El bulldog simboliza la determinación tenaz, mientras que una manada de perros salvajes tal vez represente las fuerzas violentas y las pasiones no domadas que acechan bajo la superficie de la mente consciente.

Ratón

Un ratón peludo puede evocar la imagen del vello púbico y suele implicar una preocupación por el sexo. Un ratón que sale de un agujero puede ser un símbolo sexual masculino; un ratón atrapado en una ratonera tal vez indique la ansiedad de la castración o el miedo de ser atrapado cometiendo un acto sexual ilícito. El ratón también puede transmitir los primeros y tímidos pasos del soñador hacia la conciencia espiritual, donde las trampas, los gatos y el veneno representan los escollos potenciales que nos esperan.

Rata

Las ratas suelen aparecer en sueños de ansiedad y en los que muestran desprecio por uno mismo o vergüenza. La imagen de ratas que rebuscan en las cloacas del planeta es anal y fálica, y puede expresar sentimientos de culpa o incluso ira respecto a nuestra sexualidad.

Gorrión

El gorrión también es posible que tenga asociaciones sexuales (en China se relaciona con el pene y comerlo estimula la virilidad, mientras que en Grecia se asociaba con Afrodita). Sin embargo, como cualquier otro pájaro, puede ser un símbolo del espíritu o del alma.

Loro

El plumaje vistoso de un loro y su talento para imitar la voz humana pueden convertirlo en un símbolo onírico de la falta de sinceridad. El pájaro puede representar a alguien (puede que sea a ti mismo) que reclama atención superficialmente pero que en realidad no consigue aportar nada valioso como individuo. En los cuentos populares chinos, los loros informan de esposas adúlteras, por lo que tienen un vínculo con la culpa y los engaños. Por otra parte, el loro tal vez evoque una jungla bulliciosa.

Lechuza

La lechuza, o el búho, es un poderoso símbolo de transformación, y su aparición en sueños puede anunciar muerte o renacimiento en algún aspecto de tu vida. Asociada con la oscuridad que las ayuda a cazar, las lechuzas representan lo desconocido y lo nunca visto. En un sueño su habilidad para ver en la oscuridad tal vez resulte significativa, y sugiera percepción e intuición. También se asocian con personas muy interesadas en los estudios, a veces a costa de una interacción social saludable. El siniestro aullido de una lechuza en ocasiones pone fin al sueño.

Buitre

Esta ave es un mensajero de muerte; la siniestra imagen de los buitres que vuelan en círculos puede sugerir nuestros presentimientos sobre el fruto futuro de alguna empresa. Más obviamente, los buitres suelen reflejar la aprensión del soñador frente a la muerte o la enfermedad, o quizá cierta preocupación por una herencia.

Tigre

A diferencia de los leones, los tigres no suelen estar asociados en los sueños de los occidentales con nobleza o majestuosidad. Por contra, son una terrorífica imagen de violencia, belleza y poder. El tigre puede simbolizar los impulsos salvajes y agresivos que acechan en la jungla de nuestro subconsciente o la energía feroz de la voluntad del ego.

Oso panda

Tranquilo y sedentario, el oso panda es el animal símbolo de la paz y la satisfacción. Su dependencia del poco energético bambú como fuente de alimento puede ser reflejo de la excesiva dependencia del soñador de una fuente concreta de ingresos o de cierto apoyo emocional.

Leopardo

Igual que las manchas del leopardo no cambian, nosotros tampoco podemos cambiar o negar nuestra verdadera naturaleza. La imagen onírica de este animal puede advertir de que uno no debe intentar ser quien no es.

Cocodrilo

Este depredador primitivo acecha bajo las aguas, haciéndose pasar por una inocua piedra o tronco. En nuestros sueños, el cocodrilo puede representar nuestros miedos o impulsos subconscientes, esperando su oportunidad para abalanzarse sobre nuestra mente consciente y devorarla con sus voraces fauces.

Elefante

El elefante de un sueño puede sugerir robustez e indiferencia al dolor, además de insensibilidad hacia las emociones de los demás. Quizá estamos jugueteando irreflexivamente con los sentimientos de los que nos rodean, creando un caos allí donde deberíamos proceder con tacto. Longevos e inteligentes, los elefantes también se asocian con nuestros abuelos o con la sabiduría de las generaciones mayores. Puede que sea un buen momento para buscar el consejo de alguien más experto que tú. La trompa puede ser un símbolo del pene.

Cisne

Los cisnes funcionan como un símbolo predominantemente sexual, con sus plumas inmaculadamente blancas, que evocan un ideal de virginidad femenina, y sus largos cuellos, de connotaciones evidentemente fálicas.

Serpiente

La serpiente del Jardín del Edén representa la tentación, aunque también debemos entenderla como un símbolo de la sexualidad humana, que en sí es natural y libre de culpa. Los freudianos ven las serpientes como inevitablemente fálicas. Desde la perspectiva jungiana, la serpiente es un símbolo de los aspectos oscuros, nunca vistos y abismales del yo, a los que debes enfrentarte para alcanzar la realización personal.

Zoo

Cada animal simboliza un aspecto distinto de la psique soñadora. Un zoo en el que están encerrados todos los animales es, por tanto, una metáfora del control sobre los diversos aspectos turbulentos y potencialmente conflictivos del yo. La imagen de un zoológico del que escapan los animales quizá esté indicando que el soñador se siente incapaz de controlar las distracciones de su vida o sus emociones.

Paisaje

A menudo, los paisajes expresan la naturaleza interior del soñador o su vida emocional. Como escenario en el que llevamos a cabo nuestras actividades cotidianas, el marco habitual de nuestro mundo se puede reflejar o alterar enormemente en nuestros sueños. Igual que en nuestra vida consciente el paisaje tiene el poder de activarnos espiritualmente o cambiar de forma drástica nuestro estado de ánimo, el entorno de un sueño puede estimular en nosotros una sensación de asombro, satisfacción, excitación o terror. Un paisaje que es del todo desconocido quizá en realidad sea una combinación de lugares reales.

Campo

Un sueño en el que se contempla una idílica escena pastoril puede representar el deseo de una vida más tranquila y centrada. Sin embargo, si el campo de nuestro sueño está cubierto de lluvia o se ve de lejos a través de una ventana, el sueño tal vez se convierta en un aviso sobre los peligros de aspirar a un estilo de vida utópico. Freud veía las ondulaciones de un paisaje rural como símbolo de los genitales femeninos o de las curvas de la mujer.

Colinas

Las colinas carecen del aspecto intimidante de las montañas, pero quizá su escalada produce menos satisfacción, aunque también puedan ofrecer una vista maravillosa desde su cima. En ocasiones aparecen en nuestros sueños para asegurarnos que el conocimiento de uno mismo es una meta alcanzable por la que no deberíamos sentirnos abrumados. Las colinas también tienen connotaciones freudianas sobre la anatomía femenina.

Montaña

Para Freud, el significado principal de las montañas (y de las colinas) reside en la similitud de su forma con los pechos de la mujer. Un soñador que mira hacia una cumbre imponente puede expresar ansiedad al afrontar su sexualidad. De modo similar, uno orgulloso que aparece en lo alto de una montaña revela una sensación de bienestar sexual o deseo de dominación. Jung entendía que las montañas representan al yo. Una cima tal vez nos dé sensación de perspectiva, mientras que mirar un pico desde abajo puede sugerir los desafíos a los que nos enfrentaremos durante el proceso de autorrealización. También puede indicar espiritualidad y trascendencia, ya que la montaña está más cerca del cielo.

Bosque o arboleda

Un bosque sombrío, con una vegetación densa y aparentemente impenetrable, puede ser una metáfora acertada de las profundidades de la mente subconsciente. Según Jung, un sueño en el que tengamos miedo de adentrarnos en el bosque tal vez exprese nuestra ansiedad respecto a examinar de cerca el subconsciente. Freud entendía el bosque como símbolo del vello púbico, y el hecho de penetrar en la maleza enredada era una evocación del acto sexual.

Olivar

Es una imagen onírica positiva. Tradicionalmente, los olivos representan paz, prosperidad y victoria. Un olivar puede simbolizar el fin de los conflictos familiares o el triunfo sobre la adversidad. Por otra parte, el sueño tal vez signifique el comienzo de un nuevo período de creatividad.

Viñedo

El viñedo puede evocar el entusiasmo, la despreocupación y el placer que proporcionan el vino hecho con sus uvas. La vendimia quizá sea la imagen del karma: las consecuencias de nuestras acciones o pensamientos.

Huerto

El huerto repleto de fruta es una imagen onírica de abundancia y fertilidad. Puede simbolizar embarazo o creatividad extraordinaria. En la esfera espiritual e intelectual, un huerto que contenga fruta todavía verde quizá actúe como recordatorio de todo el trabajo que aún tenemos que hacer para conseguir nuestros objetivos. La fruta podrida amontonada en el suelo es posible que haga referencia a que el soñador está desperdiciando sus oportunidades de tener éxito al no reconocer su potencial o esperar demasiado para poner en práctica sus ideas. Un huerto con muchas variedades diferentes de árboles indica una vida interior rica o la posibilidad de una abundancia desconcertante de oportunidades.

Jardín

Como analogía del yo consciente, el jardín sugiere pérdida de control cuando está lleno de maleza; cuando está bien cuidado, se relaciona con el aprendizaje y los frutos del trabajo o los estudios. Un jardín tapiado representa la virginidad o la ingenuidad. También hay una dimensión espiritual del que se dibuja en el Paraíso. Para las principales religiones, los jardines representan las bendiciones de Dios (el Divino Jardinero) y la capacidad de los humanos para conseguir un estado de harmonía o de gracia.

Jungla

Más salvaje y exótica que el bosque, la jungla sugiere una ansiedad incluso mayor sobre lo que el inconsciente puede albergar. Bestias salvajes, serpientes y criaturas venenosas de todos los tamaños evocan los impulsos oscuros que se esconden en lo más recóndito de la mente. Pueden insinuarse tesoros ocultos; quizá la jungla alberga una ciudad perdida. La película *King Kong* y los films (o historias reales) sobre Vietnam sin duda están profundamente arraigadas en la mente.

Desierto

En función de la actitud del soñador, el desierto puede ser una imagen de esterilidad y desolación, o un paisaje inspirador que deja espacio para la reflexión, la purificación y el rejuvenecimiento. Si la connotación es la de un páramo sin vida, es importante considerar qué aspectos de nuestra vida nos pueden parecer vacíos: nuestra carrera profesional, la vida familiar, la parte creativa o la espiritual. Profundizar en el mito artúrico del páramo presidido por el Rey Pescador herido puede resultar muy útil. Un desierto con flores quizá represente los dones que damos por descontados en nuestro día a día.

Isla

Una isla puede ser un lugar seguro donde refugiarse o una prisión al aire libre. Rodeada de mar, a veces simboliza el terreno firme de la mente consciente, donde el soñador, instintivamente, prefiere estar, evitando los mares turbios del inconsciente. Un sueño en el que nadamos hacia una isla para escapar de un océano encrespado puede expresar el deseo de recuperar el control de nuestra vida o el miedo a los impulsos ocultos que no queremos reconocer. Las Islas del Bendecido en el mito grecorromano y Ávalon en la leyenda artúrica poseen una dimensión espiritual: la isla como recompensa divina y lugar de refugio y paz en el que retirarse antes de morir.

Orilla

Como la isla, la orilla representa un lugar seguro al que luchamos por volver después de nadar en los mares del inconsciente; también podemos soñar con nosotros mismos junto a la orilla, contemplando las aguas de nuestro yo interior. Si parece que el río se desborda, quizá sucede que tememos que nos abrumen nuestros impulsos inconscientes. Un dique artificial puede sugerir una vida emocional demasiado sometida a la razón.

Llanuras o praderas

Las llanuras abiertas evocan libertad e imaginación, pero cruzarlas requiere coraje y determinación. Esta imagen onírica puede resonar con fuerza en soñadores que estén comenzando una nueva etapa en su vida o se estén embarcando en un nuevo proyecto de dimensiones imponentes. También puede recordar al desierto (véase página 406) o al hecho de estar expuesto: el yo a la vista de lo divino.

La verja

A veces se puede sugerir un estado intermedio entre un mundo y otro, o los medios para superar un obstáculo. Los freudianos ven la verja como un símbolo sexual por la necesidad de superarla a horcajadas.

Trinchera

Para muchos soñadores, las trincheras están asociadas a las trampas mortales de la primera guerra mundial y, por tanto, con sentimientos de asedio y «atrincheramiento». El sueño puede representar una advertencia de que nuestra situación profesional, social o económica puede no ser tan segura como en principio pudiera parecernos, o que quizá nuestra consciencia o autoestima se encuentran asediadas.

Ciénaga

Una ciénaga con su superficie engañosamente estable y la tierra pantanosa y enfangada puede ser un sueño de representación de la Gran Madre en su forma más posesiva y controladora. Intentar sortear un sendero cubierto de lodo señala en ocasiones la dificultad inherente a liberarse de energías que amenazan con reprimir nuestra independencia o hacer referencia a problemas irresolubles de distinta índole.

Foso o cantera

Aunque los junguianos ven el foso como símbolo de nuestros impulsos subconscientes, los freudianos se inclinan a entender la imagen como una expresión de ansiedad hacia la sexualidad femenina.

Campos

Los campos preparados para la cosecha pueden sugerir ideas e inspiración que esperan a que se haga buen uso de ellas. También simbolizan la recompensa que podemos recoger tras un período de trabajo duro. Un campo que ya ha sido cosechado tal vez exprese que el soñador ha recogido todo lo aprovechable de un reciente arranque de creatividad y está listo para algo nuevo. Echarse en un prado en un día de sol puede ser un sueño de satisfacción del deseo de paz.

Valle

El valle es a menudo una imagen de sexualidad
femenina. Un desfiladero o barranco empinado
con árboles que cuelgan de las laderas y cascadas
enfurecidas y cruzan el terreno sugiere una experiencia sexual peligrosa o excitante. Tanto en soñadores hombres como en mujeres, el valle puede
aludir a una nueva relación o a la necesidad de
explorar la parte femenina de su sexualidad. Un
valle rico, exuberante, con un río ancho y verdes
orillas une los elementos de la tierra y el agua y
es símbolo de fertilidad y abundancia. Puede aparecer en los sueños de las personas que gozan de
una vida sexual plena.

Acantilados

Un acantilado escarpado es posible que represente un problema aparentemente insuperable. El
soñador puede haber llegado a algún callejón sin
salida: una relación que no se puede arreglar o un
trabajo que no le permite progresar. Estar en lo
alto de un acantilado mirando hacia un desfiladero rocoso o un mar embravecido tal vez sugiera
que nos vemos empujados hacia una decisión que
somos reacios a tomar. Viendo este panorama tan
aterrador, quizá que sea el momento de hacer un
acto de fe ciega. Si un acantilado se alza imponente
sobre nosotros, ¿ya hemos caído? Quizá el único
camino que nos queda sea volver a subir.

Pozo

El pozo puede representar la fuente de nuestra creatividad y nuestras habilidades más valiosas. Un sueño en el que intentamos sacar agua de un pozo seco indica a menudo temor a que nuestros recursos no cumplan las expectativas. El pozo también puede representar la mente subconsciente. Tirar una piedra a un pozo y escuchar el ruido que hace al caer en el agua puede revelar un deseo vago de contactar con nuestros instintos latentes; sacar agua de un pozo transmite quizá el deseo de exponer nuestras emociones más profundas a la luz de la mente consciente, por muy incómodas que sean las verdades que podamos descubrir al hacerlo.

Lago

El lago es una rica metáfora de la mente subconsciente, y también un lugar de renacimiento y hechizo (por el simbolismo femenino del agua). En función de si valoramos la inconsciencia como espacio donde se almacena la intuición, o si, por el contrario, la tememos como escondite de nuestros instintos menos aceptables socialmente, lo que veamos cuando miremos al agua será distinto. El lago puede ser de color azul intenso y estar lleno de peces, o puede ser turbio y sugerir horrores desconocidos bajo la superficie. Un lago quizá sea un lugar de esparcimiento y diversión o el escondite de un monstruo.

Dolmen

Los dólmenes y otras ruinas prehistóricas pueden sugerir un deseo de conectar con nuestras raíces o con instintos e intuiciones universales. Por otra parte, tal vez se haga referencia a la aspiración de un estilo de vida no contaminado por los lujos superficiales de la vida moderna, cosa capaz de reflejar un impulso ascético a menudo motivado por la búsqueda espiritual.

Cueva

La cueva puede ser un arquetipo del subconsciente o una imagen del útero, y representar el deseo de apartarse del bullicio. Su interior oscuro a menudo se relaciona con los misterios del yo; la luz de fuera son nuestras aspiraciones espirituales. Tradicionalmente, es el lugar donde se concentran los poderes provenientes de la tierra, donde los oráculos hablan y las almas ascienden hasta la luz celestial.

Manantial

Las aguas frescas y claras de un manantial pueden representar la maternidad, la pureza y la fuente de la vida. Los freudianos ven el agua que mana como imagen de la sexualidad exuberante, mientras que para los junguianos el agua del manantial está asociada con la fuente de nuestro ser interior y nuestra energía espiritual.

Cataratas

El agua turbulenta que cae en picado de la catarata puede evocar un cambio importante y quizá difícil de superar. Puede que nos sintamos arrastrados a este cambio contra nuestra voluntad, o tal vez estemos esperando con impaciencia la euforia que acompaña al salto al vacío. El agua que cae a borbotones formando espuma también es posible que sugiera la sensación del orgasmo (en hombres o mujeres) o, al menos, una importante liberación emocional.

Seto

Los setos pueden combinar el simbolismo sexual femenino de la vegetación densa con la imagen de la pared o del cerco como barrera que actúa al mismo tiempo como protección y limitación. En ocasiones, la imagen del seto sugiere que ves las relaciones sexuales o románticas como una restricción de tu libertad. En ciertos momentos, puede relacionarse con ciertos barrios residenciales: su aparente uniformidad y quizá los escándalos que se esconden tras las cortinas y los jardines.

Plantas

Las plantas son los pulmones de la tierra y transforman la energía del sol para que los animales puedan consumirla. En los sueños pueden adquirir una importancia fundamental en conexión con el crecimiento y la harmonía.

Árbol

Alzándose de la tierra hacia el cielo, con sus raíces extendiéndose hacia las profundidades del terreno, los árboles pueden ser un símbolo del cosmos en su totalidad. En el cristianismo, los árboles evocan la cruz en la que Jesucristo fue crucificado. Por otra parte, el árbol puede representar el desarrollo personal del soñador; las raíces se relacionan con el subconsciente o con nuestro sentido de la estabilidad; el tronco, con el mundo material y nuestra fuerza física o habilidades; las ramas, con nuestras aspiraciones espirituales más elevadas.

Árbol de hoja perenne

Hoy en día, los abetos se suelen asociar a la celebración de la Navidad; su aparición en un sueño puede revelar la actitud del soñador hacia esta fiesta anual o las reuniones familiares de esa época. Como símbolo de la vida eterna, los abetos a menudo representan una fe poderosa o un amor imperecedero. Un bosque de abetos puede ser tremendamente uniforme y falto de alegría, y de ahí que es posible verlo como una especie de desierto verde. El pino, en Oriente, es símbolo de longevidad o inmortalidad. El tejo, muy común en los cementerios de Inglaterra, se relaciona con la muerte.

Roble

El roble a menudo simboliza la majestuosidad y la sabiduría, y ofrece a los soñadores una sensación de protección física o espiritual. También podemos asociarlo con la sexualidad del hombre o con una imponente figura masculina de autoridad, como un padre estricto. Para los celtas, este árbol estaba vinculado a la potencia y la sabiduría masculina. La imagen onírica de una bellota puede actuar como recordatorio del potencial de algo pequeño capaz de convertirse en algo grande.

Plátano

Comúnmente plantados en las ciudades, los plátanos es posible que representen el único elemento natural en un mundo de cemento, piedra, ladrillo, cristal y acero. Su aparición en nuestros sueños puede servir para recordarnos que debemos seguir en contacto con nuestros verdaderos sentimientos y nuestros instintos más íntimos, y mantener tanto artificio y tanta sofisticación en su verdadera dimensión.

Frutos secos

Abrir un fruto seco para disfrutar de su semilla puede hacer referencia a los genitales femeninos. Un fruto seco que es difícil de romper representa a menudo un problema complicado de resolver.

Palmera

Las palmeras son árboles que crecen en climas tropicales, con sus raíces cerca del agua (femenino) y las copas cerca del sol (masculino); esto proporciona una imagen muy vívida de unión sexual o psíquica. Extrovertida y exótica, la palmera suele aparecer en sueños representando una vida plácida en un lugar cálido y exuberante, o puede referirse a una opulencia autoindulgente. También hay una dimensión religiosa vinculada a la entrada de Jesucristo en Jerusalén.

Florecimiento

El florecimiento, o la visión de una gran cantidad de flores, puede representar la primavera, pero también sugiere virginidad femenina, especialmente cuando las flores que aparecen son de color rosa o blanco. También suele indicar potencial espiritual o intelectual, además de ingenuidad.

Flores

Los pétalos, el polen y los pistilos de las flores hacen de ellas un adecuado símbolo de los órganos sexuales femeninos. Las flores silvestres pueden sugerir deseo de libertad sexual. También tienen connotaciones espirituales (el simbolismo de algunas flores concretas se detalla en las páginas siguientes).

Loto

La flor de loto es el símbolo budista del despertar espiritual. De la misma manera que el loto sube de las turbias profundidades de un lago o un río hacia la luz, nosotros podemos cultivar nuestra conciencia para trascender el plano físico y florecer a la plena luz del sol de la iluminación. Esta flor también sugiere tipos de crecimiento humano menos elevados, como, por ejemplo, abrir nuestro corazón, además del nacimiento y renacimiento.

Crisantemo

Los crisantemos naranjas y amarillos son flores de otoño que los japoneses ven como símbolos de la felicidad, la larga vida, la perfección y el sol. Su aparición en nuestros sueños puede simbolizar cualquiera de estas cualidades.

Trébol

Para los cristianos, las tres hojas del trébol pueden presentarse como imagen de la Trinidad (Padre, Hijo y Espíritu Santo). Para los soñadores de otras religiones o para los agnósticos, con frecuencia evocan la unión de mente, cuerpo y espíritu. Encontrar un trébol de cuatro hojas se considera señal de buena suerte.

Orquídea

Las orquídeas son símbolo de virilidad y fertilidad. Toman su nombre del griego *orchis*, que significa «testículo». Su belleza rara y delicada es apreciada desde hace siglos y ha llegado al punto de simbolizar la lujuria y el esplendor.

Girasol

Los girasoles representan la felicidad, el optimismo, la franqueza y el sol vigorizante al que se parecen. No obstante, un girasol girando para seguir al sol puede sugerir que el soñador se deja llevar o se distrae fácilmente. En los sueños, también es posible que represente el recuerdo de Van Gogh, quien pintó los girasoles más famosos; en este caso, el nexo quizá sea la creatividad apasionada o la locura.

Muérdago

Actualmente tendemos a asociar el muérdago con la Navidad, pero para los celtas era una planta curativa que podía repeler el mal. Aunque es un parásito que toma los nutrientes de las ramas que habita, el muérdago mantiene verde durante el invierno al árbol que lo acoge y puede representar la conservación de la esperanza en los momentos difíciles.

Aciano

Los pétalos de color azul frío del aciano a menudo están vinculados con la espiritualidad. Un sueño en el que aparecen acianos secos quizá revele una fe disecada. Los acianos también pueden implicar una fuerza y una determinación asombrosas; las flores pueden ser delicadas, pero los tallos son sorprendentemente resistentes.

Margarita

A menudo asociamos las margaritas con los collares que hacíamos con ellas de pequeños. Sus flores blancas y las asociaciones nostálgicas pueden convertirlas en símbolo de la inocencia infantil.

Lirio

El lirio evoca ambigüedad sexual, ya que el fálico tallo erguido añade un lado masculino a la flor, cuya forma sugiere los genitales femeninos.

Gladiolo

El gladiolo, llamado así por la forma de sus hojas (del latín *gladius*, que significa «espada»), tradicionalmente representa la integridad moral y la fortaleza ante la adversidad.

Categorías y mitos

El concepto junguiano de inconsciente colectivo hace especial hincapié en los símbolos arquetípicos de los sueños, los que provienen del pozo común de la experiencia y se manifiestan en los mitos y la religión. Estos símbolos aparecerán de vez en cuando en nuestros sueños, y puede que inicialmente pensemos que no tienen nada que ver con nuestras vidas. Aunque no tengamos inclinaciones espirituales, es probable que nos planteemos la vida en términos de valores y responsabilidades, así como, más simplemente, de felicidad. Todos buscamos realizarnos de alguna manera, y son los arquetipos, con su carga de significado universal, los que son capaces de ayudarnos, como señales en el camino.

Números y formas

La interpretación popular de los sueños siempre ha dado una gran importancia a la aparición de formas y números.

Jung se dio cuenta de la preponderancia de formas arquetípicas como círculos, triángulos y cuadrados en los sueños y garabatos de sus pacientes. A medida que sus clientes progresaban hacia su salud psicológica, empezaban a aparecer con más frecuencia diseños geométricos (a menudo con círculos que emanaban de un punto central). Jung vio sorprendentes similitudes entre estos dibujos y los diagramas religiosos, o mandalas, que los budistas tibetanos utilizan como foco para sus meditaciones.

Una vez que Jung tuvo identificado este arquetipo geométrico, encontró su equivalente en todos los mitos y creencias del mundo. El mandala le pareció un mapa de la mente humana integrada, que muestra, en toda su belleza y complejidad, el desarrollo de la psique hacia la plenitud.

Los números también representan energías arquetípicas del inconsciente colectivo y tienen un papel esencial en las tradiciones simbólicas, mitológicas y ocultistas del mundo. La mayoría de las personas tienen un «número de la suerte» que ha reaparecido significativamente durante sus vidas. Diversas culturas se suman a la idea de que números como el tres y el siete son divinos, y su aparición en los sueños se ha considerado una revelación de un poder superior. Para Freud, los sueños de números constituían normalmente «alusiones a temáticas que no se pueden representar de otra forma».

Los números oníricos pueden no aparecer directamente (aunque lo hagan con frecuencia). Recordando el sueño, el soñador puede darse cuenta de que algunos objetos o personajes se presentaron siguiendo ciertos patrones numéricos, o que las acciones se repetían un número determinado de veces. La interpretación y la amplificación de los sueños se pueden concentrar en estos números, y así identificar el significado que tal vez tengan para cada cual.

Uno

El uno es el motor inicial del que fluye toda la creación, el principio único del que nace la diversidad. En los sueños puede representar la fuente de toda la vida, la esencia del ser, el centro inmóvil de un mundo en movimiento. El número uno puede representar al individuo (el «uno mismo») o el falo erecto. Puede sugerir armonía y unión dentro de una familia u otro grupo, pero también puede tener connotaciones de conformidad, opuesta a la diversidad. A veces se asocia con el autoritarismo totalitario.

Dos

El dos es el número de la dualidad, la simetría divina y el equilibrio. Representa la unión entre masculino y femenino, padre y madre, y de los opuestos que surgen de la unidad y definen la creación. El dos es diálogo y no monólogo, y puede evocar la interacción entre la parte consciente y subconsciente de la mente. También se sugieren en este número la ambigüedad en el significado y la presencia de la duda.

Tres

Pitágoras consideró el tres como el número perfecto: el de la síntesis y el de la triple naturaleza de la humanidad, la unión de cuerpo, mente y espíritu. Es también el símbolo de la fuerza creativa activa que se manifiesta como padre, madre e hijo en la Santísima Trinidad. Para Freud, el tres era un símbolo de los genitales masculinos. Es también la clásica complicación de una relación: «tres son multitud».

Cuatro

El cuatro es el número del cuadrado, y representa la harmonía y la estabilidad de las que depende el mundo. Se relaciona con las cuatro estaciones, las cuatro direcciones, los cuatro elementos (tierra, aire, fuego y agua) y las cuatro funciones mentales de Jung: pensamiento, sentimiento, sensación e intuición.

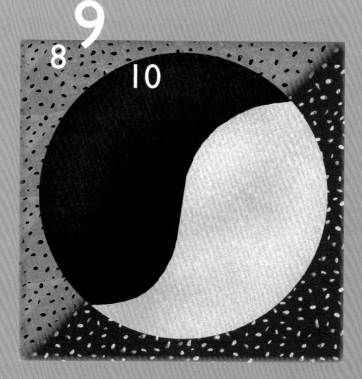

Cinco

Éste es el número del pentagrama, la estrella de cinco puntas que representa a la humanidad, el vínculo entre el cielo y la tierra: los pies en el suelo, los brazos extendidos hacia el horizonte, y la cabeza erguida hacia el cielo (recordando la famosa imagen renacentista de la anatomía de un hombre de Da Vinci).

Seis

El seis representa la perfección. Es el número del amor, y en los sueños simboliza el movimiento hacia una nueva comprensión y la harmonía interior. Puede aludir a nuestra intuición o «sexto sentido», o tal vez evocar el símbolo alquímico de la lucha entre el bien y el mal: dos triángulos superpuestos, uno apuntando al Cielo y el otro al Infierno.

Siete

En el cristianismo y el hinduismo, el siete es el número de Dios, el número místico. En los sueños, simboliza el riesgo y la oportunidad y el poder de transformación interior. Hay siete chacras y siete pecados mortales. El siete tiene ecos del ritmo de la vida (los siete cuerpos celestes identificados por los astrónomos de la Antigüedad, el ciclo lunar de veintiocho días dividido en cuatro semanas de siete días), y se dice que la vida transcurre en ciclos de siete años. En Occidente, los veintiún años son una gran celebración de entrada en la edad adulta, mientras que los jóvenes judíos asumen responsabilidades adultas al cumplir los catorce años.

Ocho

Éste es el símbolo del iniciado, del noble camino óctuple del Buda y de la regeneración y los nuevos comienzos. El ocho simboliza la eternidad, porque, aparte del cero, es el único número árabe que no tiene principio ni fin. Si se gira lateralmente es una lemniscata: el símbolo matemático del infinito.

Nueve

El nueve es el número de la indestructibilidad y la eternidad, del tres multiplicado por sí mismo. Tiene como sorprendente propiedad que los dígitos de sus múltiples (hasta cierto punto) siempre suman nueve: 18 (9×2), por ejemplo, sumados (1+8) dan nueve, igual que 72 (9×8), 81 (9×9), y así sucede con otros de sus múltiples. El nueve también puede simbolizar el período de gestación (la humana dura nueve meses) y, por extensión, la finalización de un trabajo creativo.

Diez

Para los judíos y los cristianos el diez puede asociarse a las tablas de los diez mandamientos que Dios entregó a Moisés y, por extensión, con los juicios morales y la ley. Es también el número de encarnaciones que vivió Vishnu, el dios hindú, protector del bien y destructor del mal. En un sueño, el diez se puede considerar la puntuación perfecta en un examen o prueba.

Once

El once representa el principio de un viaje, que recuerda al soñador que un nuevo inicio (ese 1 añadido) no necesariamente debe significar un abandono de lo aprendido en el pasado reciente (10). Dividido entre sus numerales constituyentes (1+1), el once puede representar el dos.

Doce

El doce es el número de un nuevo orden espiritual. Hay doce discípulos de Cristo, doce tribus de Israel y doce signos del zodíaco. En los sueños, a veces sugiere una visión de la verdad. Los doce meses completan un ciclo vital en la naturaleza, y quizá motiva que el soñador se prepare para el futuro.

Trece

El trece es tradicionalmente un número de mala suerte en Occidente: Judas Iscariote, el traidor, era el decimotercer invitado de la Santa Cena. A pesar de esto, su aparición puede ser motivo de optimismo, ya que el decimotercer mes es el primero de un nuevo ciclo anual y trece es el número de los apóstoles originales, si se suma a Pablo.

Cero

El cero representa el infinito, el vacío, lo no manifestado. Al soñador puede evocarle un mandala tibetano o la integridad de un círculo. Cuando se sitúa a la derecha de otros números los multiplica por diez, por lo que tiene matices de abundancia y fertilidad. También se relaciona con el principio femenino, la entrada en algo misterioso o una sensación de algo completo.

Mil

El número mil simboliza la inmensidad y la gran extensión del tiempo y del universo. También puede evocar el milenio y la idea de algo completo.

Círculo

Sin principio ni fin, el círculo simboliza la perfección, la compleción y el infinito. Podemos encontrar protección dentro de un círculo, quizá llevado como amuleto en forma de brazalete o anillo, o tal vez nos sintamos presos por sus muros envolventes. Para Jung, el círculo era un símbolo arquetípico que representaba toda la psique, igual que el cuadrado representaba al cuerpo. Freud, por otra parte, interpretaba que los círculos revelaban una preocupación por la vagina. En esta interpretación, las esferas también podrían ser símbolos sexuales y evocar testículos o pechos.

Cuadrado

El cuadrado simboliza el mundo material y se relaciona tanto con su totalidad como con sus límites. Como las cuatro paredes de una casa o de un castillo, un cuadrado sugiere estabilidad pero también restricción, estancamiento e inhibición. Para Jung, la imagen simbólica de un cuadrado

dentro de un círculo, o viceversa, sugería la unión de materia y espíritu.

Triángulo

El triángulo es la representación geométrica del número tres y, por tanto, de las trinidades asociadas de: padre, madre e hijo; mente, cuerpo y espíritu; y Padre, Hijo y Espíritu Santo. Un triángulo con la punta hacia arriba se considera la representación del bien, mientras que si apunta hacia abajo evoca el mal. Freud veía el triángulo como el símbolo de los órganos sexuales: masculinos si apunta hacia arriba; femeninos si lo hace hacia abajo.

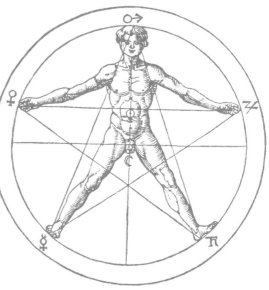

Rectángulo

Un rectángulo onírico puede ser una referencia al número áureo, una figura geométrica de proporciones ideales que simboliza la relación harmónica entre la Tierra y el Cielo. De forma algo más prosaica, en un sueño de nivel 2, el rectángulo a veces sugiere un campo de juego o una piscina. También es posible que contenga algunas de las asociaciones del cuadrado (véase página anterior).

Espiral

Las espirales, un símbolo dinámico de la energía vital, sugieren energía, movimiento y poder creativo. Las podemos ver como escaleras, serpientes o remolinos, o quizá como conchas cónicas o galaxias celestiales. Alternativamente, pueden aparecer como un vacío que se revuelve, sin más. Las espirales son un símbolo del acto sexual, pero también representan el progreso espiritual. Algunas interpretaciones afirman que una espiral rotando en el sentido de las agujas del reloj evoca nuestros ideales más elevados y nuestras aspiraciones espirituales, mientras que la que va en la dirección opuesta simboliza el descenso al subconsciente. De forma más mundana, la espiral puede relacionarse con la ansiedad por una situación de nuestra vida que aparenta girar sin control.

Cruz

Hoy en día la cruz se asocia principalmente con el cristianismo. Sin embargo, su simbolismo es muy anterior a Jesucristo. Encontramos cruces en tradiciones religiosas de todo el globo, desde el Ankh del antiguo Egipto hasta la esvástica hindú. En todo el mundo, la cruz representa la unión de los Cielos y la Tierra, de lo humano y lo divino, del suelo y el cielo. También puede simbolizar las cuatro direcciones o las cuatro fases de la luna. Los cristianos suelen interpretar la aparición de una cruz en sueños como un recordatorio de los sacrificios que han hecho por su fe, como los que Jesús hizo por el mundo.

Cubo

El cubo da profundidad al símbolo del cuadrado y acentúa su asociación con la estabilidad y la idea de lo completo. Si el cubo se le aparece al soñador con una apariencia particularmente sólida o pesada, puede sugerir inmovilidad intelectual o espiritual. La forma también es posible que evoque la de un dado, y que simbolice las fuerzas arbitrarias del cambio.

Estrella

La estrella puede aparecer en nuestros sueños con cinco o seis puntas. Los triángulos sobrepuestos de la estrella de David, de seis puntas, sugieren las dualidades del bien y el mal, o de la masculinidad y la feminidad. La estrella de cinco puntas, conocida como pentagrama o pentáculo, puede referirse a las cinco heridas de Cristo o a los cuatro elementos primordiales combinados con el espíritu. Alguna gente cree que un pentagrama que apunta hacia abajo representa el dominio del mundo físico sobre el mundo espiritual, por lo que lo asociarían con la magia negra. Los brujos medievales relacionaban el pentagrama con los supuestos poderes de Salomón sobre la naturaleza y el mundo de los espíritus.

Pirámide

Símbolo fálico en términos freudianos, la pirámide también puede evocar el famoso tipo de tumba construida para los faraones egipcios, construida como una rampa que llevara hacia la eternidad: un portal por el que el alma del rey muerto podía viajar para unirse con los dioses del más allá. Además, las pirámides combinan el simbolismo de la base cuadrada y la cima en punta, lo que sugiere la sólida base emocional o material necesaria si el soñador quiere prosperar en sus aspiraciones espirituales.

Trisquel

Las tres extremidades rotantes de un trisquel simbolizan la energía dinámica. Se trataba de una decoración común en los escudos de los guerreros griegos y celtas, por lo que también puede representar poderes marciales.

Colores

La gente que se despierta durante la fase REM del sueño siempre afirma que estaba soñando en color. Los colores en sí son, a menudo, uno de los aspectos más reveladores de la imaginería de los sueños, y el color también es un elemento clave de todos los principales sistemas simbólicos del mundo.

Al igual que en otros simbolismos oníricos, el significado de unos colores concretos de los sueños puede variar de un individuo a otro, en función de las asociaciones particulares que contiene cada subconsciente, aunque el significado universal también es relevante. Los colores primarios son normalmente los que están más cargados de significado. Por ejemplo, el violeta, una combinación de los colores primarios rojo y azul, tiene una cualidad mística y enigmática especial, lo que sugiere al mismo tiempo una unión y una tensión entre las fuerzas creativas duales que hay detrás del universo.

Tradicionalmente, el oro y la plata representan a la Luna y el Sol, lo masculino y femenino, el día y la noche. Para Jung, los colores dorado y plateado representaban los niveles conscientes y subconscientes de la mente, y su yuxtaposición sugería el camino que conduce hacia la integridad psíquica.

Rojo

El rojo es el color de la vitalidad, la pasión, la ira y la excitación sexual. El vino tinto a menudo se asocia con los excesos y la sensualidad, pero en un nivel más profundo puede representar los estados alterados de la consciencia asociados con Dionisio, el dios griego del éxtasis divino. El rojo también es el color tradicional de los demonios y los diablos, y representa los instintos básicos que acechan en el subconsciente. La energía turbulenta del color rojo no es necesariamente negativa: el fuego y la sangre son, al fin y al cabo, símbolos de la vida misma.

Amarillo

En los sistemas simbólicos chinos, el amarillo era sagrado para el emperador, y en los sueños este color puede representar el uso ponderado de la autoridad y el poder. Por otra parte, en los ropajes color azafrán de un monje budista, a menudo representa la humildad y la importancia de servir. El amarillo también se puede asociar con el sol, el entusiasmo y la alegría, aunque uno pálido tal vez se asocie con la enfermedad y el deterioro. En Occidente, el amarillo también se puede relacionar con la cobardía y la traición: piensa en la expresión «amarillear» o en los retratos artísticos en los que Judas Iscariote lleva ropajes amarillos.

Marrón

El marrón representa a la tierra, el mundo y la fertilidad, pero también puede evocar la melancolía otoñal o la caída de las hojas. Los freudianos ven el marrón como el color del excremento y, por lo tanto, como indicativo de fijación anal y de obsesión compulsiva por el orden.

Verde

El verde es el color de la naturaleza, de los elementos y de las fuerzas de la regeneración; trae con él nueva vida a partir de la muerte de lo viejo. Las hojas, la hierba y los brotes verdes de la primavera simbolizan la esperanza y un nuevo comienzo. Sin embargo, cuando decimos de alguien que está «verde», queremos indicar que es ingenuo o inmaduro, y un sueño que esté muy dominado por este color puede ser una respuesta ansiosa a una nueva responsabilidad o posición. El verde también se asocia con la envidia y podemos soñar que «vemos en color verde» o que se nos come «un monstruo de ojos verdes» cuando experimentamos esta emoción destructiva. Para complicar aún más la cuestión, el verde también puede sugerir enfermedad y decadencia, y evocar el miedo a la muerte o al envejecimiento.

Naranja

El color naranja combina el amarillo del espíritu y el rojo de la libido: puede representar la fertilidad, la esperanza, los nuevos comienzos y el amanecer de la espiritualidad. Es un color capaz de estimular la actividad e incluso el apetito. El naranja es también el color de las hojas otoñales y como tal puede también representar una transición y un tiempo de cambio.

Azul

El azul suele ser un color espiritual cuando aparece en nuestros sueños, sugiriendo la infinidad del cielo y el espacio, así como el vestido de la reina de los cielos, la forma simbólica de la Virgen María. A Jesucristo también se le ha mostrado vestido de azul y Krishna a menudo es representado con la piel azul. Por otro lado, un azul frío y celeste puede simbolizar el intelecto y la racionalidad de una mente abierta. Uno más oscuro es probable que implique la profundidad infinita de la mente subconsciente. El azul también puede sugerir un estado de melancolía, como cuando los angloparlantes dicen que se sienten «azules». Al igual que pasa con el verde, existe una ambivalencia considerable, y dependerá mucho del contexto. Intentar evaluar un sueño por el matiz de azul que recuerdas te puede conducir a conclusiones poco fiables.

Blanco y negro

El negro, el vacío a partir del que se creó el universo, puede representar un potencial creativo infinito. Aunque se relacione con la muerte, el duelo, la noche y el mal, también puede sugerir *glamour* y misterio. Al ser el color de las ropas clericales, también contiene matices de renuncia. Como ausencia de color, el blanco sugiere la desolación espectral o la esterilidad. En Oriente (y en especial en China), es el color que normalmente se asocia con el duelo. Sin embargo, en la sociedad occidental, normalmente significa pureza y virginidad.

Púrpura

Como color de la realeza y del poder imperial, el púrpura implica magnificencia y majestuosidad. En los sueños puede sugerir un deseo de opulencia y lujo, o posiblemente de controlar a otros.

Rosa

El rosa se asocia con la feminidad y la infancia, así como con la carne humana. Estar rodeado de tonos rosas suaves sugiere la añoranza nostálgica de la seguridad y la comodidad de la infancia.

Sonidos

Los sonidos de un sueño no deberían obviarse durante la interpretación del mismo. La música en particular acostumbra a ser especialmente significativa. Puede que una melodía tenga asociaciones personales, únicamente relacionadas con el soñador, o quizá su importancia radique en el título o la letra de la canción. Cuando, al despertar, no se reconoce o no se recuerda la melodía, es posible que la música transmitiese un mensaje más general. Quizá, por ejemplo, denote un peligro seductor, como la música que emanaba de la flauta de Pan, el dios de la naturaleza griego, que apartaba a los mortales de la razón y los conducía al mundo primigenio de la naturaleza. Por otro lado, unas voces extrañas que apenas se escuchan apuntan hacia la sabiduría interior.

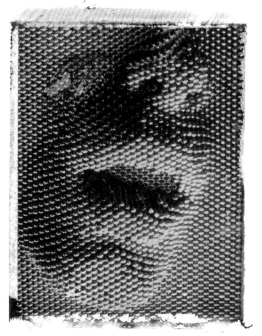

Parloteo

El parloteo ininteligible, quizá de tono enfadado, suele aparecer en nuestros sueños en momentos de mucho estrés. Podemos sentirnos frustrados por no entender las palabras, cosa que quizá tiña nuestro sueño de una atmósfera de irritación. Piensa qué puede haber causado este sentimiento y comprueba si eres capaz de revertirlo.

Oír tu nombre

Oír que se pronuncia tu nombre quizá sugiera que estás a punto de ser el centro de atención pública, como, por ejemplo, cuando vas a pronunciar un importante discurso en la boda de un buen amigo. También puede ser una señal para que expreses tu apoyo a una causa en la que crees.

Despertador

La intrusión de un despertador sonando en nuestros sueños es posible que sea el resultado de una alarma de verdad que suena para despertarnos, o tal vez sea imaginario, lo que puede aludir a una preocupación por el tiempo o por un plazo de entrega. Quizá estamos preocupados porque nos falta mucho para terminar un trabajo o alcanzar un objetivo personal; tal vez nos sintamos angustiados y estresados por ello.

Banda de música

Oír a una banda de música en la lejanía puede significar que nos sentimos aislados, excluidos de la comunidad en la que vivimos. El sonido del tambor y el pífano también suelen evocar a las bandas de reclutamiento de antaño, y sugerir la llamada del deber o una sensación de conflicto inminente o ritual.

Risa

La risa puede expresar muchas emociones: bienestar, burla, alivio y vergüenza, entre otras. Si nos reímos de forma incómoda o temerosa, el sueño quizá esté delatando una consciencia culpable. Si estamos rodeados de gente que se ríe de nosotros, entonces puede que nos sintamos perseguidos.

Voces

Las voces sin cuerpo pueden representar a nuestro yo interior reclamando atención. Quizá estemos demasiado distraídos con las exigencias de la vida cotidiana para escuchar estos avisos profundos, pero es importante que lo hagamos para nuestra salud mental y física. Las voces de los ángeles o de seres celestiales tal vez sugieran una llamada espiritual más elevada, mientras que las voces de la familia o los amigos pueden implicar una conciencia culpable; quizá no hemos sido capaces de tomarnos en serio a estas personas.

Melodía

La música es un símbolo habitual de la creatividad personal, y una melodía que ronda nuestros sueños, aunque no seamos capaces de recordarla en su conjunto, puede representar una invitación a sumergirnos en nuestro capacidad creativa.

Disparos

Los disparos pueden asociarse con violencia, guerra, un crimen o una ejecución. Podemos identificar un único disparo con una pistola de atletismo como indicativo del inicio de una carrera, y, por tanto, con una situación de presión o un plazo que se acerca rápidamente. Los disparos también suelen evocar el deseo del soñador de eliminar a un contrario: quizá estamos compitiendo con un rival por el afecto de una posible pareja o por una promoción.

Maldecir

Las palabras malsonantes normalmente son una expresión de enfado, miedo o frustración, por lo que la mente soñadora puede estar atrayendo

nuestra atención sobre sentimientos inexplorados. Si no solemos maldecir en nuestra vida cotidiana, el sueño puede estar alentándonos a que nos expresemos de forma más abierta.

Canto de un gallo

Un gallo cantando quizá constituya un aviso para que nos despertemos, literal o metafóricamente, y aprovechemos las oportunidades que se nos presentan. También puede sugerir un despertar espiritual o una advertencia de la mente soñadora de que deberíamos dejar de lado nuestras fantasías estériles y hacer el trabajo que tenemos pendiente. Los cristianos pueden asociar el canto del gallo con la negación de san Pedro, cosa que puede recordar que la gente en la que confiamos a veces nos falla.

Susurro

El susurro puede representar nuestra voz interior: el sueño puede reflejar dudas molestas sobre algún tema o acción planificada, o tal vez nos esté instando a actuar de acuerdo con nuestros instintos.

Sirena antiaérea

Para los soñadores que vivieron la segunda guerra mundial, el aullido de una sirena antiaérea puede evocar memorias nostálgicas de otra era o el inicio de una pesadilla. Incluso para las generaciones que no tienen recuerdos de la guerra, las películas y los programas de televisión la habrán definido como un augurio de muerte y destrucción. El sueño puede ser un aviso sobre una inminente tormenta emocional.

Bebé llorando

Un bebé que está llorando puede simbolizar una parte del yo que está siendo descuidada. Tal vez hayamos dejado de lado nuestros talentos creativos para seguir una carrera más lucrativa, o quizá hayamos abandonado otras ambiciones. Para las soñadoras femeninas puede ser la expresión directa de los instintos maternales, aunque quizá implique diversas formas de culpa.

Hervidor silbando

El sonido de un hervidor silbando en un fogón nos avisa de que el agua ya hierve. En un sueño, este sonido puede sugerir que los hechos han «llegado al punto de ebullición» y que ha llegado el momento de que nos pongamos en acción.

Gritos

Los gritos pueden ser un aviso o una señal para activarnos, o simplemente una manera de avisarnos de la presencia de alguien; por ejemplo, cuando un amigo nos grita en un lugar en el que hemos quedado y que está atestado de gente. No hay un simbolismo evidente en este tipo de sueños, pero quizá no le estás prestando a alguien la atención que merece, o tal vez te está advirtiendo de que debes poner fin a lo que estás haciendo.

Fantasmas y demonios

Las brujas, los vampiros, los hombres lobo y los espectros de los sueños de los niños a menudo simbolizan esos aspectos del yo que son incapaces de entender o integrar en su visión del mundo.

Si los monstruos de la infancia persisten en los sueños adultos, puede que algún trabajo de los llamados de comprensión e integración esté incompleto. El soñador, temeroso de las fuerzas que están fuera del alcance de la mente consciente, tal vez aún está intentando encajar la realidad en unas dimensiones seguras y predecibles.

Como pasa con todas las pesadillas, estos sueños tienen la función de exhortar al soñador a que se enfrente a las fuerzas oscuras que lo acechan, y que se dé cuenta de que sólo el miedo las convierte en monstruos. Al reconocer y aceptar las diversas energías que componen nuestra psique, podemos, con el tiempo, acercarnos a nuestro subconsciente, donde residen la mayoría de los misterios de la vida.

Los tibetanos a menudo equiparan las imágenes oníricas monstruosas con demonios iracundos y divinidades guardianas: los poderes dentro del ser que, usados correctamente, pueden frenar y destruir la ignorancia, las falsas impresiones y las motivaciones erróneas. Un texto de interpretación de los sueños del siglo XIX sugería incluso que soñar con fantasmas y espectros era claramente beneficioso, pues pronosticaba buenas noticias llegadas de lugares lejanos. Intentar ver a un monstruo como una fuerza potencialmente beneficiosa puede sernos útil en ocasiones, en especial cuando las interpretaciones más obvias fallan.

Fantasmas y figuras espectrales

La imagen de un fantasma como un ser incorpóreo puede sugerir unos conocimientos que deben cobrar cuerpo y fuerza en la mente consciente. Estas imágenes también sugieren el miedo a la muerte o a una vida después de la muerte falta de sensaciones y emociones. Los sueños con figuras fantasmales que sobrevuelan el cuerpo durmiente del soñador están relacionados con las experiencias extracorporales, en las que «el alma» o el cuerpo del soñador parecen abandonar su forma física. Un sueño en el que un amigo o familiar fallecido aparece como un fantasma tal vez indique que todavía estamos de duelo: aún puede faltar algún tiempo para que nos recuperemos de nuestra pena. Los fantasmas suelen simbolizar, asimismo, las dimensiones de la vida que nos parecen misteriosas.

Monstruo

El monstruo a menudo representa los impulsos escondidos que repugnan a la mente consciente. Al proyectarlos con la forma de una criatura extraña y terrible, estamos eludiendo cualquier responsabilidad sobre ellos y separándolos del yo.

El diablo

El diablo a menudo representa la oscuridad del subconsciente: nuestros instintos primarios más inquietantes.

Los sueños sobre el diablo suelen tener unas características arquetípicas y ser vívidos y dramáticos. Nos podemos encontrar enzarzados en una lucha desesperada entre el bien y el mal que nos deja sin tiempo ni recursos para salvar el mundo (o quizá a nuestros seres queridos) de la dominación de las fuerzas oscuras. En la interpretación jungiana, el diablo es normalmente una manifestación del arquetipo de la Sombra. Es importante integrar (y no rechazar) los aspectos del yo que consideramos «malos», porque el hecho de enfrentarnos a ellos garantiza su persistencia.

Hada

En el folklore tradicional, las hadas pueden ser de ambos sexos. Sin embargo, en nuestros sueños acostumbran a ser del femenino. Para los hombres, el hada a veces representa deseos homosexuales reprimidos.

Vampiro

La imagen de un vampiro en tus sueños sugiere que algo o alguien está absorbiendo tu energía. Puede que tengas la sensación de que las responsabilidades de tu trabajo te están quitando parte de tu vida, o que estés inmerso en una relación que te está agotando emocionalmente. Los freudianos interpretan la imagen de los colmillos penetrando en la piel como un símbolo del acto sexual.

Demonio

Los diablillos, los espíritus y los demonios representan a menudo nuestros «demonios interiores»; los oscuros impulsos o conflictos sin resolver del subconsciente que nos llevan a la ira, la adicción o causan depresiones. Estos demonios también pueden representar una voz interior subversiva que alienta al soñador a romper con las normas sociales: una voz que tal vez esté en lo cierto.

Zombi

Los sueños en los que estamos huyendo o luchando desesperadamente con zombis pueden relacionarse con cualquier situación de nuestra vida cotidiana de la que queremos escapar o a la que debemos enfrentarnos, incluso problemas triviales, ya que la mente suele exagerar las cosas en sueños.

Metamorfosis

Vivimos en un mundo en el que la transformación es la norma, aunque su ritmo puede ser tan gradual que no somos conscientes de ella. El paso incesante de las estaciones, los ciclos de la Tierra y la Luna, los jóvenes que envejecen, el presente que se diluye en el pasado, forman las tramas y los giros esenciales de la vida humana.

Nuestras percepciones de este mundo siempre cambiante son tan inestables como el mundo en sí. Los objetos parecen sutilmente distintos cada vez que los miramos, en función del ángulo de visión, de nuestro humor en ese momento, o nuestro grado de atención, y los efectos de la luz. El mismo patrón de cambio afecta a nuestras percepciones de nosotros mismos y de los demás, y en especial a nuestros temores sobre las personalidades y los valores de la gente.

En vista de todo esto, no es sorprendente que las transformaciones desempeñen un papel muy importante en nuestros sueños. A menudo sirven como una especie de taquigrafía, un puente entre una temática onírica y otra, uniendo las imágenes igual que un fundido lo hace en una película. De la misma forma, pueden tener un significado propio y atraer nuestra atención sobre las relaciones entre distintos aspectos de nuestras vidas y las diversas preocupaciones de nuestro subconsciente.

A veces toda una escena se convertirá en otra, como una visión evocada por un mago. También es relativamente común que el soñador mismo cambie. Por ejemplo, de joven a viejo, o de ganador a víctima. Y el entorno también puede ser inestable: un lugar seguro puede convertirse repentinamente en amenazador, y un tornado es posible que acabe por arrasar nuestra sala de estar.

Palabras que se transforman en imágenes

Freud una vez interpretó un elefante del sueño de un paciente como un juego de palabras con la palabra francesa *tromper*, que significa «engañar» y que suena como *trompe*, «trompa» en francés. Los juegos de palabras de este tipo pueden permitir que la mente soñadora dé forma visual a características y preocupaciones inherentes a todo ser humano.

De un objeto a otro

Las transformaciones pueden indicar un deseo de cambiarnos a nosotros mismos, y tal vez nos den importantes pistas sobre aquello que nos gustaría cambiar y en qué querríamos que se convirtiera. Un monopatín que, en sueños, se convierte en una casa, por ejemplo, puede expresar el deseo de gozar de una mayor estabilidad.

El soñador transformado en una planta

Convertirse en una planta (o en un árbol, como Dafne en el mito griego) es normalmente una imagen de cuidados e integración, aunque para algunos soñadores la pérdida de movilidad puede ser significativa: el sueño quizá sea un aviso sobre ideas o rutinas demasiado arraigadas. Por contra, transformarnos de una planta a un ser móvil puede hacer referencia a un momento de despertar en el que dejemos atrás la inercia y tomemos medidas positivas.

Una casa transformada en un coche

Como hemos visto, la casa es el símbolo clásico del yo. Por ello, si se transforma en otra cosa es probable que sea un comentario sobre el estado de la psique del soñador. Una casa que se convierte en un coche puede indicar la importancia del movimiento y la progresión, pero también quizá sea un aviso sobre la falta de cimientos sólidos en nuestra vida. Por otra parte, un sueño de este tipo puede estar sugiriendo que el soñador está perdiendo una parte de su humanidad, mecanizándose, volviéndose dominante o implacable en su persecución de objetivos personales o profesionales.

De animal a persona

Un animal que se transforma en ser humano suele hacer referencia a la conquista sobre los instintos primarios del soñador; un humano transformado en animal puede significar el descenso a niveles más salvajes de la psique o el redescubrimiento de emociones naturales y espontáneas. Un híbrido, parte humano, parte bestia (una cabeza de jabalí en un cuerpo humano, por ejemplo), a menudo se relaciona con la imposibilidad de dejar de lado nuestros instintos animales o nuestros impulsos más primarios. El sueño puede estar alentándonos a dejar de negar esos aspectos del yo y a trabajar para su aceptación e integración en nuestro ser.

Agentes de transformaciones

Los agentes de transformaciones, como los brujos, los magos o los chamanes, pueden aparecer como personajes oníricos. Están fuera del mundo racional y social, pero tienen el poder de cambiarlo. Estas figuras quizá sean una manifestación del arquetipo del Embaucador (véase página 104), que a menudo aparece cuando el ego está en una situación de peligro, por algún error de juicio o lapso moral. Un mago también puede representar la manera de llevar a cabo un cambio, aunque no deberíamos esperar que los cambios los efectúen otros: quizá es hora de que nos pongamos manos a la obra.

Cambio de estaciones

El cambio de estaciones (como los que vemos a veces en las películas románticas), o del día a la noche y viceversa, es a menudo un mensaje sobre nuestra relación con el tiempo y nuestras capacidades. El invierno que se vuelve primavera sugiere nuevas ideas o una nueva esperanza, quizá después de una experiencia emocional difícil, como un episodio de depresión o el final traumático de una relación. Cuando la primavera se vuelve verano, la mente soñadora puede estar exhortándonos a disfrutar del presente. El comienzo del invierno tal vez sugiera que ha llegado el momento de hacer balance y conservar nuestras energías.

Mitos

En la Grecia antigua, el *mythos* (de dónde proviene la palabra «mito») significaba originalmente «palabra», «dicho» o «historia»; pero más tarde su significado pasó a ser el de «ficción» o incluso «falsedad», para distinguirlo del *logos*, o «palabra verdadera», la divisa de los historiadores. Sin embargo, ahora creemos que el mito contiene sus propias verdades, y que muchas de éstas trascienden el tiempo y el espacio, y se hacen eco de importantes significados en niveles profundos de la psique. Si los sueños y los mitos tienen las mismas raíces en el inconsciente colectivo, como creía Jung, no debe sorprendernos que se puedan encontrar elementos míticos incluso en los sueños de gente cuyo último contacto con la mitología son algunos recuerdos de la escuela.

Jung recomendaba el uso de los mitos para trazar paralelismos que ayudarían al soñador a descifrar el significado de los sueños: el proceso de amplificación (véase página 108). Con los sueños de nivel 3, la amplificación es más fácil, ya que el material soñado a menudo contiene temas explícitamente mitológicos: éstos representan el inconsciente colectivo de forma personalizada y pueden indicar la relación de dichas energías con las circunstancias vitales específicas del soñador.

Las figuras universalizadas en los sueños de los occidentales a menudo evocan equivalentes griegos, egipcios y cristianos; las mitologías con las que solemos estar más familiarizados. El Dios Resucitado, el Héroe, el Salvador, el Embaucador, el Viejo Sabio y la Chica Joven son todos temas recurrentes. A veces el contenido mítico es evidente: una princesa en una torre, por ejemplo, sería sin duda un personaje de una leyenda. Sin embargo, también se encuentran referencias más tangenciales, como el Héroe visto como una estrella de cine o alguien que acude al rescate en una situación cotidiana (como, por ejemplo, para reparar un coche, un camión o un electrodoméstico averiado).

Sirena

Al combinar el simbolismo de los peces y la feminidad, la sirena se convierte en una imagen potente de la misteriosa alteridad que obsesiona y fascina a la psique masculina. En los sueños, la sirena suele dar cuerpo al Ánima: la portadora de sabiduría secreta y una tentadora sensual, que atrae las energías abiertas, activas y masculinas de la mente consciente hacia las profundidades del subconsciente.

Zeus o Júpiter

Zeus, «el padre de los dioses y los hombres», era el gobernante supremo del panteón grecorromano. Puede ser una representación del padre inflexible o evocar la ansiedad que siente el soñador delante de alguna imponente figura de autoridad. Enfadado y lanzando rayos, suele representar los sentimientos reprimidos de ira o la severidad de los padres. Famoso por sus hazañas sexuales, el hecho que aparezca en nuestros sueños bien puede indicar un deseo de una vida sexual más atrevida, quizá con una pareja nueva.

Odín

Como Zeus, Odín, el dios nórdico, fue el gobernante de los dioses, y puede aparecer en nuestros sueños como representante de la autoridad paterna. Es una figura mítica ambivalente: poeta, viajero, dios de la guerra y de la caza. Una célebre historia nos cuenta cómo sacrificó su ojo derecho para beber del pozo de la sabiduría. Quizá señale el precio que el soñador debe pagar para lograr desarrollarse artística o intelectualmente.

Aquiles

Como el Lancelot de la leyenda artúrica, Aquiles es también un héroe imperfecto. No se avergüenza de ser humano y tiende a sufrir ataques de rabia, envidia y rencor, aunque es medio mortal y medio dios. Sus fallos personales encuentran su analogía física en su talón vulnerable, la única parte de su cuerpo que no sumergió en el río Estigia cuando era un niño. Ésta es la debilidad que finalmente lleva a la muerte del héroe en la guerra de Troya. En nuestros sueños, las referencias a «el talón de Aquiles» pueden hacer referencia a nuestros fallos más fatídicos o ser un aviso contra la complacencia.

Heracles

Hércules es otro mito grecorromano que representa los puntos fuertes y débiles de la fuerza bruta, y en función del contexto del sueño puede sugerirnos que procedamos con mayor o menor agresividad. Es conocido por la serie de trabajos aparentemente imposibles que tuvo que realizar. El sueño puede expresar frustración con problemas que parecen no tener fin.

para atrevernos a explorar nuestro pleno potencial. Pan, medio hombre y medio cabra, tiene una función similar: es el símbolo de la naturaleza instintiva y en los sueños nos recuerda la belleza natural y la fuerza de la potencia y el crecimiento masculinos.

Minotauro

Mitad hombre, mitad toro, el minotauro era un híbrido monstruoso que vivía en un laberinto en la isla de Creta hasta que Teseo le dio muerte. En nuestros sueños, el minotauro puede representar los oscuros impulsos del inconsciente.

Dionisio

Dionisio, el dios griego (conocido por los romanos como Baco), se asociaba con la naturaleza, el vino, la fertilidad y el éxtasis divino. Sus seguidoras, un grupo salvaje y nómada de mujeres conocidas como las ménades o bacantes, bailaban en un éxtasis frenético, desgarraban animales salvajes y se comían su carne cruda. En los sueños, Dionisio puede representar estados elevados de conciencia sobre nuestras energías más profundas y primarias. Expresa la necesidad de asumir riesgos

Poseidón o Neptuno

Poseidón (o Neptuno) era el dios del mar grecorromano. Personaje tormentoso y armado con un tridente, su presencia en nuestros sueños puede sugerir alteraciones en las aguas profundas del subconsciente. Por otra parte, su naturaleza tormentosa tal vez nos indique una tendencia a cambios bruscos de humor o a anunciar un repentino estallido de inspiración creativa.

Artemisa o Diana

Artemisa, la diosa grecorromana de la caza, transmite una imagen de feminidad orgullosa y autónoma, aunque rencorosa. Para las soñadoras, puede evocar un deseo de tomar el control y de liberarse de los conceptos tradicionales de feminidad. Los soñadores varones quizá vean a Artemisa como un símbolo onírico de una madre sobreprotectora.

Medusa

Medusa, una de las tres hermanas gorgonas, tenía serpientes como pelo y un rostro tan terrible que convertía instantáneamente en piedra a todo el que la mirara. Puede representar una imagen negativa de uno mismo o el peligro de activar impulsos destructivos sin intentar entenderlos.

Afrodita o Venus

Afrodita (o Venus) era la diosa grecorromana del amor y la belleza. Simboliza la pasión y el deseo, y puede alentar a una soñadora femenina a sentirse más a gusto con su sexualidad y su cuerpo. Asimismo, a los soñadores varones puede parecerles una imagen deseable, aunque quizá también algo amenazadora.

Eros o Cupido

Cupido, hijo de Afrodita, era el dios del deseo sexual; puede evocar los juegos de la concupiscencia, pero también, con sus flechas, el dolor que el amor es capaz de causarnos.

Jasón y los argonautas

El viaje de Jasón en busca del vellocino de oro tiene una interpretación junguiana. Como héroe arquetípico, Jasón debe matar al dragón que no duerme (sus impulsos inconscientes) si quiere llegar a la realización espiritual y a la pureza, representada por el vellocino de oro. Sin embargo, no puede acabar con él y sólo consigue dormirlo con una poción mágica, con lo que pone en peligro su misión al dejar que sus impulsos sigan ahí, latentes. El mito nos recuerda que la realización espiritual requiere una entrega absoluta.

Narciso

Según el mito romano, Narciso era un apuesto joven que se enamoró de su propio reflejo y se fue consumiendo de tristeza hasta morir. La historia previene contra los riesgos de la vanidad y puede advertir al soñador de que no se fije demasiado en las apariencias.

Rey Midas

Cuando Dionisio le concedió un deseo, el rey Midas pidió que todo lo que tocara se convirtiese en oro. Sin embargo, aquel regalo acabó convirtiéndose en una maldición, al comprobar que el hechizo también incluía la comida, cosa que casi le condenó a morir de hambre. La figura onírica del rey Midas puede ser una advertencia sobre los peligros de la avaricia y la idealización de lo material por encima de lo espiritual.

Unicornio

El unicornio suele retratarse de un blanco inmaculado con un único cuerno en la frente; se creía que sólo las vírgenes eran capaces de domarlos. En la Edad Media, pasó a representar la castidad y la fidelidad en el matrimonio. El unicornio es un símbolo cristiano de la Virgen María fecundada por el Espíritu Santo y constituye un tema muy recurrente en el arte religioso.

Dragón

Los dragones son un símbolo arquetípico de poder, dominación o creatividad. En Oriente son criaturas formidables pero benévolas que representan al emperador y las fuerzas del Cielo, además de identificarse con la energía primaria y la buena suerte.

El Grial

El Santo Grial es la copa de la que Jesús bebió el vino en la Santa Cena. Posteriormente fue utilizada para recoger su sangre tras ser crucificado. A menudo representa la búsqueda de la perfección espiritual por parte del soñador, pero también se puede relacionar con la elevada importancia que damos a menudo a las aventuras que emprendemos. Asimismo posee una connotación freudiana como símbolo de la sexualidad femenina.

Excalibur

Sólo el futuro rey de los britanos, cuyo nombre se desconocía, sería capaz de arrancar la mítica espada de Arturo de la piedra en la que estaba clavada. Como símbolo onírico, la espada puede representar la prueba que es capaz de mostrarle al mundo que merecemos alabanzas o mayor responsabilidad.

Superman

Superman, un héroe arquetípico, es el álter ego del periodista Clark Kent. Como reflejo de su campaña para defender el mundo del mal, se conserva casto, rechazando los diversos intentos de su compañera de trabajo Lois Lane, a pesar de que Clark Kent esté enamorado de ella. Podemos identificar a Kent (que comparte algunos rasgos con la figura del Lancelot artúrico) con la culpa por permitir que las preocupaciones mundanas nos distraigan de nuestra búsqueda de iluminación espiritual.

Por otra parte, las dos identidades de Superman, que él mismo se esfuerza en mantener ocultas, a menudo reflejan una dualidad que percibimos en nuestra propia vida: el papel que interpretamos ante amigos y compañeros de trabajo puede estar enfrentado con la imagen que tenemos de nosotros mismos.

Doncella en apuros

Un símbolo muy común en los mitos y en los cuentos populares es el rescate de una joven doncella por parte de un valiente héroe. Éste, normalmente un príncipe o un guerrero, representa la parte noble e incorruptible del subconsciente, aquella que no está sujeta a la sabiduría convencional y se atreve a salir en busca de la verdad. Un padre autoritario o un pretendiente rechazado suele tener a la doncella encerrada en un castillo, y su prisión representa la represión de la sabiduría subconsciente por la inflexibilidad de la mente racional.

Cerbero

Cerbero, el perro de tres cabezas del mito greco-romano, vigilaba las puertas del Hades (el Infierno). En los sueños puede representar los inquietantes instintos que acechan en la mente subconsciente y que nos desalientan a explorar los aspectos desconocidos del yo.

Quimera

Quimera, la hermana de Cerbero, era una bestia monstruosa formada por varios animales. Sus tres cabezas, una de león, una de cabra y una de serpiente, pueden representar defectos tales como el orgullo, la lascivia o la malicia, que el soñador percibe en sí mismo. Menos habitual es el juego de palabras con el uso moderno de la palabra «quimera», que sugiere un espejismo o una fantasía absurda, y quizá cierta predilección por soñar despierto.

Leprechaun

Este travieso elfo irlandés puede ser una permutación del arquetipo del Embaucador junguiano. Los intentos de atraparlo o de robar su recipiente de oro raramente tienen éxito: el sueño nos puede recordar que no debemos tomar atajos en nuestro desarrollo personal.

Estrellas y planetas

Los hombres y las mujeres de las diversas culturas han intentado leer su destino en el cielo nocturno. Fascinadas por los movimientos de los astros, todas las grandes civilizaciones han desarrollado sus propias asociaciones con los poderes místicos que determinan nuestro destino.

Los sueños de nivel 3 sobre el cielo a menudo transmiten el sentido de la naturaleza inmutable de la realidad. Podemos sentirnos uno con las estrellas, con nuestra identidad absorbida en los lejanos confines del universo.

Es poco frecuente, incluso en los sueños de nivel 1 y nivel 2, que las estrellas y los planetas tengan connotaciones negativas, aunque algunos soñadores los interpretan como la prueba evidente de la insignificancia de la vida humana ante las inabarcables e impersonales fuerzas del universo.

Los cuerpos solares normalmente aparecen en sueños de forma individual, pero si hay más de uno, lo importante puede ser su yuxtaposición. El sol y la luna representan la relación entre el consciente y el subconsciente, lo racional y lo irracional; mientras que Saturno y Venus pueden representar la relación entre hombre y mujer.

Los sueños están llenos de paradojas, y observar hacia el exterior es también mirar hacia dentro. Por ello, la contemplación onírica del cielo nocturno puede simbolizar un autoanálisis del subconsciente, en el que las posibilidades infinitas de la imaginación hacen que las preocupaciones cotidianas de la mente consciente parezcan, por oposición, pequeñas e insignificantes.

Estrellas

Además de representar el destino y los poderes celestiales, las estrellas pueden simbolizar también los estados de consciencia más elevados del soñador. De esta manera, una estrella cuyo brillo es claramente más intenso que el de las otras tal vez señale el éxito, pero también puede servir para recordarle al soñador sus responsabilidades con la gente que tiene menos capacidades que él. Conviene recordar, asimismo, que la más brillante también podría ser la que está más cerca de su destrucción. La Estrella Polar, siempre presente en la noche del hemisferio norte, ayuda a los navegantes a situarse cuando están desubicados y a veces actúa como un guía simbólico para los que están explorando las profundidades personales o universales.

La Luna

La Luna suele representar la parte femenina, en su papel de reina de la noche, y el misterio de las cosas secretas y ocultas. También se asocia con el agua (porque regula las mareas de la Tierra), la imaginación y el paso del tiempo. Se asocia con la evolución natural. Una luna llena puede indicar serenidad y calma, y representa la contemplación gratificante del soñador, o tal vez sea un símbolo de realización emocional y espiritual. La luna nueva es símbolo evidente de un nuevo inicio.

El Sol

El Sol se asocia con lo masculino, con el mundo de las cosas manifiestas, con la mente consciente, el intelecto y el padre. En los sueños, un sol abrasador puede indicar la capacidad del intelecto para convertir en un desierto la vida emocional del soñador. Por extensión, el sol escondido detrás de las nubes tal vez sugiera que las emociones dominan el raciocinio. Un eclipse solar puede hacer referencia a hechos o emociones molestos que interfieren con la creatividad o el desarrollo espiritual.

La Tierra

Un sueño en el que abandonas la Tierra quizá se derive del miedo a la muerte o del alejamiento de los amigos o la familia. Si se ve desde el espacio, suele identificarse con sentimientos de aislamiento o soledad.

Marte

Asociado con el dios romano de la guerra, su color rojizo connota ira, pasión y agresividad. Por otra parte, como planeta más cercano a la Tierra, en el que muchos científicos esperan encontrar vida, que aparezca en nuestros sueños quizá sea señal de que deseamos estar acompañados o de que nos preocupa estar solos.

Venus

Como su tocaya, la diosa romana del amor, el planeta se relaciona con lo erótico. De forma más general, su brillo como estrella del atardecer o de la madrugada se suele considerar propicio. Su aparición en un sueño puede hacer referencia a que aspiramos a algo más y a nuestras ambiciones, más allá de lo sólidas que éstas sean.

Cometas

Aunque antaño se consideraba que los cometas presagiaban catástrofes, actualmente quien sueña con ellos es más probable que los interprete como un aviso de un éxito fulgurante pero efímero, seguido de un descenso rápido y de una posterior destrucción. También es posible que representen ideas y revelaciones que brillan intensamente en el subconsciente, o que hagan referencia a la sensación de que nuestras vidas pueden dar un giro dramático.

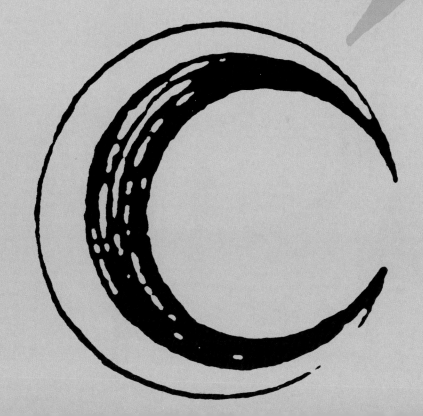

Lecturas adicionales

Ball, P. (2006). *The Power of Creative Dreaming*. Londres, Quantum; y Nueva York, Foulsham.

Boss, M. (1997). *A New Approach to the Revelations of Dreaming and its Uses in Psicotherapy*. Nueva York, Gardener.

Campbell, J. (1949). *El héroe de las mil caras: psicoanálisis del mito*. Madrid, Fondo de Cultura Económica de España.

Castañeda, C. (1973). *Relatos de poder*. Madrid. Fondo de Cultura Económica de España.

Castañeda, C. (1993). *El arte de ensoñar*. Madrid, Gaia Ediciones.

Faraday, A. (1972). *Dream Power: The Use of Dreams in Everyday Life*. Londres, Pan Books.

Fenwick, P., y Fenwick, E. (1997). *The Hidden Door: Understanding and Controlling Dreams*. Londres, Hodder Headline.

Fontana, D. (1999). *Aprender a meditar*. Barcelona, Ediciones Oniro.

Fontana, D. (2007). *Creative Meditation and Visualization*. Londres, Watkins/Duncan Baird Publishers.

Fontana, D. (2008). *El nuevo lenguaje secreto de los sueños: las claves para comprender los misterios del inconsciente*. Barcelona, Ediciones Paidós Ibérica.

Freud, S. (1899). *La interpretación de los sueños*. Madrid, Alianza Editorial.

Garfield, P. (1976). *Creative Dreaming*. Londres, Futura.

Garfield, P. (1991). *El poder curativo de los sueños*. Barcelona, Ediciones Robin Book.

Goodwin, R. (2004). *Dreamlife: How Dreams Happen*. Great Barrington, Lindisfarne Books.

Halifax, J. (1979). *Shamanic Voices*. Nueva York, E. P. Dutton

Hall, C. S., y Nordby, V. J. (1972). *The Individual and His Dreams*. Nueva York, New American Library.

Hearne, K. (1989). *Visions of the Future*. Wellingborough, Aquarian Press.

Hearne, K. (1990). *The Dream Machine*. Wellingborough, Aquarian Press.

Hillman, J. (1989). *The Essential James Hillman*. Londres y Nueva York, Routledge.

Holbeche, S. (1991). *The Power of Your Dreams*. Londres, Piatkus.

Inglis, B. (1988). *The Power of Dreams*. Londres, Paladin.

Jones, R. M. (1978). *The New Psichology of Drea-ming*. Harmondsworth y Nueva York, Penguin.

Jung, C. G. (1963). *Recuerdos, sueños, pensamien-tos*. Barcelona, Seix Barral.

Jung, C. G. (1968). *Analytical Psichology: Its Theory and Practice*. Londres y Nueva York, Routledge.

Jung, C. G. (1974). *Dreams*. Princeton, Princeton University Press.

Jung, C. G. (1983). *Selected Writings*. Londres, Fontana Books (Harper Collins).

Jung, C. G. (1984). *Dream Analysis*. Londres y Nueva York, Routledge.

Kleitman, N. (1939). *Sleep and Wakefulness*. Chica-go, University of Chicago Press.

Lenard, L. (2002). *Guide to Dreams*. Londres y Nueva York, Dorling Kindersley.

Linn, D. (2009). *The Hidden Power of Dreams: The Mysterious World of Dreams Revealed*. Nueva York, Hay House.

Mattoon, M. A. (1978). *Applied Dream Analysis: A Jungian Approach*. Londres y Nueva York, John Wiley & Sons.

Mavromatis, A. (1987). *Hypnagogia: The Unique State of Consciousness Between Wakefulness and Sleep*. Londres y Nueva York, Routledge.

Mindell, A. (2000). *Dreaming While Awake: Techni-ques for 24-Hour Lucid Dreaming*. Charlottesville, Hampton Roads.

Reading, M. (2007). *The Watkins Dictionary of Dreams*. Londres, Watkins.

Ullman, M. y Limmer, C. (eds.) (1987). *The Variety of Dream Experience*. Londres, Crucible; y Nueva York, Continuum.

Ullman, M. y Zimmerman, N. (1987). *Working With Dreams*. Londres, Aquarian Press; y Nueva York, Eleanor Friede Books.

Van de Castle, R. (1971). *The Psichology of Drea-ming*. Morristown, General Learning Press.

Whitmont, E. C. y Perera, S. B. (1989). *Dreams, a Portal to the Source*. Londres y Nueva York, Routledge.

Índice de sueños

El índice de sueños, que contiene símbolos, actividades y otros elementos, pretende facilitar la interpretación del contenido onírico. Los números de las páginas que aparecen en negrita se refieren al encabezado del apartado «Claves para los símbolos oníricos».

Índice temático

Agradecimientos fotográficos

El editor quiere agradecer a las siguientes personas, museos y bibliotecas fotográficas el permiso para reproducir su material. Se ha buscado con el máximo interés a los propietarios de los derechos. Sin embargo, si se ha omitido a alguien, pedimos disculpas, y, tras su advertencia, se harán las correcciones pertinentes en futuras ediciones del libro.

Leyenda
i = izquierda, d = derecha, a = arriba, b = abajo

JamieBennet: 90, 98, 110, 116, 117, 120, 125 (encarte), 131, 213, 431
Nick Dewar: 16, 39, 50, 58, 66, 97, 128, 187, 212, 235, 242 (encarte), 243, 245, 249, 298, 302, 306, 360, 368, 434.
Hugh Dixon: 48, 74, 137, 232, 271, 277, 294, 324, 333, 348, 350, 351 (a), 354, 356, 378.
Grizelda Holderness: 1, 11, 30, 33, 37, 38, 46, 59, 68, 78, 86-87, 93, 100, 141, 146, 148, 172, 176, 182, 185, 189, 195, 206 (encarte), 209, 214, 219, 221, 229, 241, 270, 284, 292, 315, 316, 338, 339, 340, 343, 359, 373, 379, 382 (encarte), 386, 389, 398, 436, 438.
Alison Jay: 2-3, 25, 32, 47, 55, 60-61, 64, 81 (encarte), 82, 104, 126, 127, 134, 135, 144, 149, 152, 156, 159 (encarte), 160 (encarte), 161, 162-163, 165, 168, 193, 196, 226, 237, 146 (d), 247, 253, 268, 279, 280, 282, 299, 301, 304 (a), 342 (encarte), 369, 380-381, 388, 412.
Marie LaFrance: 5, 77, 423, 445.
Gabriella Le Grazie: 112.
Peter Malone: 10, 40, 42, 70-71, 75, 80, 91, 124, 151, 158, 164, 166-167, 177, 179, 198-199, 223, 225 (b), 238-239, 272-273, 309, 318, 321, 335, 345, 352, 366-367, 370-371, 372, 429, 441.
Fabian Negrin: 6-7, 51, 69, 107, 111, 119, 121, 143, 153, 295, 308, 417, 448-449.
Jules Selmes: 62, 72, 95, 105, 170, 178, 186-187, 188, 215, 224 (a), 234, 251, 252, 256, 257, 260-261, 265, 274, 281, 291, 311, 323, 326-327, 328, 330, 331, 341, 351 (b), 363, 364, 428, 430.
SandieTurchyn: 35, 76, 173, 174, 182, 264 (encarte), 329, 332, 355, 394, 419.
Leigh Wells: 44, 65, 102, 122, 139, 296.
Heidi Younger: 56, 85, 145, 162, 180, 184, 190, 192, 207, 210, 211, 230, 233, 267, 286, 288, 314 (encarte), 319, 322, 336, 424, 426, 433.
Eyewire Images: 115, 125, 382, 416.
Photos.com: 112, 159, 191, 242, 314, 342, 411.
Image Dictionary: 11, 81, 160, 206, 216, 283, 290, 404, 407.
iStock: 14 (Rzymu), 83 (Martin McCarthy), 205 (Quid-nunc), 262 (Michelle Preast), 357 (Aiming Tang), 384 (Pawel Aniszewski), 402-403 (AVTG), 409 (Olmarmar).
Shutterstock: 96 (BasPhoto).
Mary Evans Picture Library: 21, 26 (Simgund Freud Copyrights).
© BNN, Inc. «20's Kimono»: 52, 53, 183, 222, 246 (i), 307, 325, 376, 396, 397, 399, 414-415.